CW00694978

La mort indienne

Du même auteur
aux Éditions J'ai lu

CELUI QUI A PEUR DU LOUP
N° 8130

LE DIABLE TIENT LA CHANDELLE
N° 8287

Karin
FOSSUM

La mort indienne

ROMAN

Traduit du norvégien
par Alex Fouillet

Titre original
ELSKEDE POONA

Éditeur original
Cappelens Forlag a.s.

À Finn Skårderud

Le calme est déchiré par des aboiements. La mère lève les yeux de l'évier et observe ce qui se passe à l'extérieur. Le chien pousse des jappements qui montent des profondeurs de sa gorge. Tout son corps noir et musculeux vibre d'enthousiasme.

Le fils apparaît. Il s'extrait de la Golf rouge et lâche un sac bleu sur le sol. Il jette un œil vers la fenêtre, où il aperçoit la silhouette de sa mère. Il s'approche du chien et le détache. L'animal se jette sur lui et le fait basculer, ils se mettent à chahuter dans le sable qui voltige. Le chien grogne, et le fils lui crie de doux noms d'oiseau à l'oreille. De temps à autre, il pousse un cri et donne une bonne gifle sur la truffe du rottweiler. Celui-ci finit par rester couché. Le fils se relève lentement. Il tape son pantalon pour en chasser la terre et la poussière, et jette un nouveau coup d'œil vers la fenêtre. En hésitant, le chien se relève et s'immobilise devant lui, tête baissée. Il peut finalement venir lui lécher avec soumission le coin de la bouche. Le fils va ensuite jusqu'à la maison et entre dans la cuisine.

— Doux Jésus, regarde de quoi tu as l'air !

Sa mère regarde le t-shirt bleu. Il est taché de sang. Ses mains sont couvertes d'égratignures. Le chien l'a également griffé au visage.

— Makan ! s'écrie-t-elle avec un renâclement coléreux. Laisse le sac. Je nettoierai plus tard.

Il croise ses bras griffés. Ils sont puissants, comme le reste de son corps. Presque cent kilos, et pas de graisse. Ses muscles viennent de servir, ils sont chauds.

— Relax, répond-il très vite. Je m'en occuperai.

Elle n'en croit pas ses oreilles. Il va laver ses affaires tout seul ?

— Où étais-tu ? Tu ne t'entraînes quand même pas de six à onze ?

Le fils bougonne, le dos tourné.

— Avec Ulla. On avait un baby-sitting.

Elle regarde son dos large. Ses cheveux sont blond très clair, et pointent tout droit, comme une brosse. De petites touffes çà et là sont teintes en rouge vif. On dirait qu'il brûle. Il disparaît dans l'escalier du sous-sol. Elle entend démarrer la vieille machine à laver. Elle fait couler de l'eau dans l'évier et son regard se perd dans la cour. Le chien s'est couché, la tête posée sur les pattes. Les derniers restes de lumière s'effacent. Le fils remonte et déclare qu'il va se doucher.

— Te doucher, maintenant ? Mais tu rentres du sport...

Il ne répond pas. Plus tard, elle entend sa voix dans la salle de bains, qui résonne dans la pièce carrelée, criarde de désespoir juvénile. Il chante. Les portes de l'armoire à pharmacie claquent. Il cherche probablement des pansements, le crétin.

La mère sourit. Toute cette violence est parfaitement à sa place. C'est un homme, après tout. Par la suite, elle ne l'oubliera jamais.

Le dernier instant où la vie était belle.

*
* *

Tout commença avec le voyage de Gunder Jomann. Il alla jusqu'en Inde pour se trouver une

10

épouse. Lorsque les gens lui demandèrent, il ne dit pas que c'était ce qu'il voulait. C'était tout juste s'il se le disait à lui-même. Il était question d'un voyage pour découvrir un peu le monde, répondait-il quand les collègues lui posaient la question. Quel excès sans bornes ! Il faisait toujours si peu cas de lui. Il sortait rarement, n'allait jamais à la fête de Noël, s'occupait de sa maison, de son jardin ou de sa voiture. Il n'avait par ailleurs jamais eu de femme, à ce qu'en savaient les gens. Gunder ne se souciait pas des rumeurs. En fait, c'était un homme déterminé. Lent, certes, mais il arrivait à ses fins, et ce dans la plus grande discrétion. Il laissait faire le temps. Le soir, alors qu'il était dans sa cinquante et unième année, il feuilletait un livre que lui avait prêté sa sœur cadette Marie. *Tous les peuples du monde.* Parce qu'il n'était jamais allé bien loin, plus loin que son lieu de travail, une solide petite entreprise qui vendait des machines agricoles, elle veillait à ce qu'il ait au moins la possibilité de voir des photos de ce qu'il y avait plus loin. Gunder lisait et feuilletait. C'était l'Inde qui le captivait le plus. Les belles femmes au front marqué d'un point rouge. Les yeux peints, les sourires espiègles. L'une d'elles tournait son regard vers lui depuis la page du livre, et il se perdit sur-le-champ dans de doux rêves. Personne ne pouvait rêver comme Gunder. Il ferma les yeux et partit à la dérive. Elle était légère comme une plume dans son habit rouge. Ses yeux étaient profonds, sombres comme du verre noir. Ses cheveux étaient dissimulés sous un châle à bordure d'or. Pendant des mois, il avait contemplé cette photo. Il était à présent clair pour lui que c'était une épouse indienne qu'il voulait. Non pas parce qu'il désirait une femme accommodante et dévouée, mais parce qu'il désirait une femme pour laquelle il pourrait être aux petits soins. Les Norvégiennes ne voulaient pas tant de sollicitude. Dans le fond, il ne les avait jamais comprises, il n'avait jamais compris ce qu'elles voulaient réellement. Car il ne manquait de rien, tel qu'il voyait les choses. Il possédait sa maison, son terrain, il avait une voiture et un emploi, sa cuisine était bien équipée. Il y avait le chauffage au sol dans la salle de bains, en plus de la télévision et de la vidéo. Une machine à laver et un sèche-linge, un lave-vaisselle et un four à micro-ondes, de la bonne volonté et de l'argent sur le livret. Gunder comprenait bien qu'il y avait aussi d'autres facteurs plus abstraits qui déterminaient les chances de réussite dans le domaine sentimental, car il avait oublié d'être idiot. Mais ça n'aidait pas considérablement quand il n'y avait rien qui ne puisse être appris ou acheté. « Ton temps viendra », répétait constamment sa mère en mourant à petit feu dans son imposant lit d'hôpital. Gunder avait grandi avec ces deux femmes : sa mère et sa sœur Marie. À soixante-dix ans, sa mère avait développé une tumeur au cerveau et pendant de longues périodes, elle n'était plus elle-même. Il attendait alors patiemment qu'elle revienne à celle qu'il connaissait et qu'il aimait. « Ton temps viendra. Tu es un bon gars, toi, Gunder. Un beau jour, une femme viendra vers toi. »

Mais il ne voyait rien venir vers lui. Il programma donc un voyage en Inde. Il savait que le pays était pauvre. Il trouverait peut-être une femme sur place, qui n'aurait pas les moyens de refuser sa proposition de le suivre en Norvège, pour cette belle maison qui était la sienne. Ses proches pourraient venir la voir aux frais de Gunder, s'ils le souhaitaient. Il ne voulait séparer personne. Et si elle était d'une confession compliquée, il ne l'empêcherait certainement pas de pratiquer. Il était d'une patience rare. Si seulement il trouvait femme !

Il y avait d'autres solutions. Mais il n'osait pas monter dans le car pour la Pologne, en compagnie d'autres inconnus. Et il ne voulait pas se jeter dans le premier avion pour la Thaïlande. Tant de rumeurs circulaient sur ce qui s'y passait. Il trouverait une épouse par ses propres moyens. Tout dépendrait de lui. L'idée de parcourir des catalogues de photos et de descriptions de femmes, ou de regarder un écran sur lequel elles s'offriraient l'une après l'autre était proprement inconcevable pour Gunder. Il ne parviendrait jamais à choisir.

La lumière de la lampe de chevet chauffait son crâne chauve. Il trouva l'Inde dans un atlas mondial, et les villes principales. Madras, Bombay, New Delhi. Ce qu'il voulait avant tout, c'était une ville au bord de la mer. Beaucoup d'Indiens parlaient anglais, ce qui le tranquillisa. Certains étaient même chrétiens, lut Gunder dans *Tous les peuples du monde*. Ce serait la plus grande des chances s'il trouvait une femme qui soit peut-être chrétienne, et qui en outre parle anglais. Qu'elle ait vingt ans ou qu'elle en ait cinquante, ça n'avait pas tellement d'importance. Il ne comptait pas avoir d'enfants, il n'était pas exigeant, mais si elle en avait un, il l'accepterait dans le lot. Il était possible qu'il faille payer. Les us et coutumes dans les autres pays étaient si nombreux et si différents de ceux auxquels on était habitué chez soi, si cela coûtait de l'argent, il devrait bien payer. Il avait reçu une somme confortable en héritage de sa mère. En premier lieu, il lui fallait trouver une agence de voyages. Il avait le choix entre quatre. L'une dans le centre commercial, en fait un comptoir devant lequel on restait debout pour feuilleter les catalogues. Mais Gunder voulait pouvoir s'asseoir. Cette décision était importante, elle ne se prenait pas debout, à la va-vite. Il devait aller en centre-ville, où il y avait trois agences. Il parcourut les pages jaunes. Il se rappellerait plus tard que Marie avait une fois laissé un catalogue de vacances, pour l'allécher. Ah, cette Marie ! pensa-t-il en allant à l'index, à la lettre I. Ialyssos. Ibiza. Irlande. Ils n'avaient pas de voyages organisés en Inde ? Il trouva Bali dans l'archipel indonésien, mais rejeta l'idée. C'était l'Inde ou rien. Il pourrait alors appeler directement l'aéroport et réserver les billets. Il s'en sortirait toujours, il l'avait toujours fait, et dans une grande ville, les gens avaient l'habitude des voyageurs. Mais c'était le soir, et il était trop tard pour appeler. Il feuilleta donc une nouvelle fois *Tous les peuples du monde*. Il contempla longuement la beauté indienne. Qu'une femme puisse être si merveilleusement belle, si resplendissante et lisse, si délicate au point d'en être ensorcelante. Elle tenait d'une main frêle les deux pans de son châle joints sous son menton. Elle avait des bijoux autour du poignet. Son iris était presque noir, avec un éclat vif, peut-être le soleil, et elle regardait Gunder bien en face. Droit dans ses yeux pleins d'envie. Ils étaient grands et bleus, et il les ferma. Elle le suivit dans son rêve. Il s'endormit dans son fauteuil et partit en flottant avec la beauté dorée. Elle ne pesait rien. L'habit rouge sang battait doucement contre le visage de Gunder.

*
* *

Il voulait appeler du travail, pendant la pause-déjeuner. Entrer dans le bureau vide qu'ils utilisaient rarement. Il avait été reconverti en entrepôt. Des caisses de reliures et de papiers empilées le long des murs. Sur une affiche colorée, un homme au visage hâlé était assis sur un tracteur au milieu d'un champ. Le champ était si vaste qu'il disparaissait comme l'océan dans un horizon bleu pastel. « Sans paysan, la Norvège s'arrête », pouvait-on lire sur l'affiche. Gunder composa le numéro. Si vous devez partir à l'étranger, tapez deux, récita la voix enregistrée. Il appuya et attendit. Une nouvelle voix prit le relais. Vous êtes maintenant le numéro dix-neuf dans la file. Nous vous prions de bien vouloir patienter. Le message était sans cesse répété. Il gribouilla sur le bloc à côté de lui. Tenta un dragon indien. Vous êtes maintenant le numéro seize, numéro dix, numéro huit. Il sentit qu'il dégringolait vers quelque chose de tout à fait décisif. Son cœur battait plus vite, et il dessinait plus durement sur le dragon maladroit. Il vit alors le fermier Svarstad sortir de sa Ford noire. C'était un client régulier, il demandait systématiquement à parler à Gunder, et il détestait attendre. Les choses commençaient à presser. De la musique déferlait à présent du combiné, et une voix l'informa qu'il aurait bientôt un conseiller en ligne. À cet instant précis, Bjørnsson, l'un des vendeurs, fit irruption dans la pièce.

— Svarstad, annonça-t-il, te demande. Pourquoi tu es ici ? ajouta-t-il, suspicieux.

— J'arrive. Fais-lui la causette en attendant. Il fait si beau, en ce moment.

Il écouta dans le combiné. Une voix de femme fit son entrée.

— Il ne fait que me montrer son cul et me péter à la gueule, objecta Bjørnsson.

Gunder congédia son collègue d'un geste. L'autre comprit enfin l'invitation et disparut. La tronche mécontente de Svarstad passa devant la fenêtre. Le petit coup d'œil en direction de l'horloge signifiait qu'il était loin d'avoir tout son temps, et qu'il appréciait moyennement qu'ils ne lui obéissent pas immédiatement au doigt et à l'œil.

— Oui, il se trouve, commença Gunder, que je dois aller à Bombay. En Inde. Dans quinze jours.

— Vous partez d'Oslo – Gardermoen ? demanda la voix.

— Oui. Je pars vendredi dans deux semaines.

Il l'entendit pianoter sur son clavier d'ordinateur et s'étonna de la rapidité à laquelle allaient les choses.

— Vous avez un premier vol pour Francfort à 10 h 15, l'informa-t-elle. Ensuite, départ à 13 h 10. Arrivée à minuit quarante, heure locale.

— Heure locale ? répéta Gunder sur le mode interrogatif tout en notant comme un fou.

— Le décalage horaire est de trois heures trente, expliqua-t-elle.

— Très bien. Je prends le billet. Combien coûte-t-il ?

— Aller-retour ?

Il hésita quelque peu. Et s'ils étaient deux au moment de rentrer ? Car c'était bien cela qu'il espérait, ce qu'il souhaitait, ce dont il rêvait.

— Je peux changer le billet plus tard ?

— Ça peut se faire.

— Alors disons aller-retour.

— Le billet coûte 6 900 couronnes[1]. Vous pouvez le retirer à l'aéroport, ou nous pouvons vous l'envoyer. Que choisissez-vous ?

— Par la poste, répondit-il très vite, avant de donner ses nom et adresse ; Blindveien 2.

— Une petite chose, reprit la fille tout à coup. La ville ne s'appelle plus Bombay.

— Ah non ? s'étonna Gunder.

— La ville s'appelle Mumbai. Depuis 1995.

— Je ne l'oublierai pas, répondit gravement Gunder.

— SAS vous souhaite un bon voyage.

Il raccrocha. Svarstad ouvrit la porte à la volée et lui lança un regard plein de colère. Il cherchait une moissonneuse-batteuse, et avait décidé de terroriser Gunder dans les limites de ce qu'il était possible de

_____

1. Environ 840 euros. (Toutes les notes sont du traducteur.)

faire. L'acquisition était d̶̶̶̶lus douloureuses. Il se cramponnait à l'exploitation paternelle à tel point que ses ongles n'étaient plus qu'un souvenir, et personne n'osait s'associer avec Svarstad pour un nouvel engin. Il était tout simplement impossible de travailler avec lui.

— Svarstad ! s'exclama Gunder en bondissant de son siège, les joues rouges après tout ce qui s'était passé. Allons-y.

Pendant la période qui suivit, Gunder fut de mauvais poil. Peu concentré, constamment en éveil. Il lui était difficile de se calmer la nuit. Il pensait à ce long voyage et à celle qu'il allait peut-être rencontrer. Parmi les douze millions d'habitants de Bombay – de Mumbai, se corrigea-t-il – il devait y en avoir une pour lui. Elle allait et venait là-bas, et ne savait rien. Il voulait lui acheter un petit cadeau. Quelque chose de Norvège, qu'elle n'aurait jamais vu. Une broche traditionnelle, peut-être, pour aller avec son costume rouge. Ou avec le bleu et vert. Mais une broche, de toute façon. Demain, il irait en ville et lui en trouverait une. Pas une grosse tape-à-l'œil, mais une petite soignée. Pour tenir son châle fermé, si elle en portait un. Mais elle s'habillait peut-être en pantalon et pull-over, qu'est-ce qu'il en savait ? Son imagination travaillait à toute vitesse, et il était sans arrêt en éveil. Avait-elle une marque rouge sur le front ? Il s'imaginait posant le doigt dessus, il l'imaginait souriant avec gêne en retour. « *Very nice* », dit Gunder à l'attention des ténèbres. Il fallait qu'il exerce un peu son anglais. « *Thank you very much. See you later.* » Il se débrouillait bien un peu.

Svarstad s'était pour ainsi dire décidé. Ce devait être une Claas « Dominator », une 58 S. Gunder opina.

— Il n'y a que ce qu'il y a de meilleur qui soit assez bon, sourit-il, plein à ras bord du mystère indien. Moteur Perkins à six cylindres, cent chevaux. Boîte mécanique à trois vitesses et variateur de vitesse hydraulique. Barre de coupe de trois mètres soixante.

— Et le prix ? demanda Svarstad d'un air sombre, bien qu'il sût que la petite merveille coûtait 560 000 couronnes[1].

Gunder croisa les bras.

— Vous avez également besoin d'une nouvelle presse à balles. Investissez maintenant pour de bon, une bonne fois pour toutes, et procurez-vous une Quadrant en plus. Vous n'avez pas beaucoup d'espace de stockage.

— Il faut que j'aie des ballots ronds, répondit Svarstad. Je n'arrive pas à travailler avec des gros cubes.

— C'est juste une question d'habitude, l'assura Gunder. Si vous avez les bons outils, vous pouvez réduire les saisonniers. Ils coûtent cher aussi, ces Polonais, non ? Avec la nouvelle Dominator et la nouvelle presse, vous abattez le boulot. Vous avez aussi un prix imbattable. Ça, au moins, vous l'aurez.

Svarstad mâchonnait un brin de paille. Un précipice creusait son front tanné, une douleur était visible dans ses yeux profondément enchâssés, qui laissa lentement la place à un rêve éblouissant. N'importe quel vendeur n'aurait pas fait le forcing pour placer une autre machine à un homme qui rechignait à s'offrir une moissonneuse-batteuse. Mais Gunder pariait et, en général, gagnait.

— Un pur investissement pour l'avenir. Vous êtes encore jeune. Pourquoi vous contenter du presque mieux ? Vous vous tuez à la tâche. La Quadrant fait

---

1. Environ 68 375 euros.

des ballots cubiques, qui sont faciles à empiler et prennent moins de place. Personne d'autre dans ce district ne s'est risqué sur le cubique. Ils ne tarderont pas à venir voir ça.

Cette réplique fit mouche. Svarstad apprécia l'idée d'un petit groupe de voisins curieux traversant la cour. Mais il fallait qu'il passe un coup de téléphone. Gunder lui abandonna le bureau vide. Il alla préparer le contrat, la vente étant presque acquise. Les choses ne pouvaient pas mieux tomber. Un gros marché avant ce grand voyage. S'asseoir dans l'avion la conscience tranquille.

Svarstad ressortit.

— J'ai le feu vert de la banque, lâcha-t-il laconiquement.

Il était rouge comme une écrevisse, mais la bonne humeur était visible sous ses sourcils broussailleux.

— Parfait, acquiesça Gunder.

Après le boulot, il alla en ville, directement chez un bijoutier. Il étudia l'assortiment dans le comptoir vitré, où il n'y avait que des bagues. Il demanda à voir les bijoux qui accompagnent les costumes folkloriques norvégiens, et la vendeuse lui demanda à quel type de costume c'était destiné. Gunder haussa les épaules.

— Oh, n'importe lequel. Une broche, simplement. Ce doit être un cadeau. Mais elle n'a pas de costume traditionnel.

— On ne porte pas ce genre de broches pour autre chose que ces costumes, l'informa la dame sur un ton docte.

— Mais il faut que cela vienne de Norvège, insista Gunder. Que ce soit vraiment norvégien.

— C'est pour une dame d'un autre pays ? s'enquit-elle, intriguée.

— Oui. Je me disais qu'elle pourrait le porter sur son propre habit traditionnel.

— Et de quel genre de vêtement s'agit-il ? demanda-t-elle, de plus en plus curieuse.

— Un sari indien, lui révéla Gunder sur un ton important.

Un silence total s'abattit derrière le comptoir. La vendeuse livrait manifestement un combat contre elle-même dont l'issue déterminerait ce qu'elle devait faire. Elle ne demeurait pas insensible à la fermeté séduisante de Gunder, et elle ne pouvait pas nier qu'il cherchait à obtenir ce qu'il voulait. Même s'il y avait des règles bien établies, par exemple par Husfliden[1], sur ce qui était permis et sur ce qui ne l'était pas. Mais si une femme se promenait tout là-bas, en Inde, avec une broche traditionnelle norvégienne sur un sari orange tapageur, personne de chez Husfliden ne le saurait jamais. Elle alla donc au tiroir où étaient rangés les bijoux propres aux costumes norvégiens et en sortit une broche de taille moyenne, ne sachant pas si son client, dans toute son assurance, avait une idée du prix de l'objet.

— Prix ? demanda Gunder.

— 1 400 couronnes[2]. Je peux par exemple vous montrer celle du Hardanger. Nous en avons de beaucoup plus grosses que celle-ci, et de beaucoup plus petites. Mais il y a en règle générale pas mal d'or sur ces saris. Elle doit par conséquent être simple, je veux dire. Si elle doit avoir un quelconque intérêt, s'entend.

---

1. Chaîne de magasins proposant de l'artisanat basé sur des modèles traditionnels (*husflid*), mais également des costumes folkloriques et les accessoires les accompagnant (bijoux), des fournitures pour réaliser ou arranger soi-même lesdits costumes (notamment la passementerie), des vêtements et des cadeaux.
2. 170 euros. Ces bijoux, bien qu'en argent, sont excessivement chers, mais se transmettent de génération en génération, tout comme les costumes (*bunad*) eux-mêmes.

Sur les derniers mots, sa voix était teintée d'ironie, mais elle se modéra en regardant Gunder. Il prit le bijou sonnant de son support de velours et le tint entre ses pattes grossières. Il le leva vers la lumière. Son visage prit une expression rêveuse. Elle en fut attendrie. Il y avait quelque chose dans cet homme lourd, lent et gêné qui la charmait, malgré tout. Il allait faire sa demande en mariage.

Gunder ne souhaitait pas voir d'autres fibules. Cela ne ferait que le perturber. Il acheta donc la première, qui était également la meilleure, et se la fit empaqueter. Il voulait la déballer à la maison et l'admirer de nouveau. Dans la voiture, sur le chemin du retour, il tambourinait sur le volant, en imaginant les doigts bruns qui ouvraient le paquet. Le papier était noir, avec de petites taches jaunes. Le ruban autour était rouge sang. Il était posé sur le siège à côté de lui. Il devrait peut-être se procurer des comprimés pour le voyage. Pour le ventre. Toute cette nourriture inconnue, songea-t-il. Riz et curry. Forte comme pas permis. Et la monnaie indienne. Son passeport était-il valable ? Les choses urgeaient, tout à coup. Mieux valait appeler Marie.

*
* *

Le village dans lequel habitait Gunder s'appelait Elvestad. Il comptait deux mille trois cent quarante-sept habitants. Une église en bois, datant du Moyen Âge, restaurée en 1970. Une station-service, une école, un bureau de poste et une taverne pour routiers. La taverne était un vilain mélange de baraque et de stabbur[1], monté sur pilots, et un

---

1. Grenier sur pilotis (pour mettre le grain à l'abri des rats), dans les fermes norvégiennes.

escalier raide permettait d'accéder à la porte. Si on entrait, le regard tombait pile sur un juke-box. Un Wurlitzer qui fonctionnait toujours. Sur le toit, on avait installé un panneau rouge et blanc portant l'inscription *Einars Kro*[1]. Le soir, Einar illuminait son panneau.

Cela faisait dix-sept ans qu'Einar Sunde faisait tourner la boutique. Il avait une femme, des enfants et des dettes considérables, liées à une villa en bois chichiteuse dans le style suisse, sise à un jet de pierre du centre-ville. Il arrivait à présent enfin à payer sa dette, grâce à la licence de débit de boissons qu'on lui avait accordée pour la bière. Pour cette simple et bonne raison, il y avait toujours du monde à la taverne d'Einar. Il connaissait les habitants du bourg, et dirigeait son établissement d'une main de fer. En peu de temps, il connaissait l'année de naissance de la plupart des jeunes, et posait la main sur le robinet s'ils tentaient leur chance un peu tôt. Le patelin avait aussi une salle polyvalente, où l'on fêtait les mariages et les confirmations. La majeure partie des habitants vivaient de leurs terres. Ils avaient en outre quelques immigrés, des gens qui avaient laissé la ville à quelque distance avec Dieu sait quel rêve romantique d'une vie plus paisible à la campagne. C'était réussi. La mer n'était qu'à une demi-heure de là, mais l'air salé n'arrivait pas jusqu'au village ; ça sentait l'oignon et le poireau ou l'odeur aigre du fumier au printemps, ou celle, doucereuse, des pommes à l'automne. Einar venait de la capitale, mais n'avait jamais de regret. Il était seul sur cette taverne. Tant qu'il l'aurait, absolument personne ne tenterait sa chance sur le même créneau dans un rayon de plusieurs dizaines de kilomètres. Il s'en

1. La taverne d'Einar.

occuperait jusqu'à ce qu'il ne puisse plus tenir sur ses quilles. Il parvenait à éviter les beuveries et les histoires, du coup personne n'appréhendait d'y aller. Des bonnes femmes qui buvaient du café sur des viennoiseries fourrées, des gosses qui mangeaient des hot-dogs en sirotant du Coca, des ados avec leur demi. Il aérait correctement, nettoyait comme il se devait, vidait les cendriers et changeait les chauffe-plats à mesure qu'ils s'éteignaient. Sa femme lavait les nappes à carreaux rouge et blanc dans leur machine à laver, chez eux. C'est vrai, l'endroit manquait de style, mais il était contre tout ce qui était ouvertement toc. Il n'avait pas de fleurs en plastique dans des vases. Il avait aussi récemment investi dans un gros lave-vaisselle pour pouvoir évacuer les verres. Les services d'hygiène devaient pouvoir passer voir sa cuisine et y trouver un niveau acceptable en matière d'équipement et de propreté.

C'était là, à la taverne d'Einar, que les gens se tenaient au courant de ce qui se passait dans le village. Qui était avec qui, qui venait de casser, quels fermiers étaient susceptibles de tout abandonner d'une minute à l'autre. Un seul et unique taxi était à la disposition de la population du village. Kalle Moe conduisait une Mercedes blanche et pouvait être joint à peu près tout le temps au téléphone, fixe ou mobile, toujours à jeun et au service de l'appelant. Dans le cas contraire, il faisait venir un taxi de la ville. Aussi longtemps que Kalle serait chauffeur de taxi dans le village, il n'y aurait pas de place pour une autre licence. Il avait plus de soixante ans. Il y en avait plusieurs dans les starting-blocks.

Einar Sunde était à la taverne six jours par semaine, jusqu'à 22 heures du lundi au vendredi. Le samedi, il restait ouvert jusqu'à minuit, et fermait le dimanche. C'était un travailleur acharné, une grande perche rapide aux cheveux roussâtres et aux bras longs et fins. Un torchon à verres était en permanence coincé dans la ceinture de son pantalon, et changé aussitôt qu'il était taché. Sa femme Lilian, qui ne le voyait pratiquement jamais, sauf la nuit, vivait sa propre vie, et ils n'avaient plus rien en commun. Ils n'avaient même plus la force de se quereller. Einar n'avait pas le temps de rêver à mieux, il devait travailler. La villa revenait à un million six[1], sauna et salle de musculation compris, qu'il n'avait jamais le temps d'utiliser. À la taverne, on trouvait tout ou partie du noyau dur du village. Il était composé de jeunes hommes entre dix-huit et trente ans, ayant ou non une copine. Puisqu'ils avaient la taverne d'Einar qui proposait de la bière, ils n'allaient jamais en ville pour y trouver des filles de l'extérieur. On pouvait rentrer à pied chez soi, le bourg n'était pas si grand que ça. Ils préféraient payer deux pintes plutôt qu'un coûteux taxi de la ville. Puis ils épousaient des filles du cru, et restaient sur place. Mais avant d'en arriver là, les filles allaient de l'un à l'autre. Ce qui créait une curieuse solidarité bâtie sur de nombreuses règles non écrites.

Après bien des pourparlers avec l'administration communale, Elvestad s'était doté d'un centre commercial, en conséquence de quoi l'épicerie qui jouxtait la station Shell était envahie par la poussière. Le commerce de proximité de Gunwald. Au centre commercial, une âme audacieuse avait installé deux bains de soleil, une autre avait ouvert un magasin de fleurs, et une troisième une petite parfumerie. Dans les étages, on trouvait un médecin, un dentiste et le salon de coiffure d'Anne. Aucun des jeunes du village n'y allait. Les cheveux, il fallait

---

1. Environ 195 350 euros.

se les faire couper en ville. Les perles et les anneaux dans les nombrils et les nez se traitaient aussi en ville. Anne connaissait les mères et les pères, et pourrait avoir l'idée de refuser. Mais les anciens venaient fidèlement faire leurs courses chez Gunwald. Ils arrivaient avec leurs cabas roulants à carreaux et leurs vieux sacs à dos gris, faisaient l'acquisition de mou haché, de pâté de sang et de pultost[1]. Cela faisait l'affaire d'Ole Gunwald. Il était exempt de dettes depuis longtemps.

Gunder ne fréquentait jamais la taverne, mais Einar savait bien qui il était. À de rares occasions, il était passé acheter de la glace à la fraise, qu'il mangeait dehors, assis à une table en plastique, si le temps le permettait. Einar connaissait la maison de Gunder, savait qu'elle se trouvait à environ quatre kilomètres du centre du village en allant vers Randskog. Il n'y avait par ailleurs pas un paysan dans le village qui n'achetât de machine à Gunder. Et il venait d'entrer, la main déjà dans la poche intérieure de sa veste.

— Fallait juste que je sache, commença-t-il avec embarras, et pour tout dire de façon bien frénétique pour Gunder, combien de temps il faut prévoir pour aller d'ici à l'aéroport, en voiture.

— Gardermoen ? s'enquit Einar. Compte une heure et demie. Si tu dois quitter le territoire, il faut que tu y sois une heure avant le départ de l'avion. Soit deux heures et demie au total. Et si j'étais toi, j'ajouterais une demi-heure supplémentaire, histoire d'être sûr.

Il n'en finissait plus d'essuyer un cendrier carré.

— L'avion, demain ?

Gunder prit une glace dans le congélateur.

— 10 h 15.

---

1. Fromage maigre à pâte molle (au cumin).

— Va falloir te lever tôt.

Il se retourna et poursuivit son travail. Sunde n'était ni amical ni souriant, il donnait l'impression d'une âme fort lésée, et évitait le regard de Gunder.

— Si j'étais toi, je partirais à 7 heures.

Gunder hocha la tête et paya. Il valait mieux demander à Einar plutôt que d'avouer son ignorance aux filles de chez SAS. Einar savait qui était Gunder, et ne voulait pas le mettre dans l'embarras. Mais, dès le soir même, les gens seraient mis au courant de son voyage.

— Tu pars loin ? demanda Einar nonchalamment en essuyant un énième cendrier.

— Très, très loin, répondit Gunder sur un ton badin.

Il arracha l'opercule de la glace et repartit. Mangea sur les derniers kilomètres avant la maison. Ça lui avait donné quelque peu matière à gamberger, au taulier. C'était parfait pour Gunder.

Marie n'en revenait pas. Elle voulait sauter sans délai dans sa voiture et rappliquer. Son mari Karsten était en voyage, elle s'ennuyait et voulait toute l'histoire. Gunder était un peu mal à l'aise, car Marie était fine, et il n'aimait pas l'idée d'être démasqué. Malgré tout, rien ne pouvait arrêter la sœur. Une heure plus tard, elle était à sa porte. Gunder était occupé à faire le ménage. S'il devait revenir avec quelqu'un, il fallait que la maison soit en ordre. Elle fit passer du café pour eux deux et mit des moules à gaufres dans le four. Elle avait apporté de la crème épaisse et de la confiture dans une boîte en plastique. Gunder en fut touché. Ils étaient proches, mais faisaient comme si de rien n'était. Il ne savait pas si elle était heureuse avec Karsten, elle ne parlait jamais de son mari, comme si ce dernier n'existait pas. Ils n'avaient jamais eu d'enfant. Mais elle présentait bien. Brune, jolie, comme leur mère l'avait été. Petite et trapue, mais gaie et vive. Gunder pensait qu'elle aurait pu avoir n'importe qui, mais elle se contentait de Karsten. Elle trouva le livre *Tous les peuples du monde* sur la table et le posa sur ses genoux. Il s'ouvrit de lui-même à la page de la beauté indienne. Elle regarda alors son frère et se mit à rire.

— Oui, maintenant, je vois pourquoi tu veux aller en Inde, Gunder. Mais il est vieux, ce livre. Elle doit avoir près de cinquante ans, maintenant, elle doit être ridée, vilaine. Tu savais que les Indiennes ont l'air d'avoir quinze ans jusqu'à ce qu'elles en aient trente ? Et puis, du jour au lendemain, elles deviennent vieilles. C'est le soleil, tu comprends. Tu devrais peut-être t'en trouver une qui a déjà subi le processus. Comme ça, tu sais ce que tu as.

Elle rit de si bon cœur que Gunder ne put s'empêcher de l'accompagner d'un ricanement. Il n'avait pas vraiment peur des rides. Ce qui n'était probablement pas le cas de Marie. Elle n'en avait pas une seule, bien qu'elle eût quarante-huit ans. Il étala de la crème sur une gaufre.

— C'est la nourriture et la culture qui m'intéressent avant tout. L'art. La musique. Des choses du genre.

— Oui, j'imagine, approuva Marie en riant. Si je viens dîner[1] ici après ce voyage, on me servira sûrement un lapskaus[2] qui m'emportera le bec comme pas permis. Et les murs seront couverts de dragons.

---

1. Comme chaque fois qu'il est question de dîner en Norvège, il s'agit du repas que les gens prennent en rentrant du travail, en général entre 16 heures et 18 heures, rarement plus tard. C'est en fait le principal repas de la journée.
2. Ragoût à base de viande (le plus souvent de bœuf), de pommes de terre, d'oignons et de carottes, en sauce brune ou blanche.

— Ce n'est pas exclu, sourit-il.

Ils restèrent ensuite longtemps silencieux, mangeant leurs gaufres et buvant du café.

— Quand tu seras là-bas, ne te promène pas avec ton portefeuille dans ta poche revolver. Achète-toi une de ces bananes, tu sais. Non, d'ailleurs, je t'en prêterai une. Elle est tout à fait neutre, pas féminine du tout.

— Je ne peux pas me trimballer avec ça, protesta Gunder.

— Tu seras bien obligé. Ça grouille de pick-pockets, dans les grandes villes comme celle-là. Imagine, un plouc comme toi, seul dans une ville de douze millions d'habitants.

— Je ne suis pas un plouc, rétorqua fermement Gunder.

— Et comment, répliqua sa sœur sans démordre de sa position. Comme n'importe qui. Et qui plus est : c'est flagrant. Quand tu sors, il ne faut pas que tu te promènes.

— Ah non ?

— Tu dois filer comme pour aller à une réunion sérieuse, et avoir l'air occupé. Tu es un homme d'affaires en voyage important, et avant toute chose : tu connais Bombay comme ta poche.

— Mumbai, corrigea-t-il. Comme ma poche ?

— Tu regardes les gens droit dans les yeux quand ils viennent vers toi sur le trottoir. Tu avances d'un pas décidé. Boutonne ta veste, de sorte qu'on ne voie pas ta ceinture.

— Je ne peux pas porter de veste là-bas, objecta-t-il. Il y fait 40 degrés, en ce moment.

— Tu n'as pas le choix. Tu dois empêcher le soleil de t'atteindre.

Elle lécha une goutte de crème à la commissure de ses lèvres.

— Ou alors, il va falloir que tu te trouves une tunique.

— Une tunique ? pouffa Gunder.

— Où est-ce que tu vas loger ? poursuivit sa sœur.

— À l'hôtel, tiens.

— D'accord, mais quel genre ?

— Un bien.

— Le nom ?

— Aucune idée. Je le saurai en arrivant là-bas.

Elle ouvrit de grands yeux.

— Tu n'as pas réservé de chambre ?

— Je peux plaider pour ma propre cause, regimba-t-il, piqué au vif.

Il lui jeta un coup d'œil, à son front blanc et à ses sourcils fins qu'elle noircissait au pinceau.

— Montre voir, l'incita-t-elle en buvant une gorgée de café. Fais un peu entendre ce que tu sais dire. Tu sors de cet aéroport énorme, surchauffé, étourdissant, chaotique, sur lequel tu n'as aucune vue d'ensemble, et tu te cherches un vélo-taxi, au mieux. Un type arrive, te chope par la chemise et te baragouine des trucs complètement incompréhensibles, tout en attrapant ta valise et en partant à grand-peine vers Dieu sait quel tacot. Et tu es tellement fatigué, en nage et déboussolé que c'est tout juste si tu sais encore comment tu t'appelles, ta montre indique la mauvaise heure à cause du décalage horaire. Tu es claqué, et tu n'as envie que d'une chose, c'est d'une douche froide. Raconte un peu ce que tu lui dis, Gunder, au petit bonhomme basané.

Il lâcha sa gaufre par pure panique. Le charriait-elle ?

Puis il se ressaisit et regarda sa sœur bien en face.

— *Would you please take me to a decent hotel !*

— Oui, oui, acquiesça Marie. Mais avant ça. Que fais-tu avant ça ?

— Aucune idée.

— Tu vérifies combien ça coûte ! Faut pas monter dans un taxi sans avoir discuté du prix avant. Demande à l'aéroport. La Lufthansa y a peut-être un guichet, ils seront de ton côté.

Il secoua la tête et conclut qu'elle le jalousait certainement. Elle n'était jamais allée en Inde. Seulement à Lanzarote, en Crète, des choses comme ça. Là-bas, il n'y avait que des Norvégiens ou des Suédois, les serveurs criaient « Salut, la Suédoise[1] ! » à son intention, ce qu'elle n'appréciait pas. Non, l'Inde, c'était autre chose.

— Et le traitement contre le paludisme ? demanda-t-elle. Il faut que tu prennes un traitement ?

— Je ne sais pas.

— Tu dois appeler le médecin. Tu ne rentreras pas au pays avec le palu, la tuberculose, l'hépatite ou un truc du même tonneau, crois-moi. Et ne bois pas l'eau du robinet. Ne bois pas de jus de fruits, ne mange pas de fruits. Veille à ce que la viande soit bien cuite. Oublie aussi la crème glacée, toi qui aimes ça ; ce n'est pas mauvais en soi, mais n'en mange pas en Inde.

— Je peux m'en jeter un ? demanda-t-il, la bouche pincée.

— Oh, ça, tu dois pouvoir. Mais surtout, ne te soûle pas. Ce serait la fin de tout.

— Je ne suis jamais rond. Ça fait quinze ans que je n'ai pas été beurré.

— Je sais. Et tu appelleras ? Il faut que je sache si tu es bien arrivé. Je passerai relever ton courrier. Et arroser les fleurs. La pelouse aura aussi bien besoin de deux passages de tondeuse, en quinze jours. Tu pourras apporter ton coffre à la maison ? Comme ça, il ne restera pas ici pour tenter les gens.

---

1. En suédois dans le texte.

Tu vas laisser ta voiture à l'aéroport ? Ça va te coûter bonbon.

— Sais pas.

— Tu ne sais pas ? Mais tu dois trouver à l'avance un stationnement de longue durée, expliqua-t-elle, dans tous ses états. Appelle demain. Tu ne peux pas te pointer à Gardermoen et te garer là, paf, comme ça.

— Ah non ?

Ça ne serait sûrement pas mal qu'elle fasse le saut avec lui. Il se sentait complètement perdu, et alla résolument au placard chercher une bouteille de cognac. Nom d'un chien.

Marie s'essuya la bouche et sourit.

— Mais ça va être passionnant, Gunder. Pense à tout ce que tu auras à raconter en revenant. Tu as une pellicule dans ton appareil ? Tu as pris une assurance annulation ? Tu as dressé une liste de tout ce que tu ne dois pas oublier ?

— Non, répondit-il en buvant une petite gorgée de son cognac. Tu ne veux pas le faire pour moi, Marie ?

Elle fonça chercher un stylo et du papier. Tandis que Gunder réchauffait le cognac dans sa bouche, Marie écrivit un pense-bête. Il l'observait en douce. Elle suçotait le stylo, le tapotait contre ses incisives pour affûter ses idées. Ses épaules étaient rondes, sympas. Heureusement qu'il avait Marie. Il n'y avait aucun contentieux entre eux.

Quoi qu'il arrive, il avait toujours Marie.

*
* *

Ainsi était Gunder dans l'avion. Le dos droit comme un écolier. Vêtu d'une chemisette de chez Dressmann, d'un blazer bleu nuit et d'un pantalon kaki. Il n'avait pas pris l'avion bien souvent dans sa vie, et tout ce qu'il voyait l'impressionnait beaucoup. Dans la soute, il avait un sac noir, et dans une petite poche intérieure fermée par un zip se trouvait la broche norvégienne, dans son petit coffret. Son portefeuille contenait des roupies indiennes, des deutschemarks et des livres anglaises. Il ferma les yeux. Il n'aimait pas cette violente sensation d'être aspiré quand l'avion décollait.

My name is Gunder, se dit-il. *How do you do ?*

L'homme qui occupait le siège voisin lui jeta un coup d'œil.

— L'âme reste toujours à Gardermoen, déclarat-il. Est-ce que ce n'est pas curieux ?

Gunder ne comprit pas.

— Quand on voyage aussi vite, l'âme reste suspendue. Quelque part à l'aéroport. À un endroit du pub, vraisemblablement, au fond du verre. J'ai pris un whisky avant de partir.

Gunder essaya de se figurer un whisky le matin. Sans succès. Il avait bu une tasse de café, debout près d'un long comptoir, en regardant des gens passer à toute vitesse. Il avait déambulé çà et là, en jetant des coups d'œil alentour, sans faire aucun bruit dans ses bonnes sandales. Son âme était bien en place sous son blazer, il en était tout à fait sûr.

— Vous auriez dû remplacer le whisky par du café, conclut-il simplement.

L'homme regarda Gunder et rit.

— Que vendez-vous ? demanda-t-il alors.

— C'est si manifeste ?

— Oui.

— Je vends des machines agricoles.

— Et donc, vous allez au salon de Francfort ?

— Non, non. Je suis touriste, ce coup-ci.

— Qui va passer des vacances à Francfort ? s'interrogea l'homme.

— Je vais plus loin que ça, annonça Gunder avec satisfaction. Jusqu'à Mumbai.

— Et où est-ce ?

— En Inde. Anciennement Bombay, si ça vous parle.

Gunder lui fit un sourire important.

— Depuis 1995, la ville s'appelle Mumbai.

L'homme attrapa une hôtesse au vol et lui demanda un whisky *on the rocks*. Gunder commanda un jus d'orange et se renversa sur son siège, les yeux fermés. Il ne voulait pas discuter. Il y avait tellement de choses auxquelles il devait penser. Qu'allait-il raconter de la Norvège ? D'Elvestad. De comment étaient les Norvégiens. Comment étaient-ils ? Et la nourriture, qu'y avait-il à en dire ? Les pains de viande. Les pains de poisson et le brunost[1]. Le patinage de vitesse. *Very cold. Down to 40 degrees at the most. Norwegian oil*[2]. On lui servit son jus de fruits, qu'il but lentement. Il suçota un glaçon. Il enfonça le gobelet en plastique dans le petit filet au dos du siège de devant. Dehors, il voyait les nuages défiler comme de la barbe à papa. Il ne trouverait peut-être pas d'épouse au cours de son voyage en Inde. Alors qu'il n'en trouvait pas au pays, pourquoi en trouverait-il une à l'étranger ? Mais il se passait quelque chose. Il allait vers la nouveauté. Personne à Elvestad n'était allé en Inde, pas à ce qu'il en savait. Gunder Jomann. Un homme qui avait vu le monde. Il avait oublié de vérifier la pile de son appareil photo, se souvint-il tout à coup. Mais ils en vendaient certainement à l'aéroport. Il n'était quand même pas parti pour une autre planète. Comment s'appelaient les Indiennes ? S'il en

---

1. Fromage norvégien très populaire, qui fait penser à une mimolette sucrée, et qui existe en plusieurs variantes (Ekte Geitost – chèvre –, Gudbrandsdalsost, Fløtemysost, à tartiner – Prim).

2. Très froid. Jusqu'à – 40 °C. Le pétrole norvégien (en anglais dans le texte).

rencontrait une portant un nom complètement impossible, il pourrait peut-être trouver un gentil diminutif. Indira, trouva-t-il. Gandhi. C'était simple comme bonjour. Presque comme Elvira. Nous avons beaucoup de choses en commun, entre êtres humains, se rassura-t-il. Il s'endormit enfin. Elle apparut instantanément devant ses yeux. Ses yeux noirs étincelaient.

*
* *

Chaque jour, Marie allait chez Gunder. Elle inspectait les portes et les fenêtres. Rentrait le courrier et le déposait sur la table de la cuisine. Plantait le doigt dans tous les pots de fleurs, l'un après l'autre. Restait toujours quelques minutes à s'inquiéter. Il était si candide, comme un grand enfant, et il était à présent là-bas, errant dans la chaleur parmi douze millions d'individus. Qui parlaient une langue qu'il ne comprenait pas. Et pourtant, il était solide. Jamais impulsif, absolument pas porté sur la bouteille. Elle regarda les murs, la photo de leur mère, et la photo d'elle-même quand elle avait quinze ans, avec ses joues rondes et ses genoux potelés. Un cliché de Gunder en uniforme complet de la Heimevern[1]. Une photo de leurs parents debout devant la maison. Il avait en outre un vilain tableau représentant un paysage hivernal, acheté lors d'une vente aux enchères à la salle polyvalente. Elle regarda les meubles. Solides, fiables. Une vieille tapisserie à motifs géométriques que leur mère avait faite. Pas de poussière nulle part. Fenêtres brillantes. S'il

---

1. Organisation militaire d'intervention rapide créée par le Parlement fin 1946, chargée de surveillance locale et de soutien aux forces de défense. Ses membres (environ 80 000) possèdent leur propre équipement (armes et munitions comprises).

trouvait un jour femme, songea-t-elle, il la traiterait comme une princesse. Encore que, ça commençait à s'assombrir. Il était toujours bel homme, selon elle, mais tout commençait à s'effondrer chez lui. Le ventre. Les mâchoires. Les cheveux se repliaient lentement mais sûrement vers l'arrière du crâne. Ses mains étaient grandes et grossières, comme l'avaient été celles de leur père. Quel père il aurait fait... Elle se sentait triste. Il fallait peut-être qu'il vieillisse seul. Qu'allait-il faire en Inde ? Se trouver une femme ? L'idée l'avait frappée. Que diraient les gens ? Elle-même ne dirait rien, si ce n'est des choses gentilles. Mais les autres. Tous ceux qui ne l'appréciaient pas autant qu'elle. Savait-il ce qu'il faisait ? Probablement. Sa voix au téléphone, depuis l'Inde, au milieu de toute cette friture. Remplie d'allégresse. « J'y suis, Marie. La chaleur fait comme un mur. J'avais le dos moite avant d'être arrivé en bas de l'escalier de l'avion. Je me suis trouvé un hôtel. J'ai mangé. Dans un petit endroit sympa juste à côté de l'hôtel. Ils parlent anglais partout. La serveuse n'a eu aucun problème. Je lui ai dit "chicken", et elle est revenue avec un poulet, je n'ai jamais vu ça. Tu n'as jamais mangé de poulet avant d'être allé en Inde, affirma-t-il avec fougue. Et ce n'est pas cher. Quand je suis revenu le lende-main, elle est venue à ma table et m'a demandé si je voulais encore du poulet. Alors maintenant, je bouffe là tous les jours. La sauce change d'une fois sur l'autre, elle est rouge, verte ou jaune. Aucune raison de chercher ailleurs maintenant que j'ai trouvé ça. Ça s'appelle Tandels Tandoori. Le service est tellement agréable. »

La serveuse, pensa Marie avec un sourire résigné. Ce devait être la première qu'il avait ren-contrée, et par-dessus le marché, elle était sympa avec lui. C'était sûrement suffisant pour Gunder. Il passerait certainement deux semaines dans ce

Tandels Tandoori, sans rien voir d'autre. Elle lui fit savoir que tout allait bien à la maison. Mais était-il au courant que l'un de ses hibiscus était la proie des pucerons ? Pendant une fraction de seconde, la voix de Gunder se teinta d'un soupçon d'inquiétude. Puis il se ressaisit.

— J'ai ce qu'il faut à la cave. Qu'il tienne le coup jusqu'à ce que je rentre. Ou qu'il crève. C'est aussi simple que ça.

Marie poussa un soupir. Cela ne ressemblait pas à son frère de parler de ses plantes avec une telle indifférence. Quand elles mouraient, il le vivait comme une insulte personnelle.

Le livre qu'elle lui avait jadis offert était bien visible sur l'étagère. Elle l'aperçut parce qu'il ressortait un petit peu entre les autres. Elle le prit entre les mains, et il s'ouvrit de nouveau de lui-même, toujours à la même page. Elle contempla pendant un moment la femme indienne. Elle imagina le visage de son frère se reposer dans cette belle photo. Que penseraient les Indiennes de Gunder ? Il y avait finalement quelque chose d'impressionnant en lui. Pour commencer, il était grand, et ses épaules étaient extrêmement larges. Ses dents étaient belles, il prenait soin de ce genre de choses. Ses vêtements étaient propres mais démodés. Et puis il avait cette nature qui éveillait la confiance, et elles ne remarqueraient peut-être pas ce qu'il avait de lent, tout absorbées qu'elles seraient à comprendre ce qu'il dirait. Pour cette raison, elles pourraient peut-être justement le voir tel qu'il était. Intègre, le cœur sur la main. Un peu lourdaud, mais honnête. Lent, mais malgré tout agile. Anxieux, mais pourtant déterminé. Ses yeux étaient beaux. Grands, bleus. La beauté de la photo avait également des yeux superbes, presque noirs. Plonger le regard dans les grands yeux bleus de Gunder serait certainement exotique et différent pour une Indienne. Et il avait ce corps grand et lourd. Les Indiens étaient des gens frêles, légers, pensait-elle. Quoique, elle n'en savait en somme pas tant que ça sur le sujet. Elle allait refermer le livre quand un morceau de papier s'en échappa. Une facture de bijoutier. Abasourdie, elle la regardait. Broche traditionnelle. Mille quatre cents couronnes. Qu'est-ce que c'était que cette histoire ? Ce n'était pas pour elle, elle n'avait pas le costume régional. Il se passait vraisemblablement ici davantage qu'elle se le figurait. Elle la remit en place et quitta la maison, en se retournant une dernière fois pour regarder vers les fenêtres. Puis elle reprit la voiture en direction du centre-ville. À en croire Gunder et son beau-frère Karsten, Marie était une conductrice déplorable. Tout ce qu'elle avait d'attention était focalisé sur la route devant elle. Elle ne regardait jamais dans ses rétroviseurs, tenait son volant à deux mains et avait bâti son système de visée sur la ligne blanche à droite de la route. Elle avait une seule et unique allure qu'elle tenait, quoi qu'il advînt, juste en dessous de soixante-dix, quelle que fût la zone. La cinquième vitesse de la voiture n'avait jamais servi. On ne pouvait pas dire qu'elle maîtrisait tout, même si elle était celle des deux qui réglait les problèmes quand il le fallait. Mais son frère, elle le connaissait. Maintenant, elle en était sûre. Il était parti en Inde pour trouver une femme. Et avec sa détermination et sa patience, elle ne serait pas surprise s'il rentrait quinze jours plus tard avec une femme basanée au bras. Portant une broche norvégienne agrafée à son habit. « Doux Jésus, se dit-elle en franchissant dans un rugissement un passage piéton, faisant faire un bond terrifié à une jeune femme qui poussait un landau. Que diraient les gens ? »

Elle s'arrêta à la taverne d'Einar pour acheter des cigarettes. Einar astiquait son juke-box. Il vaporisait d'abord du détergent et essuyait ensuite avec un torchon. Les vacances scolaires n'étaient pas terminées. Deux filles étaient assises à une table. Marie les connaissait, c'étaient Linda et Karen. Linda était une fille mince affligée d'un rire aigrelet, presque maniaque. Ses cheveux étaient blancs et mousseux, son visage oblong et ses dents blanches et aiguës. Quand Marie observait Linda, elle pensait toujours au même instant : « Cette fille court à sa perte. » Elle ne savait pas pourquoi elle pensait ça. Mais une partie de son être, ses yeux presque anormalement éclatants, ses mouvements frénétiques et ce rire tranchant faisaient dire à Marie que c'était une fille qui en voulait trop. Elle était trop visible, comme une lampe sur laquelle on aurait monté une ampoule trop puissante. Un jour, quelqu'un la balaierait. Mais l'autre, la sombre et calme Karen, était plus effacée. Elle parlait d'une voix posée, gardait son corps pour elle. Einar posa un paquet de John Player sur le comptoir, et Marie paya. Elle n'aimait pas Einar. Il était toujours correct, mais donnait l'impression de détenir un secret désagréable. Son visage n'était pas large et ouvert comme celui de Gunder ; il était étroit et fermé. Il trahissait la mauvaise volonté. Gunder non plus ne l'aimait pas. Non qu'il l'ait jamais dit ouvertement, car il ne disait jamais de mal des gens. S'il n'avait rien d'aimable à dire, il la fermait, tout simplement. Comme par exemple quand elle lui avait demandé son avis sur le nouveau au boulot, le jeune Bjørnsson. Il avait levé les yeux de son journal et dit : « Ça va, avec Bjørnsson. » Il s'était ensuite replongé dans le journal sans rien ajouter. Elle avait su qu'il ne l'aimait pas. Mais il pouvait parler longuement du chauffeur de taxi local. « Kalle Moe a acheté de la cire auto par correspondance. Six cents couronnes pour deux petits pots. Ce type est incroyable. Je crois que cette voiture a dépassé le demi-million. Mais ça ne se voit pas. Je crois qu'il lui chante des chansons, le soir », ajouta Gunder en riant. Marie sut alors qu'il aimait bien Kalle. Et Ole Gunwald, de l'épicerie. « Il en bave, avec ses migraines. Ce n'est pas facile pour Gunwald. » Pendant qu'elle pensait à ces choses-là, elle entendit de nouveau le rire de Linda, et vit le regard rapide que lança Einar aux deux filles. Au moins, il avait quelque chose à regarder en astiquant son juke-box.

— Et Jomann est parti tout seul dans le grand monde ? demanda Einar tout à trac.

Marie acquiesça.

— En Inde. Vacances.

— En Inde ? Seigneur. Oui, oui. S'il revient au bercail avec une épouse indienne, je vais être vert de jalousie, ricana-t-il.

Marie sursauta. Est-ce que tout le monde pensait comme elle ? Elle quitta la taverne et rentra chez elle, à la vitesse moyenne de soixante-huit kilomètres par heure. Un voyant s'affichait en rouge sur le tableau de bord. Il faudrait qu'elle pense à en parler à Karsten.

*
* *

Gunder transpirait, mais cela n'avait aucune importance. Sa chemise était mouillée, mais il ne s'en souciait pas. Immobile à sa table, il regardait l'Indienne. Elle était extrêmement rapide et légère, son sourire était si amical. Autour de la taille, elle avait une banane qui ressemblait à celle de Gunder, dans laquelle elle conservait la monnaie. Elle portait une robe à fleurs qui lui laissait les bras nus, et elle avait des anneaux aux oreilles. Ses cheveux noir bleuté étaient nattés et roulés en chignon sur sa nuque. Il fantasmait sur la longueur qu'ils pouvaient bien avoir. Ils lui descendaient peut-être bien jusqu'aux fesses. Elle était plus jeune que lui, peut-être quarante ans, et son visage était marqué par le soleil. Lorsqu'elle souriait, ses dents étaient visibles. Elles étaient très proéminentes dans sa bouche. Par coquetterie, elle essayait souvent de retenir son sourire, mais devait renoncer. Elle souriait facilement. La bouche fermée, elle est belle, pensa Gunder, et les dents, ça peut s'arranger. Tout en l'étudiant ainsi par-dessus ce curieux café exotique au sucre et à la cannelle, il sentit qu'elle le remarquait, peut-être même qu'elle l'appréciait. Cela faisait six jours d'affilée qu'il mangeait dans ce restaurant. Elle l'avait servi à chaque fois. Il voulait lui dire quelque chose, mais avait peur de mal faire. Elle n'avait peut-être pas le droit de discuter avec les clients. Toutes les règles de ce pays, qu'il ne connaissait pas, le freinaient. Il pouvait toujours rester jusqu'à ce qu'ils ferment, et la suivre. Non, non, ça, il ne pouvait pas ! Il leva la main. Elle arriva instantanément.

— *One more coffee*, demanda nerveusement Gunder.

Il approchait de quelque chose. La tension rendait son visage grave, et elle s'en rendit compte. Elle hocha silencieusement la tête et alla chercher le café, fut bientôt de retour.

— *Very good coffee*, complimenta-t-il sans la quitter de son regard bleu.

Elle s'immobilisa.

— *My name is Gunder*, déclara-t-il enfin. *From Norway*.

Elle lui fit un sourire éblouissant. Ses grandes dents apparurent.

— *Ah, from Norway. Ice and snow*, répondit-elle en riant.

Il rit avec elle et pensa qu'elle avait sûrement un mari et des enfants, peut-être toute une ribambelle.

Et de vieux parents dépendants. Qu'il ne lui viendrait jamais à l'idée de le suivre où que ce soit. Il
fut soudain envahi de tristesse. Mais elle était
toujours là.

— *Have you seen the city ?* lui demanda-t-elle.

Il regarda fixement la table, confus. Pendant des
jours, il avait erré sans but en regardant les gens.
Ils grouillaient de partout. Ils dormaient dans la
rue, y mangeaient, vendaient leurs marchandises à
même le trottoir. Les rues étaient marché, terrain
de jeux, lieu de rendez-vous, tout sauf des axes de
circulation. Il n'était pas allé voir les monuments
touristiques. Il n'avait fait que la chercher.

— *No*, avoua-t-il. *Only people. Very beautiful
people*, ajouta-t-il.

Elle rougit et se mit à fixer le sol. On eût dit
qu'elle attendait une suite. Elle ne retourna pas en
cuisine, resta près de la table encore un moment.
Gunder s'enhardit. Il était pressé par le temps, son
désespoir était grand ; en outre, il était loin de chez
lui. L'étourdissante chaleur, ce sentiment d'irréa-
lité. Et sa véritable mission. Il plongea le regard
dans ces yeux noirs :

— Je suis venu pour trouver une femme.

Elle ne rit pas. Elle hocha juste lentement la tête,
comme si elle comprenait tout. Qu'il revenait
toujours. Ici, et pas ailleurs. Vers elle. Elle avait
noté son regard et pensé à lui par la suite, à cette
montagne d'homme au regard bleu. Le calme qui
l'entourait. La dignité. Si étrange, si différent. Elle
s'était demandé ce qu'il voulait. Il était manifestement touriste, et en fin de compte, non.

— *I show you the city*, proposa-t-elle prudemment.

Elle ne souriait pas, et on ne pouvait pas voir ses
dents proéminentes.

— *Yes, please ! I wait here*, dit-il en passant une
main sur le dessus de la table. *You work. I wait
here.*

Elle hocha la tête, mais resta encore un instant. Le calme était complet. On n'entendait qu'un bruissement faible provenant des autres tables.

— *Mira nam Poona he*, reprit-elle doucement.

— Quoi ?

— *Poona. My name is Poona Bai.*

Elle lui tendit une main brune.

— Gunder. Gunder Jomann.

— *Welcome to Bollywood*, répondit-elle en riant.

Il ne comprit pas le message. Mais il entendait son propre cœur battre doucement, précautionneusement. Il fit une profonde révérence, elle reprit enfin ses esprits et disparut en cuisine. Dans la soirée, il appela Marie. Il était complètement surexcité.

— Tu savais qu'ils appellent cette ville Bollywood ? demanda-t-il en riant tellement qu'elle put pratiquement entendre à quel point il avait chaud. Ce sont les plus gros producteurs de longs-métrages au monde. D'ailleurs, j'ai appris un peu de hindi. *Tan je vad*, ça veut dire merci. L'Inde compte plus d'un milliard d'habitants, Marie, réfléchis-y.

— Oui, acquiesça-t-elle. Bientôt, nous serons tellement sur terre qu'on se bouffera les uns les autres.

Gunder éclata de rire dans le combiné.

— Tu as rencontré quelqu'un ? demanda-t-elle alors, suspicieuse et insupportablement curieuse.

Oui, il était clair qu'il rencontrait des gens, elle n'avait pas de mal à l'imaginer, un milliard, on ne pouvait pas marcher dans la rue sans bousculer en permanence des gens.

— Ils ont l'air conditionné à l'hôtel, poursuivit-il, et quand je passe la porte, je suis tout bonnement assommé par la chaleur. Cette période est la pire de toutes.

— Ton ventre tient le coup ? s'enquit-elle.

Oui, merci, grâce aux comprimés cela allait remarquablement bien, mais la chaleur imposait que tout doive se faire au ralenti. Marie imagina le lent Gunder marchant dans les rues de Mumbai, au ralenti.

— Ça va être chouette de rentrer au bercail ? demanda-t-elle, car c'était cela qu'elle voulait entendre.

Elle n'appréciait pas que son frère peu rapide soit soudain devenu un globe-trotter, et elle n'aimait pas beaucoup le ton pontifiant qu'il avait adopté.

— Ça va être fantastique de rentrer, répondit-il en riant, et je te rapporte un cadeau. Typiquement indien.

— Qu'est-ce que c'est ? voulut-elle savoir.

— Non, non. C'est un secret.

— J'ai tondu la pelouse, aujourd'hui. Il y a pas mal de mousse. Tu le savais ?

Gunder rit.

— On aura sa peau, pouffa-t-il. Pas de mousse dans notre pelouse.

Notre ? Il était si étrangement excité. Marie ne reconnaissait pas son frère. Suspendue au téléphone, elle sentit qu'elle voulait qu'il rentre. Elle ne pouvait pas s'occuper de lui quand il était si loin.

— Il fait chaud ici aussi, répliqua-t-elle sur un ton important. Vingt-neuf, hier à Nesbyen.

Gunder éclata d'un rire de crécelle.

— Vingt-neuf ? On a quarante-deux degrés, Marie. Avant-hier, il y avait davantage. Et je demande aux Indiens s'ils n'ont pas l'habitude, ils le subissent bien année après année, et ils me disent non, c'est aussi désagréable pour nous. C'est bizarre, tu ne trouves pas ?

— Oui. S'ils venaient trouver nos moins vingt degrés, ils se transformeraient sûrement en glaçons, répondit-elle sèchement.

— Pas sûr, objecta Gunder. Les Indiens bossent dur, et gardent la chaleur malgré tout. Aussi simple que ça. Mais heureusement, je suis en vacances. Je me contente de me traîner les bras écartés.

— C'est-à-dire ?

— Impossible de les garder le long du corps, précisa-t-il en riant. Il faut écarter les doigts, aussi. Mais il y a l'air conditionné à l'hôtel, répéta-t-il.

— Oui, tu en as parlé, lâcha-t-elle.

Ils se turent tous les deux. Marie soupira, comme le fait une sœur après un frère impossible.

— Il faut que je raccroche, déclara Gunder. Je dois rencontrer quelqu'un.

— Ah ?

— On va sortir dîner. Je te rappelle dans un jour ou deux.

Elle entendit le petit déclic quand il raccrocha. Elle imagina son frère, glissant dans les rues les bras écartés, les doigts pointant dans tous les sens. Dans la chaleur tremblante. Elle ne pouvait pas concevoir qu'il pût être aussi heureux.

*
* *

Gunder et Poona se marièrent le 4 août, à midi précis. Dans la City courthouse, comme disait Poona. Gunder s'était procuré les papiers nécessaires, et les Affaires étrangères envoyèrent un fax qui précisait son statut en Norvège de célibataire. La cérémonie fut simple mais fort grave. Gunder se tenait droit comme un piquet et écoutait attentivement, espérant qu'il répondait quand il le fallait. Poona resplendissait. Sa natte était enroulée à la base de sa nuque et faisait comme un gros bretzel. Elle n'essayait même pas de dissimuler ses dents, souriant avec bonheur à tout ce qui se passait. Gunder faisait des progrès constants en anglais. Ils communiquaient par phrases courtes, complétaient avec les mains et des sourires, et se comprenaient à merveille. Souvent, quand Gunder était au milieu d'une phrase, c'était elle qui la complétait, exactement comme il avait pensé le faire. C'était si simple. Il lui parla du statut de citoyen en Norvège. Cela pouvait prendre quelques années. Ce n'est vraiment pas facile de devenir norvégien, pensa-t-il. Par la suite, ils allèrent lentement de par les rues, comme mari et femme. Elle en sandales dorées et sari turquoise, sa belle broche au cou. Lui vêtu d'une chemise blanche neuve, d'un pantalon sombre et de chaussures brillantes. Le bras autour de la taille de Poona. Elle leva les yeux sur son visage, ce visage large au menton puissant. C'était un homme fiable et solide, et en même temps si modeste. De temps en temps, il rougissait, et il avait pourtant une confiance en soi toute personnelle, qui le mettait à l'abri des gens qui les entouraient. Il ne s'occupait que d'elle. Elle voyait sa joie contenue, le large sourire sur sa bouche. Elle pensait que cet homme avait son propre monde, qu'il dirigeait seul. Et ça faisait du bien.

Non qu'elle crût qu'il fût riche. « Je ne suis absolument pas riche, avait-il reconnu. Mais j'ai un travail, et ma propre maison. Un beau jardin. Une bonne voiture. Et une sœur sympa. Elle t'accueillera bien. Nous habitons dans un petit patelin. C'est tranquille, il n'y a pas beaucoup de circulation. On peut se promener le long des routes sans rencontrer âme qui vive. »

Cela surprenait Poona. Un tel calme, sans personne. Elle ne connaissait que cette ville grouillante. Il n'y avait que sur les photos que rien ne bougeait.

— Ce que je veux surtout, c'est travailler, asséna-t-elle.

— Bien sûr, que tu peux. Il faudra alors sûrement que tu ailles jusqu'en ville. À Elvestad, il n'y a rien. Si tu trouves un boulot en ville, je te conduirai.

— Je peux bien travailler, poursuivit-elle. Je ne me fatigue pas facilement. Je ne suis pas très grande, mais je suis résistante. Tu n'auras pas besoin de m'entretenir.

— Non, non. C'est bien, si tu trouves un travail. Ça te permettra d'apprendre le norvégien plus rapidement. Ça va très bien se passer, Poona, je te le promets. Les Norvégiens sont gentils. Un peu timides, peut-être, et très fiers, mais gentils.

La famille de Poona se résumait à un frère aîné qui vivait à New Delhi. Elle voulait lui écrire pour lui raconter son récent mariage. Elle devait de plus préparer son départ de la ville indienne. Il lui faudrait environ deux semaines. Gunder commanda et paya le billet. Il lui parla des escales et de l'aéroport de Gardermoen. Il lui donna de l'argent pour qu'elle ne manque de rien, et écrivit son adresse et son numéro de téléphone en lettres et chiffres bien lisibles.

— Est-ce que ton frère va être choqué quand tu lui diras ça ? s'inquiéta-t-il.

— Non, non, l'assura-t-elle immédiatement. Nous ne nous voyons presque jamais. Shiraz vit sa vie. Il est marié, père de quatre enfants. J'aime faire la cuisine. Je vous ferai du poulet au curry, à toi et ta sœur, quand j'arriverai en Norvège.

— Et je ferai du fårikål, répondit Gunder en riant. Mouton et chou.

— C'est fort ?

— Nous n'avons pas de nourriture forte en Norvège. Emporte plein d'épices, Poona. Comme ça, on fera piquer une petite suée à Marie et Karsten.

Elle marcha un moment, plongée dans ses pensées.

— Que va dire ta sœur, quand j'arriverai comme ça ?

— Elle sera contente. Effrayée, d'abord, mais contente, ensuite. Elle n'aime pas que je vive seul. Elle a toujours dit que je devrais voyager un peu. À présent, je rapporte le monde entier à la maison, conclut-il en riant et en la serrant contre lui.

Il ne put s'empêcher de poser la main sur la tresse, dans sa nuque. Elle était dure, serrée, luisante comme de la soie. Lorsqu'elle arracha l'épingle qui la tenait, sa chevelure se délia, étonnamment imposante. Combien de femmes à Elvestad avaient de tels cheveux ? se demanda-t-il. Aucune ! Il n'y avait que la nuit qu'elle les dénouait. Que pour lui. La nuit, les yeux de Poona luisaient en blanc dans l'obscurité. Elle tenait précautionneusement son corps puissant entre ses bras fins. Gunder passa légèrement de grandes mains hésitantes dans son dos. Poona était heureuse. Un chouette grand type aux yeux bleus était venu la tirer de cette chaude cuisine de restaurant, il allait l'extraire de cette ville brûlante, de cette marée humaine et de la cohue, de cette petite chambre et des toilettes dans le couloir. Gunder avait sa propre salle de bains ornée de cygnes sur les murs. C'était incroyable. Dès les premières fois qu'ils s'étaient regardés, avec un mélange de curiosité et de désir, ils avaient su tous les deux qu'ils allaient dans la même direction. La première fois qu'il s'était penché pour serrer doucement ce corps frêle, et qu'il avait vu ces yeux noirs devenir brillants puis se voiler, avant qu'ils se ferment et qu'elle glisse lentement vers sa large poitrine, ils l'avaient su. Aucun mot n'avait été prononcé la première nuit, il n'y avait eu que des battements de cœur. Ceux de l'homme, lourds et réguliers, ceux de la femme, rapides et légers. Ils n'avaient absolument pas peur, pas encore. Poona allait quitter son travail et vider la petite chambre dans laquelle elle habitait.

47

Gunder allait rentrer et arranger la maison et le jardin. À l'hôtel, on les aida à prendre une photo. Ils se tenaient bien droits l'un à côté de l'autre, solennels à l'idée du pacte qu'ils venaient de sceller. Elle dans son sari turquoise, lui dans sa chemise blanc immaculé. Il avait fait tirer le cliché en deux exemplaires et lui en avait donné un. À cause de son travail, elle ne put pas l'accompagner jusqu'à l'avion. Ils se séparèrent sur le trottoir devant l'hôtel, il oublia un instant sa timidité et la serra violemment contre lui. Une déchirure se fit à cet instant précis, sous la chemise. Parce qu'il avait fini par la trouver, et parce qu'il allait partir si loin. Il était inquiet à l'idée de tout ce qui pouvait arriver. Il leva un doigt et le lui passa sur le nez. Puis elle fut partie. Ses fines jambes brunes disparurent au coin de la rue. Depuis cet instant-là, il était assis dans son étroit siège d'avion, la photo à la main. Il sentait son cœur grossir dans sa poitrine, pomper davantage de sang que de coutume. Il avait trop chaud. Poona l'avait touché partout. Même dans les oreilles, où il n'avait jamais rien eu d'autre que des cotons-tiges. Il sentait ses doigts, ses orteils et ses lèvres trembler rien que s'il pensait à elle. C'était comme si tout battait en cadence en lui, et il avait l'impression que tout le monde pouvait le voir. Gunder était un homme aimé. Un homme aimant. Il brûlait presque. Il regardait les autres passagers, mais ne voyait que Poona. Ils allaient tout partager. Mais si elle était flapie, fatiguée ou malade, elle pourrait se reposer. Si son pays lui manquait, elle pourrait partir en vacances ; s'il pouvait l'accompagner, tant mieux, mais si elle avait besoin de rester seule un temps, elle devrait pouvoir l'être. Il l'écouterait parler et ne l'interromprait jamais. Elle aurait bien des choses à traverser, aurait besoin d'attention et de compréhension, en particulier la première année. Il se réjouissait déjà à l'idée des fêtes de Noël, de lui montrer le sapin, le père Noël et les anges. À l'idée de la neige qui tomberait. Et du printemps, quand les premières pousses se fraieraient un passage à travers la neige. Pour elle, cela apparaîtrait comme un miracle. Tout comme pour lui. Dorénavant, tout serait nouveau et merveilleux.

*
* *

Marie regardait la photo, surprise. Puis le visage fier de son frère, puis de nouveau l'Indienne Poona Bai Jomann. Qui portait sa broche sur la poitrine. Elle resta longtemps totalement muette. Son frère était allé chercher une épouse en Inde, c'était aussi bête que cela. Il était entré dans un restaurant tandoori, pour la vaincre en l'espace de quelques heures. De quel genre d'arme secrète le frangin disposait-il, et qu'elle n'avait jamais vue ? C'était comme si elle l'avait attendu, tout là-bas, dans cette ville de Bombay riche de plusieurs millions d'habitants.

— Mumbai, rectifia Gunder. Eh oui, c'est comme ça. Elle était là-bas, elle m'attendait. Elle arrive le 20, je vais la chercher à Gardermoen. Regarde. Extrait d'acte de mariage, déclara-t-il fièrement.

— Elle a évidemment fait une bonne affaire, conclut sa sœur. Il ne doit pas y avoir beaucoup d'hommes en Inde avec des revenus comme les tiens.

— Elle sait que je ne suis pas riche, rétorqua Gunder.

— Ah ! Tu roules sur l'or, continua Marie impitoyablement. Et elle l'a bien compris.

Il lui retourna un regard blessé, mais elle ne le remarqua pas, car elle n'avait toujours pas levé les yeux de la photo.

— Karsten va sûrement en rester sur le derrière, conjectura-t-elle. Tu peux t'attendre à pas mal de racontars.

Mais elle était également touchée. Une belle-sœur ! Elle n'aurait jamais cru.

— Je me moque des racontars, répondit Gunder. Elle le savait bien. Heureux comme était son frère à l'instant présent, rien ne pouvait l'atteindre.

— Tu l'aideras à faire ses premiers pas, hein ? la pria-t-il. Vous les femmes, vous avez besoin de discuter entre vous, de temps en temps. Dans le calme et la sérénité. Elle est gaie, gentille.

— Je me demande ce que Karsten va dire, répéta Marie, toujours songeuse.

— Tu ne te préoccupes quand même pas de ça ?

— Sais pas, répondit-elle en haussant les épaules. Il va avoir un choc, en tout cas sur le moment. J'espère que les gens vont être sympas avec elle.

— Ils le seront, répliqua Gunder sans hésitation.

— Je pensais aux jeunes. Ils n'ont aucune pitié.

— Elle ne s'occupe pas des jeunes. Elle a trente-huit ans.

— Oui, oui. Je suis juste un peu larguée par tout ce qui s'est passé. Mais elle est très belle. Qu'en dit sa famille ?

— Elle n'a qu'un frère qui habite à New Delhi. Ils n'ont pas beaucoup de contact.

— Mais est-ce qu'elle va se plaire ? Dans ce pays glacial ?

— Ce n'est qu'en hiver qu'il fait froid, objecta-t-il rapidement. Ce n'est pas facile de vivre dans cette chaleur non plus. C'est plus sain ici. Je le lui ai dit. L'air est plus sec. En Inde, l'hygrométrie est si élevée qu'on est trempé dès le moment où on met le pied dehors. Elle veut chercher un boulot. Elle est efficace, et elle ne demande qu'à apprendre. Elle voudrait surtout être serveuse. On va sûrement trouver quelque chose.

Marie poussa un soupir.

Elle caressait un bel éléphant en ivoire que Gunder lui avait rapporté. L'optimisme de son frère était fort et de taille, elle n'avait pas le cœur de le mettre en pièces. Mais elle avait son point de vue. Elle pensait surtout à cette Indienne qui arriverait dans ce petit bled peuplé de paysans et d'adolescents impitoyables. Des je-sais-tout à toutes les adresses. Gunder le supporterait sans doute, mais quelle quantité encaisserait cette femme avant de regretter ses compatriotes ?

Gunder punaisa la photo de Poona et lui sur un tableau au-dessus du bureau. Il fallut déplacer une photo de Marie et Karsten, la photo de Poona devait avoir la place d'honneur. Chaque fois qu'il la regardait, il était envahi d'un bruissement violent, comme si de l'eau déferlait sauvagement en lui. C'est ma femme, se disait-il. Elle s'appelle Poona. Puis il se mit à l'ouvrage avec enthousiasme et pondération. Nouveaux draps pour le lit double. Blancs, dentelle sur les taies d'oreiller. Nouvelle nappe pour la table de la salle à manger. Quatre nouvelles serviettes pour la salle de bains. Les rideaux furent décrochés, pour être lavés et repassés. Marie lui donna un coup de main. Il fallait astiquer l'argenterie, leur mère lui en avait laissé une bonne quantité. Les carreaux devaient être faits, briller de telle sorte que Poona puisse voir dans ce beau jardin de roses et de pivoines. L'eau de la baignoire à oiseaux devait être changée, il la vida en écopant avec un seau puisqu'il n'y avait pas de bonde. Il nettoya ensuite le fond à l'eau savonneuse et la remplit de nouveau. Il fit le ménage à l'intérieur, jeta les ordures, fit disparaître les mauvaises herbes, ratissa l'allée de gravier qui menait à la maison. Avec tout le temps la voix de Poona dans les oreilles, avec dans le nez son parfum. Il voyait son visage en se couchant le soir. Il sentait toujours le contact léger de ses doigts sur son nez.

Au travail, ils étaient très curieux de son voyage. Il était bronzé et satisfait, il leur raconta ce qu'ils voulaient savoir, mais il ne mentionna pas Poona. Il voulait la garder pour lui encore un moment. Ils le sauraient bien assez tôt, seraient bientôt au parfum de tous les marmottements.

— Tu as certainement passé la majeure partie de ton temps au soleil ? lui demanda Bjørnsson avec un hochement de tête appréciateur.

Le crâne nu de Gunder luisait comme un feu rouge.

— Pas un seul instant, rétorqua Gunder. Pas possible, là-bas. Je n'ai pas quitté les zones d'ombre.

— Fichtre.

Mais en leur for intérieur, les collègues soupçonnaient malgré tout que quelque chose se tramait. Il passait davantage de coups de téléphone que de coutume. Il allait constamment dans le bureau vide et les congédiait d'un regard s'ils se montraient à la porte. Il sortait souvent faire des courses à l'heure du déjeuner. Ils virent des sacs du GlasMagasinet et de boutiques qui vendaient des tissus et du linge de lit. Poona appelait en PCV. Son frère n'était pas enchanté par ce mariage, mais elle ne s'en souciait guère. Il est jaloux, c'est tout, conclut-elle. Il est très, très pauvre, tu comprends.

— On lui proposera de venir en Norvège quand tout sera en ordre. Il a besoin de voir comme tu es bien ici. Je peux payer son voyage.

— Tu n'en as pas besoin, répondit Poona. Il ne l'a pas mérité, grincheux comme il est.

— Il se calmera sûrement au fur et à mesure. On prendra des photos et on les lui enverra. Des photos de toi dans le jardin, devant la maison. Et dans la cuisine. Comme ça, il verra que tu ne manques de rien.

Le 20 août approchait. Marie appela pour dire que Karsten partait en déplacement professionnel à Hambourg et ne serait pas à la maison pour l'arrivée de Poona.

— Vous voudrez certainement être seuls, le premier jour. Je ne veux pas rappliquer immédiatement. Alors disons que vous venez dîner le 21. Je ferai un rôti de chevreuil. Et puis il y a l'anniversaire de Karsten, le 24. Elle pourra le voir aussi. Il pourra se ressaisir et être sympa, pour une fois.

— Il ne l'est pas ? s'indigna Gunder.

— Tu sais bien comment il est, rétorqua-t-elle, boudeuse.

— On prendra le temps qu'il nous faut, tous autant qu'on est. C'est à Poona qu'il en faudra le plus. C'est elle qui va abandonner tout et tout le monde, pour quelque chose de complètement nouveau.

— Demain, je prendrai la voiture pour aller chercher des fleurs, j'ai toujours la clé, s'emballa Marie. Je les mettrai dans le salon à son intention, avec un petit mot de notre part, à Karsten et à moi. Comme ça, elle se sentira la bienvenue. Quand est-ce que tu pars la chercher ?

— Suffisamment tôt. L'avion arrive à 18 heures. Elle a fait escale à Francfort hier et y a passé la nuit. Il y avait des choses qu'elle voulait se procurer avant d'arriver. Je veux être là-bas pour 18 heures, il faut que je trouve à me garer, ce genre de choses.

— Tu appelleras, quand vous serez arrivés ? Juste pour que je sache que vous vous êtes trouvés.

— Trouvés ? Pourquoi on ne se trouverait pas ?

— Elle vient de tellement loin… De temps en temps, il y a des retards, des trucs du style.

— Bien sûr, qu'on se trouvera, assura Gunder.

53

Et la sœur se rendit compte qu'il n'avait jamais pensé qu'elle ne viendrait pas comme convenu. Que l'idée qu'elle changerait d'avis à la dernière minute ne lui avait jamais traversé l'esprit. Tandis qu'à elle, si. Il y avait consacré de l'argent, avait payé le billet, qu'elle pouvait peut-être faire rembourser. Une fortune pour une femme pauvre. Il était par ailleurs littéralement impossible de s'imaginer une femme en sari turquoise dans la cuisine de Gunder. Elle ne le visualisait pas. Elle demanda à son frère de conduire prudemment sur la longue portion d'E6 jusqu'à Gardermoen.

— Il y a une circulation effrayante. Ce n'est pas demain qu'il faut que tu cartonnes, ça serait assez malvenu.

— Assez, acquiesça Gunder.

*
* *

20 août.

Il prit une journée de congé. Il se leva à 7 heures et tira le rideau. Le temps s'était longtemps maintenu au beau, le ciel était à présent lourd et noir, et cela l'agaçait. Mais un vent léger soufflait, et il ferait peut-être moins lourd plus tard dans la journée. Gunder était optimiste. Il se doucha longtemps, scrupuleusement, et se fit un petit déjeuner copieux. Il se promena de pièce en pièce, étudia la photo de Poona et lui sur le mur au-dessus du bureau. Il jeta un coup d'œil au ciel pour voir s'il y avait du nouveau. Vers 14 heures, il vit un accroc bleu. Peu de temps après, un éclatant rayon de soleil perça. Gunder y vit un signe. Ce rayon était destiné à Poona. Il ne cessait de penser à elle, tout comme il supposait qu'elle pensait à lui, c'était comme croiser son regard pendant de très brefs instants. Puis il ne la voyait plus. Il devait alors faire quelque chose de ses mains, comme aller chercher le courrier. Il feuilleta le journal. Encore une heure et demie, se dit-il, et j'y vais. Mais pourquoi pas maintenant ? Il y aura moins de circulation si je pars maintenant. Il replia soigneusement le journal et bondit de sa chaise. Il ouvrit une fenêtre à l'espagnolette et allait attraper le trousseau de clés à son crochet au mur lorsque le téléphone sonna. Comme un mauvais présage. Ce devait être quelqu'un du travail. Jamais fichus de se débrouiller seuls. L'irritation était par conséquent audible dans sa voix quand il décrocha. C'était une femme qu'il ne connaissait pas, mais il entendit distinctement les mots dans le combiné. Elle appelait de l'hôpital central. Marie Jomann Dahl, était-ce quelqu'un de la famille ? Gunder chercha son souffle.

— Oui, c'est ma sœur. Qu'y a-t-il ?

— Accident de la route.

Il regarda l'heure, tout retourné. Dans quel pétrin s'était-elle fourrée ?

— C'est grave ? demanda-t-il, de plus en plus perturbé.

— Elle m'a juste demandé de joindre ses plus proches parents, répondit-elle en éludant la question. Vous venez ?

— Évidemment. Je pars immédiatement, je suis là dans une demi-heure.

Il ressentait une pression immonde sur la poitrine. Non qu'il crût que ce fût grave, elle ne conduisait pas suffisamment vite pour se blesser gravement, mais il fallait qu'il aille chercher Poona. D'accord, il aurait le temps malgré tout, il faudrait que Marie comprenne que c'était important. Il empoigna les clés et sortit en trombe de la maison. Roula peu concentré en direction du centre-ville en jetant sans arrêt des coups d'œil à l'heure. Il imagina un bras dans le plâtre, peut-être quelques points de suture. Un sacré prix à payer pour le rôti de chevreuil que tu avais promis, pensa-t-il. Mais en premier lieu, la voiture était peut-être hors service, et Marie devrait être reconduite chez elle. Et elle lui avait demandé de conduire prudemment ! Il souffla brusquement par le nez pour se calmer. Il arriva après bien des embûches à l'hôpital et chercha fébrilement une place où se garer.

— Dixième étage. Service de neurologie, l'informa la dame à l'accueil.

— Neurologie ? haleta-t-il.

Il prit l'ascenseur, le cœur battant la chamade. Poona est dans l'avion, pensa-t-il, elle sait que je dois venir la chercher. Ça ne va pas prendre beaucoup de temps. Un sentiment de culpabilité le submergea ; et ce maudit Karsten qui n'était jamais à la maison ! Il se mit à transpirer. L'ascenseur s'arrêta. Un médecin attendait au-dehors.

— Jomann ?

— Oui ! Comment va-t-elle ?

Le médecin avait des difficultés. Gunder le vit sur-le-champ. Les mots arrivaient en bribes prudentes.

— Pour le moment, nous ne le savons pas de façon certaine.

Gunder écarquilla les yeux. Ils savaient quand même bien comment elle allait ?

— Elle est malheureusement grièvement blessée, poursuivit-il en regardant tristement Gunder. Elle est victime de sérieux traumatismes crâniens, et est actuellement dans le coma.

Gunder s'effondra contre le mur.

— Nous l'avons placée sous respirateur. L'un des poumons est perforé. Nous espérons qu'elle reprendra connaissance dans le courant de la soirée, et nous en saurons alors un peu plus. Elle souffre en outre de plusieurs fractures...

— Plusieurs fractures ?

Gunder fut pris de vertige. Il jeta un coup d'œil à sa montre.

— Qu'est-ce que je peux faire ?

Le médecin n'avait pas connaissance du dilemme qui torturait Gunder.

— Le mieux pour votre sœur, ce serait que vous restiez près du lit, et que vous lui parliez. Même si elle ne vous entend pas. Bien sûr, on vous préparera un lit pour la nuit si vous le désirez.

Je ne peux pas rester ici, pensa Gunder. Poona attend. Il était tiraillé tous azimuts. Mais il ne pouvait pas se dédoubler. Il s'arrêta de réfléchir au moment où le médecin s'arrêta de parler.

— Sa poitrine a été enfoncée. Toutes les côtes sont cassées. L'un de ses genoux est salement touché. Si on arrive à la remettre sur ses jambes, je crains que ce genou ne retrouve jamais ses pleines capacités.

Si on arrive à la remettre sur ses jambes ?

J'ai la nausée, songea Gunder. Son petit déjeuner fit un salto dans son ventre. Une large porte s'ouvrit sur une petite chambre. Il vit quelque chose de sombre sur l'oreiller blanc, mais ne put voir si c'était véritablement elle, sa sœur Marie. Il se planta devant le lit, tremblant.

— Il faut qu'on trouve Karsten, bafouilla-t-il. Son mari ; il est à Hambourg.

— C'est bien qu'on vous ait trouvé, vous, répondit le médecin en aidant Gunder à s'asseoir dans un fauteuil.

Marie était blanche, ses pommettes presque bleues. Un tube était fixé à l'aide de sparadrap sur sa bouche. Il entendait le lent chuintement rauque du respirateur, comme un géant qui dormait d'un sommeil infiniment lourd.

— Le point essentiel, ce qui nous occupe avant tout, ce sont les traumatismes crâniens. Nous n'en connaîtrons pas l'ampleur tant qu'elle ne sera pas réveillée.

Que voulait-il dire ? Est-ce qu'elle n'était plus elle-même ? L'aurait-elle oublié en se réveillant ? Aurait-elle oublié ce que c'était de parler, de rire, d'accomplir des tâches élémentaires ? Pouvait-elle aller jusqu'à ouvrir les yeux et le regarder sans le reconnaître ? Gunder tombait dans un puits profond. Mais il pensa à Poona. Son visage apparut en périphérie de ces immenses ténèbres, souriant. Il ne cessait de regarder l'heure. Marie était toute petite dans le lit, et son visage rond avait perdu ses formes. Il devait mettre quelqu'un au courant du secret de Poona. Quelqu'un en qui il avait confiance, qui ne rirait pas ou qui ne douterait pas de lui. Qui serait prêt à lui rendre service.

— Marie ! chuchota-t-il.

Rien. L'entendait-elle ?

— C'est moi, Gunder. Je suis là, à côté de ton lit.

Il leva un regard perplexe sur le médecin, et sentit monter les larmes.

— Tout ira bien, continua-t-il. Poona et moi allons t'aider.

Ça aidait de dire son nom à voix haute. Car après tout, il n'était pas tout seul.

L'heure continuait de tourner. Il ne pouvait pas abandonner Marie. Que penserait-elle ? Que penseraient les médecins s'il passait la tête à la porte de la salle de garde en annonçant : « Je me tire, je vais chercher quelqu'un à l'aéroport » ? Il essaya de classer ses idées, mais elles ne se laissaient pas classer. Allait-il enfin gagner une femme, et perdre une sœur ? Déboussolé, il se cacha le visage dans les mains. Le médecin se pencha par-dessus son épaule.

— J'y vais. Sonnez s'il y a quoi que ce soit.

Gunder se frotta durement les yeux. Sur qui pouvait-il compter ? Il n'avait pas d'amis proches. Il n'en avait jamais voulu. Ou n'avait jamais réussi à s'en faire, il n'en était plus certain. Le temps passait. Le respirateur l'ennuyait, avec son feulement, c'était tout juste s'il ne voulait pas l'arrêter pour ne plus avoir à l'entendre. Il s'immisçait dans sa propre respiration comme pour lui couper le souffle. Il lâcha finalement la main de Marie et se leva d'un coup. Il sortit de la chambre et trouva un téléphone à pièces.

Gunder ne faisait jamais appel aux taxis, mais il connaissait le numéro par cœur. Il était inscrit sur la Mercedes de Kalle en chiffres noirs. Il répondit à la seconde sonnerie.

— Kalle ! Ici Gunder Jomann. Je suis à l'hôpital central. Ma sœur a été victime d'un accident de la route !

Silence complet à l'autre bout du fil. Il n'entendait que la respiration de Kalle.

— C'est affreux, répondit-il gravement. Est-ce qu'il y a quelque chose que je puisse faire ?

— Oui ! cria Gunder. Il se trouve que quelqu'un doit venir me voir de l'étranger. D'Inde.

Kalle resta sans voix. Il était au courant du voyage de Gunder, et commençait à renifler un gros, gros truc.

— Elle arrive en avion de Francfort à 18 heures et attend que j'aille la chercher. Mais je ne peux pas abandonner Marie. Elle est dans le coma, gémit-il.

— Ah ? C'est ça ?

La voix de Kalle était à peine audible.

— Est-ce que tu peux aller la chercher à ma place ?

— Moi ?

— Tu dois aller à Gardermoen et la trouver ! Tu as un taxi, non ? Tu pourras bien te garer devant l'entrée principale. Fais-toi payer pour la course.

Mais il faut que tu partes tout de suite si tu veux arriver à temps. Quand elle sortira du hall des arrivées et qu'elle ne me verra pas, elle ira probablement se renseigner. Elle est indienne, répéta-t-il. Elle a les cheveux longs, nattés. Un peu plus jeune que moi. Et si tu ne la vois pas, qu'ils fassent une annonce. Elle s'appelle Poona Bai.

— Tu peux me répéter son nom ? demanda Kalle, hésitant.

Il le fit.

L'autre avait fini par se ressaisir.

— Tu veux que je la conduise chez toi ?

— Non, ici. À l'hôpital central.

— Il me faut le numéro du vol. Il arrive tout un paquet d'avions à Gardermoen.

— Je l'ai oublié à la maison. Mais il arrive à 18 heures pile. En provenance de Francfort.

Gunder sentait la panique prendre la main. Il pensait à l'angoisse qui s'emparerait de Poona quand elle ne le verrait pas.

— Kalle, murmura-t-il. C'est ma femme. Tu comprends ?

— Non, répondit l'autre, terrorisé.

— Nous nous sommes mariés le 4 août. Elle vient s'installer à Elvestad.

Les yeux exorbités, Kalle regardait fixement à travers son pare-brise.

— Je pars maintenant ! s'écria-t-il. Reste auprès de ta sœur, je m'occupe du reste !

— Merci ! répondit Gunder, qui en avait presque les larmes aux yeux de soulagement. Et dis bien à Poona que je suis désolé.

Kalle mit la voiture en marche, mais omit d'enclencher le taximètre. Quelques minutes plus tard, la Mercedes filait sur l'E6.

*
* *

Il retourna voir Marie. Tout était tranquille. Dire qu'elle ne respirait pas par ses propres moyens ! Il imaginait le poumon comme un fin ballon, transpercé par des esquilles acérées. Puis il se dégonflait et devenait tout plat. Ils lui avaient redonné sa forme originale. Les entailles se refermeraient d'elles-mêmes, avait dit le médecin. Ça aussi, c'était bizarre. Il jeta un coup d'œil à sa montre. À intervalles réguliers, une infirmière entrait voir, regardait Gunder avec un sourire, lui conseillait de faire une pause et de manger un peu.

— Je ne peux rien avaler.

— Je vais aller vous chercher quelque chose à boire.

Il sombra lentement dans un demi-sommeil. Le respirateur le faisait somnoler, il était précis comme un mécanisme d'horlogerie. Il pompait l'air hors de Marie, l'injectait, le pompait. Il fut 18 heures moins deux. L'avion de Poona se pose, pensa-t-il. Au nom du ciel, j'espère que Kalle est en position. Qu'il va la retrouver dans cette multitude. Il baissa les yeux sur sa sœur. Il se rendit subitement compte qu'il n'avait pas posé la moindre question sur l'accident. Et l'autre voiture ? Ceux qui se trouvaient dedans ? Une idée effrayante lui traversa l'esprit, que certains étaient peut-être morts. Que Marie se réveillerait en plein cauchemar. Il pensa à Karsten, qui ignorait tout. Était-il installé quelque part, une bière tout juste tirée à la main, dans un tumulte de chansons à boire allemandes ? Poona ne va pas tarder à récupérer ses bagages, se dit-il, et elle ne sait rien de tout ce qui s'est passé. Kalle cherche. Il voyait nettement la tête poivre et sel se tendre dans la foule. L'infirmière entra de nouveau. Gunder prit son courage à deux mains.

— Qu'est-ce qui s'est passé, en fait ? Dans cet accident. Dans quoi est-elle rentrée ? Une autre voiture ?

— Oui.

— Comment s'en sont-ils sortis ?

— Pas trop bien, répondit-elle laconiquement.

— Je dois savoir ce qu'il en est, insista-t-il. En se réveillant, elle me posera peut-être la question. Il faut que je sache ce que je lui répondrai.

Elle le regarda gravement.

— Il est ici. Mais nous n'avons pas pu le sauver.

Elle se pencha sur Marie et lui souleva une paupière. Il vit l'expression morte dans l'œil ouvert et déglutit. Un homme était mort, et c'était peut-être la faute de Marie.

Une autre infirmière entra. Elle avait un téléphone sans fil à la main. Le cœur de Gunder fit un bond d'espoir. C'était Kalle.

— Je ne la trouve pas, haleta-t-il, à bout de souffle. Elle a dû partir avec un autre taxi.

Gunder céda à la panique.

— Tu ne l'as pas vue du tout ?

— J'ai cherché partout, ils ont fait une annonce, mais elle a dû passer incroyablement vite la zone bagages et les douanes. J'ai demandé à l'accueil si une personne portant ce nom s'était présentée, et ils ont appelé au micro pendant que j'attendais, mais personne n'est venu.

— Quand es-tu arrivé ?

— Je ne sais pas trop. J'ai conduit aussi vite que j'ai pu, répondit-il d'une voix malheureuse.

Gunder avait mal pour Kalle, qui sans aucune raison avait mauvaise conscience.

— Elle est sans doute partie chez toi, le rassura-t-il. Elle attend peut-être sur ton escalier. J'y vais.

— Merci.

Il rendit le téléphone. Les infirmières le regardèrent, interrogatrices, mais il ne dit rien. Il n'avait même plus la force de parler. De toute façon, Marie ne l'entendait pas. Il s'écoula une éternité, et le message lui parvint, que Poona ne l'attendait absolument pas à la maison. Elle n'était peut-être tout bonnement pas dans l'avion ? pensa-t-il avec angoisse. Il devait être possible de contacter la Lufthansa. Ils pouvaient confirmer qu'elle était bien à bord. Il retourna au téléphone public et appela l'aéroport. Ils lui dirent que ça concordait. Poona Bai était partie de Francfort par la Lufthansa. L'avion avait atterri à 18 heures précises. Gunder reprit l'ascenseur. Il regarda sa sœur dans le lit. Il se sentait lourd et infiniment fatigué. Il se leva et quitta la chambre à contrecœur. Il s'arrêta à la porte de la salle de garde, et expliqua qu'il devait s'en aller car il était arrivé quelque chose, mais il promettait de revenir. S'ils pouvaient l'appeler au cas où il y aurait du nouveau ?

Elles le regardèrent sans comprendre. Mais bien sûr, qu'ils appelleraient. Il rentra à la maison. Il était plongé dans ses pensées tout en conduisant, et était presque arrivé quand une voiture le dépassa à toute vitesse, en lui faisant une superbe queue de poisson. Il jeta sa voiture sur la droite et haleta. Les choses pouvaient décidément arriver très vite. Rien ne sert de courir, il faut partir à point ! grinça-t-il dans son rétroviseur.

L'arrière d'une Saab blanche disparut dans le virage.

Il était 21 h 30 lorsqu'il ouvrit la porte. Assis dans son fauteuil, il regardait la photo de Poona et lui. Le soir arriva, la nuit tomba. Le trouble s'était propagé jusqu'au plus profond de lui. S'était-elle méprise ? Devait-il appeler la police ? Ils ne pouvaient quand même pas commencer les recherches. Où chercher ? Il ne se coucha pas de la nuit. Chaque fois qu'il entendait une voiture dans le lointain, il bondissait de son fauteuil et repoussait violemment le rideau. Il y a une explication à tout, pensa-t-il. À tout instant, un taxi pouvait tourner et remonter vers la maison. Elle serait enfin chez lui. Il jeta un coup d'œil au téléphone. Il ne sonnait pas. Ce qui voulait dire que Marie était toujours inconsciente et ne se doutait de rien, de son propre état, de l'homme dans l'autre voiture, qui était mort. De Poona qui n'arrivait pas.

Il ne lâcha pas une seule seconde la photo. Il regarda la drôle de sacoche jaune qu'elle avait toujours à la taille. Il n'avait jamais rien vu de tel. Il se souvint de la façon dont elle l'avait embrassé sur le nez et lui avait caressé le visage de ses mains chaudes. Dont elle avait soulevé sa chemise pour se cacher la tête en dessous. Et elle était restée ainsi, l'oreille contre son cœur. Il leva le cliché à la hauteur de ses yeux. Le visage de Poona était si petit. Il disparaissait complètement derrière le bout de ses doigts.

*
* *

Le lendemain, le 21 août, une voiture de patrouille arriva lentement sur la route nationale menant à Elvestad. Le capot blanc étincelait sous le soleil. Deux hommes regardaient attentivement à travers le pare-brise. Loin devant, ils distinguèrent un attroupement.

— Là, indiqua Skarre.

Ils virent une clairière sur la gauche. Un pré fleuri encerclé par une forêt dense. L'inspecteur principal Konrad Sejer lança un coup d'œil vers la lisière du bois, où un important groupe d'hommes étaient au travail. L'ensemble du pré était bouclé, et ils avaient en outre ouvert un passage dans lequel ils allaient à l'évidence passer. Les hommes descendirent rapidement de voiture et partirent dans les hautes herbes, déjà passablement piétinées. Ce sillon resterait longtemps ouvert comme une blessure, songea Sejer. Un paquet de gens s'étaient attroupés sur la route. Quelques jeunes à vélo, quelques voitures. Et la presse, naturellement. Provisoirement exilée, mais les objectifs scintillaient frénétiquement. Sejer était le genre de personnes que l'on reconnaissait à sa façon de marcher. Son grand corps, se déplaçant à pas mesurés dans l'herbe. Jamais rien de hâtif ou de précipité en lui. De même, il réfléchissait toujours avant de parler. Les jeunes qui ne le connaissaient pas le pensaient lent. D'autres voyaient la nature calme et devinaient un homme qui faisait rarement des choses qu'il regrettait par la suite, et encore plus rarement des erreurs. Ses cheveux poivre et sel étaient coupés au plus court. Il portait un pull-over à col cheminée noir et un blouson de cuir brun ouvert. Le groupe s'ouvrit pour le laisser passer sans encombre. Jacob Skarre marchait deux mètres derrière, et Sejer l'empêchait de voir quoi que ce fût. Mais elle fut soudain à leurs pieds. Skarre inspira une grande goulée d'air. Qu'avait dit Holtemann au téléphone ?

D'une violence tout à fait inhabituelle.

Sejer pensait être préparé. Il se planta fermement sur ses quilles et posa le regard sur la femme qui gisait dans l'herbe. La vision le perturbait. Il vit une natte se tortiller comme un gros serpent dans l'herbe jaune. Les restes d'un visage, brisé jusqu'à l'os. Plus rien n'était en place. La bouche était un orifice béant rouge tirant sur le noir. Le nez avait été aplati contre la joue, et il ne pouvait pas trouver les yeux dans toute cette chair rouge. Il dut détourner légèrement le regard et vit une main serrée. Une sandale dorée. Du sang, encore du sang, qui avait imprégné ses vêtements et l'herbe sèche en dessous. Il remarqua le beau tissu soyeux de la robe bleu-vert, aux endroits où elle était encore propre. Et le bout d'un bijou qui scintillait.

Elle s'était faite belle. En relevant la tête, il vit des taches de sang tout autour dans l'herbe, à quelque distance de la femme, comme si on s'était acharné sur elle en la déplaçant sur une zone un peu plus étendue. Sans qu'il le veuille, tous ses sens entraient en action. Il sentait les odeurs, entendait le son des voix, le sol qui pouvait se dérober sous ses pieds. Il leva un instant les yeux vers le ciel bleu et baissa de nouveau lentement la tête.

Elle était particulièrement frêle. Il vit un pied étroit. De fines chevilles brunes. Ses pieds étaient nus dans les sandales. De petits pieds, lisses, beaux. Impossible de déterminer son âge. N'importe où entre vingt et quarante, supposa-t-il. Ses vêtements étaient à leur place. Elle n'avait aucune blessure sur les mains.

— Snorrason ? s'enquit-il enfin.

— Snorrason est en route, répondit Karlsen.

Sejer regarda Skarre. Celui-ci se tenait dans une position étrange, comme pétrifié, seules ses boucles étaient agitées par le vent.

— Qu'avons-nous jusqu'à présent ?

Karlsen avança d'un pas. Sa moustache, qui d'ordinaire dessinait toujours une courbe élégante, ne ressemblait plus à rien. L'horreur lui avait fait se passer une main vigoureuse sur la bouche.

— C'est une femme qui a découvert le corps. Elle nous a appelés de la maison qui est là-bas, expliqua-t-il en pointant un doigt vers l'intérieur du bois, où Sejer distingua une petite maison à quelque distance.

Il vit des vitres briller à travers les feuilles.

— Elle a été battue avec un objet très lourd et vraisemblablement compact, nous ne comprenons pas quoi. On n'a rien retrouvé. Il y a des traces de sang sur une grande étendue, jusque dans ce coin là-bas, en fait, poursuivit-il en désignant le bois de l'autre côté, et presque jusqu'à la route. Comme s'il l'avait traînée par-ci, par-là. Il y a pas mal de sang par là-bas à gauche, aussi. C'est peut-être là qu'il a attaqué. Elle s'est enfuie un instant, il l'a rattrapée et il a continué. Mais nous pensons qu'elle est finalement morte où elle est maintenant.

Karlsen marqua un temps d'arrêt.

— Snorrason arrive, répéta-t-il.

— Qui habite dans la maison qui est là-bas ? demanda Sejer avec un mouvement de tête.

— Ole Gunwald. Commerçant à Elvestad, il a une boîte en centre-ville. Il est fermé aujourd'hui à cause de ses migraines. On a déjà discuté avec lui. Il était chez lui hier au soir et la nuit dernière. Vers 21 heures hier au soir, il a entendu des cris faibles, et un peu plus tard une voiture qui emballait son moteur. Quand il s'est levé, il n'y avait déjà plus personne. Un moment après, ça s'est répété. Des cris faibles et une portière de voiture qui claquait. Il se rappelle par ailleurs que son chien a aboyé. Il est attaché dans la cour.

Sejer regarda de nouveau la femme dans l'herbe. Cette fois-ci, le choc fut moindre, et il distingua un visage hurlant dans la masse d'os et de muscles meurtris. La peau de la gorge était presque intacte, et il vit qu'elle était brun doré. La natte noire, aussi épaisse que les poignets, semblait totalement épargnée. Aussi belle et entière. Maintenue par un élastique rouge.

— Et la femme qui a appelé ? demanda-t-il en regardant Karlsen.

— Elle attend dans l'une de nos voitures.

— Comment est-elle ?

— Utilisable.

La réponse fut suivie de sa main, qui repassa encore une fois à toute vitesse sur sa bouche ; l'état de la moustache était à présent parfaitement catastrophique. Un silence momentané se fit tandis que tous attendaient.

— Il faut lancer une recherche d'informations, décréta Sejer d'un ton résolu. Immédiatement. Une action de porte-à-porte doit être mise sur pied sans attendre. Parlez aussi avec tous ceux qui regardent bêtement depuis la route, y compris les jeunes. Skarre, mets des protections à tes pieds et remonte tout le pré. Tourne en suivant une spirale serrée. Commence en bas, près de la route. Fais-toi aider de Philipe et de Siw. Ils te suivront. Ce qui t'échappera, ils le verront. Si tu ne sais pas si quelque chose doit aller dans le sac, alors mets-le dans le sac. N'oublie pas les gants. Ensuite, vous mettrez des balises partout où vous verrez des traces de sang ou aux endroits où l'herbe a été piétinée. On doit avoir deux gardes en poste pour le reste de la journée, et pour toute la journée de demain. Pour commencer. Karlsen ! Appelle le commissariat et demande-leur de nous fournir une carte du district. Une grande, détaillée. Si possible, mets la main sur les locaux qui ont connaissance des chemins qui ne figureraient pas sur les cartes. Soot ! Il y a un chemin de terre qui part dans la forêt de l'autre côté de la route. Trouve-moi où il conduit. Sers-toi de tes yeux !

Et les membres du groupe de hocher la tête. Sejer se tourna de nouveau vers le corps. Il s'accroupit et l'observa, laissant son regard parcourir lentement les restes de son visage. Il essaya de faire en sorte que tout se fixe. De ne pas respirer. Ce dont elle était vêtue était étranger, bleu-vert. Une robe fine, à manches longues, par-dessus un pantalon fin et large. Le tissu ressemblait à de la soie. Mais ce qui attirait le plus son attention, c'était un magnifique bijou. Une broche traditionnelle norvégienne. Cela le perturbait. Une broche que l'on portait avec le costume traditionnel. Si familier, mais en même temps étranger sur cet habit exotique. Parce que le visage était à ce point abîmé, et parce qu'il ne pouvait pas en distinguer les traits, il lui était difficile d'émettre une hypothèse quant à l'origine de la femme. Elle pouvait être née et avoir grandi en Norvège, ou être dans le pays pour la première fois. Elle avait perdu une sandale dorée. Il ramassa un petit bâton dans l'herbe et pêcha la sandale avec. Il y avait du sang sous la semelle, mais il distingua trois lettres. IND. Les vêtements le faisaient penser à l'Inde ou au Pakistan. Il attrapa son mobile dans sa poche et appela le commissariat. Aucune femme n'avait été déclarée disparue. Pas encore. À quelques mètres du cadavre, il vit un petit sac jaune. Un drôle de petit objet pelucheux en forme de banane. Il était équipé d'une fermeture Éclair, et prévu pour être attaché autour de la taille. Comme par miracle, il était parfaitement propre. Il bloqua l'objet contre le sol à l'aide de son bâtonnet et tira entre deux doigts la fermeture Éclair. Rouge à lèvres. Miroir. Mouchoirs en papier. Pièces de monnaie. Rien d'autre. Pas de portefeuille ou de papiers. Rien sur son identité. À une oreille, elle avait un anneau épais qui traversait une bille. L'autre avait disparu, si elle en avait eu deux. Les ongles de ses mains étaient vernis en rouge sang. Elle avait deux anneaux d'argent, pas particulièrement coûteux. Sa robe ne comportait pas de poches, mais il y avait peut-être des étiquettes dans le tissu. Il ne pouvait cependant rien toucher. C'est la morte, pensa-t-il. Jusqu'à ce que quelqu'un appelle et la demande. Pour les ondes, pour la radio et la télévision, dans tous les journaux, elle s'appelle simplement « La morte ».

En repassant dans le trou entre les tresses plastique, il jeta un coup d'œil aux trois officiers qui parcouraient le pré. Ils ressemblaient à trois enfants qui jouaient à suivre leur mère. Chaque fois que Skarre s'arrêtait et s'agenouillait, les autres s'arrêtaient. Il distinguait le sac plastique brillant de son collègue, qui contenait déjà un certain nombre de choses. Puis il mit le cap sur la voiture de patrouille. La femme qui avait trouvé le corps l'y attendait. Il la salua, s'installa au volant et parcourut une centaine de mètres. Là, il fit faire demi-tour à la voiture. Les badauds regardaient, curieux. Il ouvrit la vitre, et de l'air frais entra dans l'habitacle.

— Racontez-moi comment ça s'est passé, demanda-t-il fermement.

Cette voix posée l'aida. Elle hocha la tête et se plaqua une main sur la bouche. La peur des mots qu'elle devait trouver et prononcer à voix haute était bien visible dans ses yeux.

— Faut-il que je reprenne tout depuis le début ?

— J'aimerais bien, oui, répondit-il tranquillement.

— J'étais sortie ramasser des champignons. Il y a beaucoup de russules autour de la maison de Gunwald. Ça ne lui pose pas de problème que je les ramasse, il n'a pas la force de le faire lui-même. Il est souvent malade, expliqua-t-elle. J'avais un panier au bras. Je suis partie un peu après 9 heures.

Elle se tut un instant.

— Je venais de ce coin-là, reprit-elle en montrant le bas de la route. J'ai tourné et j'ai suivi la lisière. Tout était très calme. Et puis j'ai vu quelque chose de sombre dans l'herbe, un peu plus loin dans le pré. Ça m'a un peu inquiétée. Mais j'ai continué et j'ai ramassé des champignons. Le chien de Gunwald grognait, c'est toujours ce qu'il fait quand il entend du monde. Je pensais à ce truc sombre. Ça me perturbait, et je me déplaçais le dos tourné. C'est bizarre, quand j'y repense. Comme si j'avais tout compris immédiatement, tout en refusant de le croire. J'ai trouvé beaucoup de russules – où est mon panier, d'ailleurs ?

Elle perdit le fil et regarda Sejer, perdue, avant de se reprendre et de continuer.

— Ce n'est pas que je me soucie des russules, ce n'est pas ce que je voulais dire. Je me suis simplement souvenue de ce panier…

— Nous retrouverons ce panier, assura-t-il à voix basse.

— J'ai trouvé quelques chanterelles, aussi. J'ai vu qu'il y avait pas mal de myrtilles. Je me suis dit que j'en ramasserais un autre jour. Je me suis promenée une demi-heure. Et puis j'allais repartir, et pour Dieu sait quelle raison, je ne voulais pas repasser près de ce qu'il y avait dans l'herbe. Alors je suis restée en bordure.

— Oui ?

— Mais il fallait que je voie. Ça ressemblait à un gros sac-poubelle, un gros sac noir. J'ai voulu avancer, mais je me suis de nouveau arrêtée. On aurait dit qu'une partie des ordures s'était échappée. Ou plutôt, je me suis dit que c'était peut-être un gros animal mort. J'ai fait quelques pas en arrière. Je ne sais pas à quelle distance j'étais quand j'ai vu sa longue natte. Et puis j'ai aperçu l'élastique. C'est à ce moment que j'ai compris ce que c'était.

Elle se tut et secoua la tête avec incrédulité. Sejer ne voulait pas l'interrompre.

— Un élastique à cheveux. Et là, je suis partie en courant. Droit chez Gunwald. J'ai frappé tant que je pouvais à sa porte, j'ai crié qu'on devait appeler, qu'il y avait un cadavre dans le pré. Gunwald était mort de peur. Il n'est plus tout jeune. J'ai attendu dans son canapé. Il y est toujours, tout seul. Ce n'est pas loin de chez lui. Elle a dû hurler ?

— Il n'a entendu que des cris étouffés.

— Il devait avoir la télé allumée, supposa-t-elle, effrayée.

— Peut-être. Vous habitez loin ?

— Un peu plus loin, vers le centre d'Elvestad.

Il hocha la tête et lui tendit son téléphone mobile.

— Vous avez peut-être besoin d'appeler quelqu'un ?

— Non.

— Vous devez nous accompagner au poste de police. Ça peut prendre un certain temps. Mais on vous raccompagnera.

— J'ai tout mon temps.

Il la regarda et se racla prudemment la gorge.

— Avez-vous regardé sous vos chaussures ?

Elle le regarda sans comprendre. Puis elle se pencha et se déchaussa ; c'étaient de fines chaussures d'été à semelle de caoutchouc blanc.

— Il y a du sang dessus, constata-t-elle avec effroi. Je ne comprends pas, j'étais très loin.

— Est-ce que des gens d'origine étrangère vivent à Elvestad ? voulut-il savoir.

— Deux familles. L'une originaire du Vietnam, l'autre de Corée. Les Thuan, et les Tee. Ça fait des années qu'ils vivent ici. Tout le monde les connaît. Mais ça ne peut pas être l'un d'entre eux.

— Ah non ?

— Non, répondit-elle catégoriquement en secouant la tête. Ça ne peut être aucun d'entre eux.

À nouveau, elle regarda le pré.

— Dire que j'ai cru que c'était un sac-poubelle...

*
* *

Gunder était toujours assis dans son fauteuil quand vint le matin. Il s'était endormi dans une position tout à fait impossible. Lorsque le téléphone sonna, il sursauta violemment, fila jusqu'à l'appareil et arracha littéralement le combiné. C'était Bjørnsson, du travail.

— Tu travailles chez toi aujourd'hui aussi ?

— Non, répondit-il le souffle court, en s'appuyant au même instant au bureau.

Il s'était levé trop précipitamment.

— Tu es malade ?

Gunder ouvrit de grands yeux en voyant l'heure, effrayé de constater qu'il était déjà si tard. Quelque chose battait un rythme violent dans sa tête.

— Non. C'est ma sœur, répliqua-t-il. Elle est à l'hôpital. Je pars maintenant, poursuivit-il sans véritablement le penser, car sa tête n'était qu'un vaste chantier, et il ne savait pas trop comment il allait attaquer cette nouvelle journée. J'appellerai pour donner d'autres informations.

Il se rendit ensuite en chancelant dans la salle de bains. Il se défit de ses vêtements, se doucha en laissant la porte grande ouverte dans l'espoir d'entendre le téléphone si celui-ci sonnait à nouveau. Mais il ne sonna pas. Ce fut alors lui qui appela l'hôpital. Il n'y avait pas de changement, elle était toujours dans le coma, mais son état était stable, disaient-ils. Plus rien n'est stable, pensa Gunder désorienté. Il n'avait pas le courage de manger, mais il se fit une bonne dose de café, avant de retourner s'asseoir dans son fauteuil. Où Poona avait-elle passé la nuit ? Pourquoi n'appelait-elle pas ? Et il était là, comme un chien à côté du téléphone. Il resta longtemps ainsi, plus endormi qu'éveillé. À tout instant, Marie pouvait reprendre connaissance, et personne ne serait à ses côtés. À tout instant, Poona pouvait appeler et dire : J'ai dû me fourvoyer ; tu peux venir me chercher ? Et son rire, un peu confus peut-être, à l'autre bout du fil. Mais le temps passait, et personne n'appelait. Il faut que je téléphone à la police, songea-t-il avec angoisse. Mais cela revenait à reconnaître qu'il s'était passé quelque chose. Il alluma la radio, mais alla à sa table de travail près de laquelle il resta debout. Il entendit l'appareil résumer en sourdine tous les malheurs du monde. Le son était faible, mais il enregistrait malgré tout certains mots, sans qu'ils aient de sens pour lui. Lorsqu'il leva pourtant brusquement la tête, ce fut parce qu'il avait entendu le nom d'Elvestad. Bien distinctement. Alors il se leva et alla monter le volume. « Une femme d'origine étrangère. Sauvagement malmenée. »

Ici, à Elvestad ? s'indigna Gunder. Vint ensuite un officier de police. Nous ne connaissons pas l'identité de la défunte. Personne n'a déclaré sa disparition. Gunder écoutait aussi attentivement qu'il le pouvait. Qu'avaient-ils dit ?

D'origine étrangère. Sauvagement malmenée.

Il bascula sur la table et se tint debout, tremblant. Le téléphone se mit à sonner rageusement à travers la pièce, mais il n'osa pas décrocher. Il se cramponnait à la table tandis que l'appareil sonnait sans relâche. Tout dansait devant ses yeux. Puis le manège se calma enfin. Il tenta de se redresser, mais se sentait raide, bizarre. Il tordit le cou et regarda le téléphone, et il voulait appeler Marie. Comme il l'avait toujours fait quand il y avait un problème. Mais il ne pouvait pas. Il sortit de la pièce pour prendre ses clés de voiture. Poona était probablement dans l'un des hôtels de la ville. Elle referait surface tôt ou tard. Lui, Gunder, n'avait rien à voir avec l'autre, celle dont on parlait à la radio. C'étaient sans arrêt meurtres et misère. Il pouvait écrire un mot qu'il fixerait sur la porte, au cas où elle arriverait pendant son absence. Ma femme Poona. Il vit son visage dans le miroir et sursauta. Ses propres yeux le regardaient avec une angoisse intense et nue. À ce moment-là, le téléphone sonna derechef. C'était évidemment elle. Non, se dit-il, c'est l'hôpital. Marie est morte. Ou

74

c'est peut-être Karsten, de Hambourg, qui veut savoir comment elle va, il est en route pour l'aéroport, pour prendre le premier avion. C'était Kalle Moe. Gunder s'immobilisa, le combiné en main, penché sur le bureau.

— Gunder, murmura Kalle. Je venais simplement aux nouvelles.

Sa voix était sans timbre. Gunder ne répondit pas. Il n'avait rien à raconter. Il se figura qu'il allait mentir et dire : oui, elle est ici. Elle s'était perdue, évidemment. Un taxi de la ville qui connaissait mal le district.

— Comment ça s'est passé ?

Gunder ne répondait toujours pas. Ce qu'avait annoncé la radio bourdonnait dans sa tête. Kalle avait peut-être entendu la même chose, et cet idiot avait tiré ses conclusions. Mais les gens étaient comme ça, bien sûr, ils imaginaient toujours le pire. D'autant plus que Kalle était un angoissé.

— Tu es là, Gunder ?

— Je pars pour l'hôpital.

Kalle s'éclaircit la voix

— Comment ça va, ta sœur ?

— Pas de nouvelles. Elle n'a pas dû se réveiller. Je ne sais pas, ajouta-t-il.

Nouveau silence. C'était comme si Kalle se retenait.

— Non, j'étais vraiment inquiet... Je ne sais pas si tu as entendu les nouvelles, mais ils ont trouvé une femme, là-bas, à Hvitemoen.

— Oui ? Gunder retint son souffle.

— Ils ne savent pas qui c'est, ils disent juste qu'elle est étrangère. Et c'est, oui, donc... c'est le cadavre d'une femme qu'ils ont trouvé, c'est ce que je voulais dire. C'est ce qui m'a inquiété, tu me connais. Ce n'est pas que je pense qu'il y a un lien, mais ce n'est pourtant pas très loin de chez toi. J'ai eu peur que ça puisse être celle que j'ai cherchée hier au soir. Mais elle est arrivée en un seul morceau ?

— Elle arrive dans la journée, répondit Gunder avec assurance.

— Tu l'as eue ?

Gunder toussa.

— Il faut que j'y aille. À l'hôpital.

— Oui, c'est vrai.

Il perçut l'hésitation de Kalle dans le téléphone.

— Et il faut que je te paie pour la course, s'empressa d'ajouter Gunder. À bientôt !

Il fit claquer le combiné sur sa base. Hésita un moment. Un mot à l'attention de Poona, c'était ça qu'il devait faire. Il pouvait laisser une clé. Est-ce qu'ils laissaient une clé sous le paillasson, en Inde ? Il s'arma d'un stylo et d'un bout de papier, mais se rendit subitement compte qu'il ne savait pas écrire en anglais. Seulement parler un peu. Ça va s'arranger, songea-t-il en quittant la maison sans fermer la porte et en s'asseyant dans la voiture.

Hvitemoen se trouvait à un kilomètre en direction de Randskog. Il n'y passa pas en allant à l'hôpital, et il ne le déplora pas. Il constata qu'il y avait davantage de monde à l'extérieur que de coutume. Il croisa deux camions de la NRK[1] et deux voitures de police. Toute une file de voitures étaient garées devant la taverne d'Einar. Il vit en outre des vélos, des gens. Il regarda l'ensemble avec effroi en passant à toute vitesse. Arrivé à l'hôpital, il prit l'ascenseur et se rendit directement à la chambre de Marie. Une infirmière se tenait penchée sur le lit. Elle se redressa lorsqu'il entra dans la pièce.

— Qui êtes-vous ? demanda-t-elle, sceptique.

— Gunder Jomann, répondit-il très vite. Je suis son frère.

---

1. *Norsk Rikskringkastning*, service public de télévision en Norvège.

Elle se pencha de nouveau sur Marie.

— Tous les visiteurs doivent se signaler à la salle de garde avant d'aller dans les chambres, déclara-t-elle.

Gunder se tut. Il s'immobilisa près du lit, troublé et déconfit, ne sachant que faire de ses mains. Pourquoi se conduisait-elle comme cela ? N'étaient-ils pas contents qu'il vienne enfin ?

— J'ai passé toute la journée d'hier ici, expliqua-t-il, mortifié. Je me suis dit que ça ne poserait pas de problème.

— Je ne pouvais pas le savoir, répliqua-t-elle avec un sourire dans lequel l'enthousiasme était tout relatif. Je n'étais pas de garde hier.

Il ne répondit pas. Les mots s'embrouillaient comme une boule de poils dans sa gorge. En fait, il voulait lui demander s'il y avait des changements. Mais il sentait que ses lèvres tremblaient, et il ne souhaitait pas qu'elle voie qu'il était sur le point de pleurer. Il s'assit précautionneusement sur le bord de la chaise, les mains jointes sur les genoux. Ma femme a disparu, pensa-t-il, désemparé. Il voulait le crier à cette femme qui se tenait près du lit et réglait un goutte-à-goutte, à quel point tout était difficile. Marie, son unique sœur dans le coma, et Karsten à Hambourg. Et Poona évaporée. Il n'avait personne d'autre. Il préférait qu'elle s'en aille. Et qu'elle ne revienne pas. Plutôt la blonde qui était là hier, se dit-il. Celle qui souriait gentiment et qui était allée lui chercher à boire.

— Est-ce qu'on vous a dit qu'en tant que proche, vous pouvez passer la nuit à l'hôpital ? demanda-t-elle tout à trac.

Gunder fit un bond. Oui, on le lui avait dit. Mais il fallait qu'il trouve Poona. Il ne voulait pas lui en faire la confidence. Elle disparut enfin. Il se pencha sur Marie. Le serpent qu'elle avait dans la bouche gargouillait faiblement. Ce qui signifiait que de la salive s'accumulait dedans, comme la blonde le lui avait expliqué. Mais s'il sonnait, la revêche reviendrait peut-être. Il ne le supporterait pas. Il resta un moment assis à écouter le bruit du respirateur qui insufflait de l'air dans Marie en longs soupirs rauques. Si ce gargouillis empirait, il devrait les appeler. Et se faire une raison.

Ils avaient dit qu'il fallait lui parler, mais il avait perdu la parole. La veille au soir, il se réjouissait à l'idée de ses retrouvailles avec Poona, au milieu de tout le reste.

— Marie ? murmura-t-il.

Il renonça et laissa retomber sa tête. Il pensait à l'avenir. Karsten apparaîtrait soudain à la porte et se chargerait de tout ce travail pénible. Il prit brusquement conscience qu'une radio était suspendue au-dessus du lit. Pouvait-il l'allumer ? Est-ce que ça dérangerait Marie ? Il s'appuya à la tête de lit et décrocha l'appareil recouvert de toile blanche. Il trouva d'abord la molette de volume et baissa celui-ci au minimum. Il colla le poste contre son oreille et entendit un faible bourdonnement. Il chercha jusqu'à ce qu'il trouve P4, la fréquence qui diffusait un bulletin d'informations chaque demi-heure ; il serait bientôt 10 heures. Il attendit avec impatience jusqu'à ce qu'une voix interrompe la musique pour annoncer les actualités. L'inspecteur principal Konrad Sejer informa P4 que la défunte de Hvitemoen n'était pas encore identifiée. Il encourageait les gens qui détenaient des informations à téléphoner à la police. Ils expliquaient en outre que la femme avait été victime de violences graves au moyen d'un objet compact, mais sans donner plus de détails. Les sources de P4 affirmaient que le corps avait été malmené à un degré rarement atteint dans l'histoire criminelle norvégienne. La police avait ouvert une ligne pour le public et priait tous ceux qui se trouvaient à proximité de Hvitemoen, à Elvestad, dans la journée d'hier, particulièrement dans la soirée et la nuit, de contacter la police. Toute circulation dans cette zone serait considérée comme intéressante. C'était une femme d'Elvestad qui avait trouvé le corps alors qu'elle était sortie ramasser des champignons. On donna un numéro de téléphone. Il était facile à mémoriser, et Gunder constata que ledit numéro se gravait bien malgré lui dans sa mémoire. Le gargouillis du tuyau de Marie s'infiltra dans ses pensées. Il s'était fait plus menaçant. S'il sonnait et si la brune acariâtre rappliquait, elle penserait sûrement qu'il trouvait qu'elle ne faisait pas son boulot correctement. Mais ils devaient bien être plusieurs de garde, ce ne serait peut-être pas la brune qui arriverait. La porte s'ouvrit alors d'elle-même, et il vit avec satisfaction la blonde entrer. Elle vint jusqu'au fauteuil et posa la main sur son épaule.

— Votre beau-frère a été prévenu. Il arrive.

Gunder faillit se mettre à pleurer de soulagement. Puis elle alla jusqu'au lit pour ôter la salive du tuyau. Gunder se paya le luxe de fermer les yeux. Ses épaules tombèrent enfin.

— Tout s'est bien passé, hier ? demanda-t-elle soudain en regardant Gunder par-dessus le lit.

Il ouvrit les yeux. Sa voix ne répondit pas.

— Vous avez évoqué quelques problèmes.

— Oui, enfin, c'est-à-dire, je ne sais pas trop, bafouilla-t-il.

Elle se pencha de nouveau. Mais elle écoutait quand même. Il avait le sentiment qu'elle en comprenait un bon morceau, même s'il se disait que ce n'était pas possible.

— Tout s'arrangera quand votre beau-frère sera là, le rassura-t-elle. À partir de ce moment-là, vous ne serez plus tout seul pour faire face à tout.

— Oui, acquiesça-t-il, ça va s'arranger.

Puis il prit son courage à deux mains et la regarda bien en face.

— Est-ce qu'elle va se réveiller ? demanda-t-il d'une petite voix.

Elle regarda Marie dans son lit. Ce n'est qu'à cet instant qu'il remarqua son badge nominatif.

— Oui, je crois, répondit sœur Ragnhild. Elle va se réveiller.

*
* *

Dans la bouche grande ouverte de la femme, Sejer vit trois ou quatre dents qui occupaient encore leur place originale. Qu'avait pensé le médecin quand on lui avait remis cette femme en morceaux ?

Depuis bien des années, Bardy Snorrason travaillait près de cette table d'acier. Qui était ceinte de bords et percée d'une bonde en son extrémité, de sorte que le sang et les liquides du corps mort puissent être rincés à grande eau et disparaître dans les égouts. Le corps de la femme dégageait une odeur forte et brute. Le thorax et la cavité abdominale étaient ouverts.

— Je veux que tu penses à voix haute, murmura Sejer en regardant le médecin légiste.

— Tiens donc.

Il descendit ses lunettes sur le bout de son nez et contempla Sejer par-dessus le bord supérieur de la monture.

— Ce visage parle de lui-même.

Il lui tourna le dos et se mit à feuilleter une pile de papiers, en bougonnant.

— Et on voudrait fermer sa gueule, pour une fois...

Sejer n'avait pas besoin de le tanner. La présence de la femme était écrasante. Ce qui avait dû

80

s'échapper de sa gorge durant les dernières minutes résonnait entre les murs. Il devait peser ses mots. De façon assez triste, lui montrer une sorte de respect, à elle qui était nue sur cette table, la poitrine ouverte, la tête éclatée crûment éclairée par une lampe de travail. Parce qu'elle avait été nettoyée de son sang, les blessures étaient autrement visibles que quand elle était étendue dans l'herbe.

— Elle portait une robe de soie, commença Snorrason. À ce que j'en vois, la soie est d'excellente qualité. Les vêtements ont été fabriqués en Inde. Ses sandales sont en matière plastique. Une montre-bracelet de marque Timex est aussi de qualité médiocre. Les sous-vêtements étaient simples, en coton. Dans sa sacoche, il y avait quelques pièces de monnaie, allemandes, norvégiennes et indiennes. Sous les sandales, on peut également lire « IND », ajouta-t-il.

Nouvelle pause. Frou-frou de papiers.

— On lui a asséné des coups répétés sur la tête et le visage, poursuivit-il.

— Une possibilité d'évaluer combien ?

— Non. Je dis « coups répétés » parce qu'il est impossible de compter. Mais on parle de coups terribles. Entre dix et quinze.

Il alla jusqu'au plan de travail et se plaça derrière la tête meurtrie de la femme.

— Le crâne est brisé comme une jarre. On ne peut plus se figurer sa forme originale. La boîte crânienne est fragile, et pourtant assez robuste lorsqu'on frappe vers le sommet de la tête. Les dommages sont plus importants quand on atteint l'arrière ou les tempes. On parle ici d'une force des plus destructrices. Le meurtrier a extériorisé une violente frustration.

— Quel âge a-t-elle ?

— Un peu moins de quarante ans.

Sejer fut surpris. Le corps était fin, bien entretenu.

— L'arme ?

— Elle était grosse et lourde, peut-être massive ou lisse, et on s'en est servi avec une grande brutalité. J'essaie de me réconforter, et toi, par la même occasion, puisqu'il me semble que tu en as besoin – il regarda Sejer par en dessous – en me disant que la plupart des coups lui ont été donnés après sa mort. On peut dire ce qu'on veut de la mort, mais elle nous écarte de toute cette misère.

Il y eut une longue pause. Sejer se sentait légèrement à côté de ses pompes, presque en apesanteur. Il redoutait une longue période marquée par peu de sommeil et beaucoup de soucis. Qu'il ne pouvait éviter. Pas un seul instant il ne pourrait oublier cette femme, il l'aurait avec lui vingt-quatre heures sur vingt-quatre. Il la percevrait dans sa tête comme un cri muet. Il se projeta dans l'avenir, au moment où le coupable serait découvert et appréhendé. Il savait qu'il serait suffisamment près pour sentir son odeur et les vibrations quand il se trouverait dans le même espace aérien. Lui prendre la main. Hocher la tête pour montrer qu'il comprenait. Entrer dans cette personne avec gentillesse. Il sentit un léger picotement dans la nuque. Snorrason se remit à trifouiller dans ses papiers.

— Donc. Elle a environ quarante ans, peut-être un peu moins. Mesure 1,60 mètre. Poids, 45 kilos. À ce que je peux en penser, elle était en bonne santé. Sur l'épaule gauche, elle a une cicatrice tout à fait insignifiante consécutive à quatre points de suture. Par ailleurs, la broche est du Hardanger.

— Tu as fait vite, le loua Sejer.

— J'ai une assistante. Elle en a une semblable.

Il réfléchit un instant.

— Il y a des traces de lutte à travers tout le pré. Est-ce qu'il a joué avec elle, comme un chat ?

— Sais pas, avoua Sejer. Mais je ne comprends pas comment il a osé. À 21 heures, il fait encore clair. Ole Gunwald habite juste après la lisière. La nationale passe juste à côté. C'est une audace qui me fait soupçonner un meurtrier chaotique. Sans aucun sens des réalités.

— Est-ce que des informations vous sont parvenues ? s'enquit alors Snorrason.

— De voitures. Mais la seule chose que je souhaite maintenant, c'est savoir qui elle est.

— Tu devrais contacter tous les détaillants de bijoux dans le coin. Ils se souviendront à coup sûr si une femme d'origine étrangère a acheté une broche traditionnelle du Hardanger. Ça, ça ne doit pas être spécialement courant.

— Ils tiennent sûrement une liste de toutes leurs ventes, supposa Sejer. Mais j'ai du mal à croire qu'elle l'ait achetée elle-même. Je pense plutôt à un cadeau de Norvège. Peut-être de la part d'un homme. Et, dans ce cas, d'un homme qui l'aime.

— Tu tires beaucoup de pas grand-chose, sourit Snorrason.

— Je pense à voix haute. Quand je l'ai vue dans l'herbe, dans cette belle robe, cette broche scintillait presque comme une déclaration d'amour.

— Eh bien... cet amour a peut-être viré en autre chose. Ça, ça n'a plus l'air spécialement tendre.

Sejer fit un tour dans la pièce.

— Dois-je te rappeler qu'il est possible de tuer par amour ?

Snorrason acquiesça à contrecœur.

— Tu m'appelles quand le rapport sera prêt ?

— Bien évidemment. Je donne la priorité à cette affaire-là.

Sejer arracha ses chaussons de protection.

Un peu plus tard, dans le bureau avec Skarre, ils étudièrent le contenu du sac plastique qui était répandu sur le bureau. Sejer l'éparpilla avec les doigts. Il chercha dans le tas de babioles et en tira une boucle d'oreille qu'il reconnut immédiatement.

— Vous avez vraiment fait du bon boulot. Il en manquait une comme celle-ci sur la morte.

— Celle-là est tout aplatie, constata Skarre.

Il alla subitement au lavabo et fut pris d'une violente quinte de toux.

— Prends tout le temps dont tu as besoin.

Skarre se retourna et le regarda.

— J'ai terminé, répondit-il. Je veux bosser.

*
* *

Le chauffeur de taxi Kalle Moe n'était pas homme à colporter des ragots. Mais là, c'était trop. Assis dans sa Mercedes, une ride profonde en travers du front, il réfléchissait. Quelques minutes plus tard, il grimpa les marches de la taverne d'Einar. Il s'y trouvait davantage de monde que d'habitude. Einar retourna deux hamburgers et déposa une tranche de fromage sur le dessus. Il fit un signe de tête à Kalle.

— Café, commanda simplement ce dernier.

La vapeur de la tasse lui chauffa le visage. Le rire tranchant de Linda résonna brusquement depuis le coin de la salle.

— C'est si agréable d'être jeune, nota Kalle. Même la mort n'a pas de prise sur eux. Ils sont comme de gros saumons d'élevage luisants.

Einar poussa une soucoupe de sucre en morceaux dans sa direction. Son visage maigre était fermé, comme d'habitude.

— Sale truc, poursuivit Kalle en regardant en douce le visage d'Einar.

— Pourquoi serions-nous épargnés ? répliqua l'autre avec un haussement d'épaules.

— Qu'est-ce que tu veux dire ?

Kalle ne suivait pas.

— Que ça s'est passé ici. De toute façon, ça se passe partout ailleurs.

— Pas à ce que j'ai entendu. Là, c'était d'une violence tout à fait exceptionnelle.

— C'est ce qu'ils disent sans arrêt, souligna Einar.

Kalle but une gorgée de café.

— Au début, j'ai eu peur. Parce que j'ai pensé aux Tee, et aux Thuan.

— Ce n'est aucun d'entre eux, intervint Kalle très vite.

— Je sais. Mais c'est à eux que j'ai tout de suite pensé.

Ils entendirent de nouveau le rire de Linda à travers la pièce.

— La Princesse aux yeux éclatants, soupira Einar en la regardant avec résignation. C'est comme ça que l'appellent les mecs. Et ce n'est pas un compliment.

— Ah non ?

Nouveau silence.

— Ils n'ont donc aucune idée de qui ça peut être ?

Einar mit chacun des hamburgers bien à sa place sur son pain et coiffa le tout. Il siffla, et un adolescent arriva au pas de course.

— Je n'ai rien entendu, répondit-il. Mais les journalistes arrivent en masse. Ils prétendent que le numéro que la police a donné pour que les gens appellent ne chôme pas.

— Encore heureux.

Il pensait à l'histoire de Gunder. Mais quelque chose le retenait. Pourtant, s'il ne disait rien, Einar l'apprendrait par les autres. Et peut-être une moins bonne version. Kalle était digne de confiance, il n'exagérerait pas. Mais il brûlait de raconter. D'entendre Einar dire : « Non, tu es fou ? Gunder est allé là-bas et s'est marié ? En Inde ? » Il allait ouvrir la bouche quand la porte s'ouvrit et deux hommes entrèrent. Ils avaient tous les deux un sac vert sur l'épaule.

— Des journalistes, l'éclaira Einar. Ne leur parle pas !

La réaction d'Einar fit tiquer Kalle. Elle ressemblait à un ordre, il s'obligea à ne pas protester. Les deux autres vinrent au comptoir, saluèrent Einar et Kalle avant de jeter un regard circulaire dans la salle. Einar leur fit un signe de tête mesuré et prit commande d'un Coca et d'un steak haché. Il travaillait vite, le dos tourné. Kalle avait toujours son café. Il se sentit soudain exposé, privé de la protection d'Einar.

— Quelle affaire effrayante, lâcha l'un des deux en le regardant.

Kalle hocha la tête mais ne répondit pas. Il se souvint qu'il avait un journal de bord dans sa poche ; il l'en tira et se mit à étudier toutes les courses régulières avec une expression absorbée.

— Une tragédie comme celle-là doit être ressentie comme un vrai tremblement de terre dans un petit patelin comme celui-ci ; il y a combien d'habitants, ici ?

C'était une question simple. Les filles dans le coin s'étaient calmées, elles regardaient les deux journalistes avec curiosité. Kalle fut contraint de répondre.

— Deux ou trois mille, répondit-il sans enthousiasme, les yeux toujours sur sa feuille.

— Mais elle n'était pas d'ici, si j'ai bien compris ?

L'autre pointa la tête en avant. Einar se retourna et fit claquer deux assiettes sur le comptoir.

— Alors que même les poulets ne savent pas qui elle est, vous ne pouvez quand même pas vous attendre à ce que nous le sachions ? intervint-il sèchement.

Le journaliste lui retourna un sourire pincé.

— Il y a toujours quelqu'un qui sait, déclara-t-il de façon sibylline avec un sourire aigre-doux. Et c'est notre boulot de le découvrir.

— Alors il faudra aller ailleurs, conseilla Einar. Ici, les gens viennent manger et se détendre.

— Chouette tartoche, complimenta l'autre avec une petite révérence.

Ils haussèrent les sourcils et allèrent tranquillement à une table près de la fenêtre, tout en regardant fixement les deux filles.

— Pourvu qu'ils ne mettent pas le grappin sur Linda, grinça Einar. Elle ne sait même pas ce qui est bon pour elle.

Kalle ne comprit pas le ton amer d'Einar. Mais il était peut-être plus avisé que la plupart et comprenait mieux comment gérer ces hyènes de la ville. Il attrapa le pichet pour remplir sa tasse.

— Tu es au courant, pour la sœur de Gunder ?

Einar le regarda sans comprendre.

— Elle est à l'hôpital, dans le coma. Sous respirateur, expliqua Kalle.

— Comment ça ? s'enquit l'autre en plissant le front. Tu as discuté avec Gunder ?

— Il m'a appelé. C'était un accident de voiture.

— Ah ? hésita Einar. Il t'appelait pour te raconter ça ? Vous n'êtes pas spécialement proches ?

— Non... Il se trouve que Gunder attendait de la visite, de l'étranger. Mais au lieu d'aller à l'aéroport, il a dû aller à l'hôpital voir sa sœur. C'est pour ça qu'il m'a appelé. Il m'a demandé si je voulais aller à Gardermoen accueillir cette... visite.

— Ah oui ?

Il se passait des choses sous cette chevelure rousse. Kalle ne savait pas précisément quoi. Les deux journalistes les surveillaient. Kalle parlait aussi bas que possible.

— Tu sais que Gunder est allé en Inde ?

— Sa sœur l'a dit, acquiesça Einar. Elle est passée acheter des cigarettes.

— Mais tu sais ce qu'il a fait, là-bas ?

— Je suppose qu'il était en vacances ?

— Si on veut. Mais le fait est qu'il s'est marié. Avec une Indienne.

Einar leva la tête. Une surprise non feinte lui avait fait ouvrir des yeux comme des soucoupes.

— Jomann ? Avec une Indienne ?

— Oui. C'était pour ça qu'il appelait. Parce que cette épouse devait arriver par avion. Alors il m'envoyait la chercher. Parce qu'il devait rester auprès de sa sœur.

Einar regardait Kalle, abasourdi. Ce dernier était maintenant intarissable.

— Il m'a tout expliqué, avec quel avion, tout. Son nom, à quoi elle ressemblait. Il était tout retourné parce qu'il ne pouvait pas y aller lui-même. Alors j'y suis allé – Kalle déglutit et regarda Einar – mais je ne l'ai pas trouvée.

— Ah non ? s'inquiéta l'autre.

— J'ai cherché partout, mais je ne l'ai pas trouvée.

Einar le regardait fixement, sans aucune pudeur. Kalle se retourna sous le coup d'une impulsion. Les journalistes ne les quittaient toujours pas des yeux. Il baissa encore un peu plus le ton.

— Alors j'ai rappelé Gunder à l'hôpital et je lui ai expliqué le problème. On a conclu qu'elle avait sûrement pris un autre taxi et qu'elle était allée directement chez lui. Qu'elle attendait là-bas. Après tout, elle avait son adresse. Mais elle n'était pas là-bas non plus.

Il y eut un long temps mort. Einar comprenait où Kalle voulait en venir. Il avait l'air tourmenté.

— Et puis j'ai entendu ça aux infos, cette histoire de femme retrouvée morte à Hvitemoen. J'ai été complètement horrifié. Il n'y a pas tant d'étrangères que ça, dans le coin. Alors je l'ai appelé.

— Qu'est-ce qu'il a dit ? demanda Einar très vite.

— Il avait l'air bizarre. Il a répondu à côté, en disant « elle va bien arriver ». Je suis convaincu que c'est elle. Que quelqu'un l'a tuée alors qu'elle allait chez Gunder. Hvitemoen, ce n'est pas loin de chez lui. Seulement un kilomètre.

— Un kilomètre avant. Mais en tout cas, tu connais son nom ?

Kalle hocha gravement la tête.

— Il faut que tu appelles la police, asséna Einar.

— Je ne crois pas que je puisse. C'est à Gunder de le faire. Mais il n'osera sans doute pas. Il fait comme si de rien n'était.

— Il faut que tu ailles lui parler.

— Il est à l'hôpital.

— Oui, mais son beau-frère ?

— Il est à Hambourg.

Il se sentait tout à coup très fatigué.

— Ce numéro auquel on peut donner des indices, repensa Einar. Là, tu peux appeler anonymement.

— Non, si j'appelle, je dis qui je suis. Je ne fais rien de mal en téléphonant. Mais à ce moment-là, ils vont foncer chez lui.

— Et ils ne le trouveront pas s'il est à l'hôpital ?

— Ils le trouveront tôt ou tard. Imagine si je me goure ?

— Ça ne sera pas une mauvaise chose si tu te goures.

— Je ne sais pas. Je ne le connais pas si bien que ça, en même temps. Il est plutôt taciturne. Il ne dit pas grand-chose. Tu ne peux pas appeler, toi ?

Einar leva les yeux au ciel.

— Moi ? Pas possible, déclara-t-il tout net. Après tout, c'est à toi que c'est arrivé, tout ça.

Kalle reposa sa tasse sur le comptoir.

— Il ne s'agit que de téléphoner, relativisa Einar.
Le monde ne s'arrêtera pas pour si peu.

On entendit encore une fois le rire déchirant de
Linda. L'un des journalistes était penché sur la
table des jeunes filles.

— Je vais y réfléchir, promit Kalle.

Einar alluma une cigarette. Il observa les journalistes en conversation animée avec Linda et
Karen. Il ouvrit ensuite la porte du bureau. La
petite pièce dans laquelle il se reposait ou tenait sa
comptabilité. Derrière, il y avait une chambre
froide où il conservait la nourriture. Il ouvrit cette
porte aussi. Pendant un moment, il regarda avec
perplexité dans la pièce étroite. Ses yeux tour-
mentés étaient posés sur une grosse valise brune.

*
* *

Les gens de la presse tournaient comme des
mouches, avec le même regard fiévreux que s'ils
possédaient toute la ville. Tous étaient lancés dans
une chasse sans répit dans laquelle leur langue
leur tenait lieu d'arme. Chacun avait sa propre
approche et une manchette tout à fait originale que
personne d'autre n'aurait trouvée. Ils prenaient des
photos dramatiques qui ne montraient rien du tout,
car on ne les avait pas laissés accéder à l'endroit
où avait été découvert le corps. Ils avaient malgré
tout passé du temps allongés sur le ventre dans
l'herbe, leurs téléobjectifs braqués entre les
roseaux et les brins de paille. Afin que la méchan-
ceté humaine apparût dans toute son incompré-
hensibilité, sous la forme d'une bâche blanche, avec
quelques rares fleurs bientôt fanées en toile de
fond. Ils avaient une bonne dose de talent en ce qui
concernait les mines compatissantes, et connais-

saient le besoin qu'éprouve tout un chacun de se retrouver un jour sous les feux de la rampe.

Mais les jeunes appréciaient cet apport. Voilà quelque chose à regarder, affirmait Karen. Linda préférait ceux en uniforme, les gens de la presse sont si peu soignés, se plaignait-elle. Elles avaient fini de glousser. Toutes deux avaient revêtu un masque d'horreur tout adulte. Elles parlaient à voix basse de cet assassinat effrayant, mais niaient leurs grands dieux que quelqu'un du village pût être derrière. Car, elles avaient toujours vécu ici, et y connaissaient tout le monde.

— Où étiez-vous hier au soir vers 21 heures ? demanda l'un des journalistes.

Il regarda les jeunes têtes, les vit creuser dans le passé.

— J'étais chez elle, répondit Linda en pointant un doigt vers Karen, qui acquiesça.

— Tu es partie à 20 h 45. Pourquoi 21 heures ?

— Le meurtre a pu avoir lieu à peu près à cette heure-là, expliqua-t-il. Un commerçant qui habite juste à côté dit avoir entendu des cris faibles et le rugissement d'un moteur. En plein milieu des nouvelles.

Linda ne dit rien. Il était visible qu'elle cherchait dans un tourbillon de pensées. Ce dont elles avaient ri si inconsidérément quelques minutes plus tôt lui traversa la tête à toute allure. En repartant de chez Karen à vélo, elle était passée devant le pré de Hvitemoen. Elle y était revenue, en souvenir. Elle filait sans bruit sur son vélo. Elle vit une voiture arrêtée sur le bord de la route et dut la contourner. Elle jeta un coup d'œil dans le pré et y vit deux personnes, qui se couraient après comme dans un jeu débridé. C'étaient un homme et une femme. Il l'attrapa et la fit basculer. Elle vit des bras et des jambes battre violemment et céda tout à coup à la perplexité, car elle comprit brusquement. Deux personnes qui avaient tout bonnement décidé de s'envoyer en l'air. Au vu et au su de tous, en pleine nature, tandis qu'elle passait à vélo et pouvait tout voir. Elle fut à la fois gênée et excitée par la scène, mais s'agaça en même temps car elle était vierge. L'angoisse qu'elle mourrait peut-être un jour vieille fille l'avait longtemps tourmentée. Du coup elle veillait à toujours apparaître pleine de bonne volonté et parée à toute éventualité. Mais ces deux-là ! Linda gambergea. Les journalistes attendaient. Quelque chose la frappa. Et s'ils ne jouaient absolument pas ? Et s'il voulait la choper, si ce qu'elle avait vu n'était pas un jeu, mais le crime lui-même ? Encore que, ça ne ressemblait pas à un crime. L'homme courait après la femme. La femme tombait. Des bras et des jambes. Elle ressentit une soudaine nausée et but plusieurs grosses gorgées de limonade.

— Tu es passée à Hvitemoen en vélo ? demanda le journaliste. Vers 21 heures ?

— Oui, répondit Linda.

Karen repéra le changement en elle et y décela de la gravité, car elle la connaissait.

— C'est horrible, quand j'y pense. Si ça se trouve, ça s'est passé juste après.

— Mais tu n'as rien vu ? Le long de la route ou à proximité ?

Linda pensa à la voiture rouge. Elle secoua résolument la tête.

— Pas âme qui vive.

— Si tu repenses à quelque chose, tu dois appeler la police, la sermonna le journaliste.

Elle haussa les épaules, sa bonne volonté l'avait quittée. Les deux hommes se levèrent et jetèrent leur sac photo sur l'épaule. Ils lancèrent un regard en coin à Einar, à son comptoir. Karen se pencha par-dessus la table.

— Imagine, si c'étaient eux ! murmura-t-elle d'une voix tremblante.

— Mais ceux que j'ai vus, ils étaient occupés à autre chose ! objecta Linda.

— Oui. Mais ils avaient peut-être baisé avant, et il l'a tuée après. C'est parfaitement banal, ça ?

Linda se retrouvait face à un gros casse-tête.

— Je crois que tu devrais appeler, asséna Karen.

— Je n'ai presque rien vu !

— Mais si tu réfléchis ? Tu te souviendras peut-être d'autres choses, au fur et à mesure.

— Il y avait une voiture, sur la route.

— Ah ! s'exclama Karen. Ils sont très intéressés par les voitures. Par toutes sortes de véhicules qui se trouvaient à proximité. Ils doivent retracer tous les mouvements dans le secteur. Quel genre de voiture était-ce ?

— Une rouge.

— Rien d'autre ?

— Je m'en allais.

— Mais qu'est-ce que tu as vu, alors ? À quoi est-ce qu'ils ressemblaient ?

— Je ne me souviens pas. Un type et une fille.

— Mais blonds, bruns, gros, minces, ce genre de détails ?

— Sais pas, répondit Linda.

Elles se turent un instant. Einar travaillait.

— Et la voiture ? Si tu réfléchis. Neuve ou ancienne ? Grosse, petite ?

— Pas si grosse. Assez jolie, pour ce qui est de la peinture. Rouge.

— C'est tout ce que tu peux dire ?

— Oui. Mais si j'en vois une comme celle-là, je la reconnaîtrai. Je crois.

— Tu devrais appeler, répéta Karen. Parles-en à ta mère, elle t'aidera.

Cette idée fit faire une grimace à Linda.

— On peut appeler toutes les deux, non ? Imagine, si je dis des conneries. Il faudra que je donne mon nom ?

— Aucune idée. Mais non, tu ne diras pas de conneries. Ils noteront juste ta déclaration, pour la comparer à d'autres indices. Si plusieurs personnes ont vu une voiture rouge, alors ils chercheront une voiture rouge. Un truc dans le genre.

Le doute taraudait toujours Linda. Elle était tiraillée entre le désir d'avoir véritablement vu quelque chose et la crainte de se raconter des histoires. Quoi qu'il en soit, c'était tentant. « La police a un témoin important dans l'affaire de Hvitemoen. L'observation d'une voiture et la description approximative de deux personnes qui se trouvaient dans le secteur. »

À quoi ressemblaient-ils ? Elle se souvenait de quelque chose de bleu, peut-être bleu foncé, et d'autre chose, blanc. L'homme portait une chemise blanche. La femme un vêtement sombre. Elle voulait rentrer écouter les informations.

— Il faut que j'y réfléchisse.

Karen hocha la tête.

— Avant d'appeler, tu dois tout noter, pour savoir ce que tu vas dire. Ils te demanderont sûrement tout un tas de trucs. D'où tu venais, où tu allais, ce que tu as vu. Quelle heure il était.

— Oui, acquiesça Linda. Je vais le noter.

Elles terminèrent leurs verres et crièrent un « Salut ! » à Einar. Son regard était lointain.

*
* *

Gunder avait lâché la main de Marie. Il dormait à présent profondément, le menton sur la poitrine. Il rêvait de Poona. De son sourire, de ses grandes dents. Il rêvait de Marie quand elle était petite fille, nettement plus potelée que maintenant. Pendant son sommeil, la porte s'ouvrit et deux infirmières entrèrent en poussant un lit. Gunder s'éveilla et cligna plusieurs fois des yeux, désorienté.

— Je crois que vous devriez vous allonger, conseilla Ragnhild avec un sourire. Regardez. Quelques tartines. Et du café, si ça vous dit.

Il se redressa brusquement dans son fauteuil et regarda le lit et la nourriture. La brune acariâtre ne le regardait pas. Elles contrôlèrent le goutte-à-goutte et nettoyèrent le tuyau. S'allonger ? Il se passa une main sur le front et sentit la fatigue comme une masse de plomb dans sa tête. Et si Karsten arrivait pendant qu'il dormait ? Il lui arrivait même de ronfler. Il imagina son beau-frère, blanc d'inquiétude, après le long voyage depuis Hambourg. Il s'imagina, ronflant dans le lit, ou mâchonnant, la bouche pleine de nourriture. Il jeta un coup d'œil à la nourriture. Du pâté de foie et du jambon avec des cornichons, un verre de lait. Mais un peu de café, peut-être ?

— Je crois que vous devriez vous allonger, répéta Ragnhild.

— Non, s'indigna Gunder. Je dois rester éveillé. Au cas où il arriverait quelque chose.

— Il faudra encore du temps avant que votre beau-frère n'arrive. Nous pouvons vous réveiller dans une heure, si vous le souhaitez. En tout cas, il faut que vous mangiez.

Il regarda le lit tout propre.

— Vous n'aidez pas votre sœur en vous vidant complètement, ajouta-t-elle doucement.

La brune ne disait rien. Elle ouvrit une fenêtre et fit claquer les crochets. Ses mouvements étaient durs et résolus. Il pensa à la possibilité de s'endormir dans le lit et d'être réveillé par cette sorcière noire.

— Faites comme vous voulez, conclut Ragnhild. Mais nous sommes là aussi.

— Oui.

Elles sortirent. Il regarda la nourriture. C'était du pain grossier. Il attrapa le plateau et le posa en équilibre sur ses genoux. Il se mit à manger lentement. C'était bon, et il en fut surpris. Le sommeil s'empara ensuite de lui. Il but deux tasses de café en un temps record, sentit le liquide lui brûler l'œsophage. C'était du bon café. Le respirateur travaillait. Les mains de Marie étaient jaunâtres sur le drap blanc. Il posa le plateau sur une table près de la fenêtre et s'assit un instant sur le bord du lit. Poona était peut-être arrivée. Elle était peut-être à la maison, dans Blindveien, où elle l'attendait. La porte n'est pas fermée, se dit-il soudain. Qu'il ait pu faire quelque chose qui lui ressemblât si peu que de partir de chez lui en laissant la porte ouverte ! Il se frotta énergiquement les yeux. Se défit de ses chaussures. Se tourna et vit la couette blanche avec ses plis bien marqués. Étirer simplement un peu son corps, songea-t-il. Il était raide et ankylosé après tout ce temps dans le fauteuil. Il bascula en arrière et ferma les yeux. La seconde suivante, il était loin.

Il s'éveilla en sursaut. Karsten était debout dans la chambre et le regardait. Gunder bondit si rapidement du lit qu'il fut pris de vertige, et il retomba sans rien pouvoir faire.

— Je ne voulais pas te faire peur.

Son beau-frère avait l'air fatigué.

— Ça fait un moment que je suis ici. Ils m'ont tout expliqué. Tu dois être sur les rotules ?

Gunder fit une seconde tentative pour se lever, plus précautionneuse, celle-là.

— Non, j'étais à la maison, cette nuit. Mais j'ai dormi dans un fauteuil. J'ai dû m'assoupir, constata-t-il, penaud.

— Tu as dormi longtemps.

Karsten ne savait manifestement pas quoi faire de ses mains.

— Rentre chez toi, Gunder. Je vais rester ici. Je passerai la nuit ici.

Ils se regardèrent. Karsten avait l'air plus âgé que d'habitude, assis dans son fauteuil près du lit.

— Je ne sais pas où ça va se terminer, ça, murmura-t-il. Tu imagines si elle est fichue à l'intérieur de la tête ? Qu'est-ce qu'on va devenir ?

— Ils n'en savent rien, répondit Gunder.

— Mais imagine qu'elle reste comme ça pour toujours ? continua-t-il en se cachant le visage dans les mains.

— Ils pensent qu'elle va se réveiller.

— Ils l'ont dit ?

— Oui.

Karsten contempla le frère de sa femme sans rien dire. Sa valise et une serviette étaient posées à ses pieds.

— Nous étions en promenade en bateau, murmura-t-il. Je n'avais pas pris mon téléphone mobile.

— Je comprends. Ne t'en fais pas pour ça.

Parce que son beau-frère était arrivé, et parce qu'il s'était reposé, Gunder se sentait mieux. En même temps que la clarté d'esprit revinrent les inquiétudes concernant Poona. Et le souvenir de la morte découverte à Hvitemoen.

— Et tu es allé en Inde ? interrogea Karsten. Te chercher une femme, et tout... Elle a bien dû arriver, maintenant ?

Sa confusion était perceptible.

— Tu as entendu les nouvelles ? demanda Gunder d'une voix crispée.

Son beau-frère secoua la tête.

— Il y a eu un meurtre à Hvitemoen. Une étrangère. On ne sait pas qui c'est.

L'autre tiqua devant l'étrange digression de Gunder. Au même instant, Gunder s'affaissa et se prit la tête entre les mains.

— Il faut que je te raconte quelque chose.

— Oui ?

À cet instant, la porte s'ouvrit, et la brune aigrie fit irruption dans la chambre.

— Non, ça attendra.

Il se leva brusquement et referma son blouson.

— Rentre à la maison, et repose-toi, lui conseilla Karsten.

Il s'arrêta en bas de l'allée. Il regarda à travers la vitre sans se lever de son siège. Sans comprendre ses propres motivations, il poursuivit vers Hvitemoen. Il voulait passer lentement devant pour voir ce lieu dont tout le monde parlait. Il savait bien où c'était. À l'autre extrémité du pré, un chemin de terre menait à un lac. Ce lac qu'on appelait le Norevann. Il s'y était baigné, gamin, avec Marie. Ou plus exactement, elle s'y était baignée. Il s'était contenté de barboter çà et là aux endroits où il avait pied. Il n'avait jamais appris à nager. Ça, Poona ne le sait pas, songea-t-il avec une gêne soudaine. En approchant, il se mit à jeter des coups d'œil sur la gauche pour ne pas passer à toute allure. En sortant du virage, il aperçut deux véhicules de police. Il s'arrêta et les regarda depuis sa voiture. Deux officiers se tenaient tout près de l'orée du bois. Il vit de la tresse plastique rouge et blanc un peu partout, et dans son ahurissement, il recula subitement, de sorte que la voiture se retrouva dissimulée derrière les arbres. Il ne savait pas que la Volvo rouge avait déjà été vue. Il réfléchit sans bouger le moindre muscle. Si ce qui s'était passé là-bas dans le pré avait un rapport avec Poona, il le remarquerait, n'est-ce pas ? Il plongea la main dans sa poche intérieure et en tira l'extrait d'acte de mariage qu'il portait toujours sous le cœur, lut les quelques phrases écrites sur le papier, puis les noms, encore et encore. *Miss Poona Bai, born on the 1th of June 1962, and Mr Gunder Jomann, born on the 10th of October 1949.* C'était un beau morceau de papier. Jaune champagne, avec une bordure. Marqué en haut de l'emblème qui lui conférait sa valeur juridique. La preuve à proprement parler. Il n'y aurait vraisemblablement personne qui le croirait. Il poussa un gros soupir et se voûta quelque peu. Un bruit aussi soudain que désagréable le fit sursauter, et il se jeta de côté. Un policier frappait à sa fenêtre. Le visage de Gunder était blanc de peur. Il replia le papier.

— Police, annonça l'homme.

Oui, pas réellement nécessaire de se présenter, pensa Gunder sous le coup d'un subit accès d'irritation. Le type était en uniforme, après tout.

— Tout va bien ?

Gunder le regarda sans comprendre. Rien n'allait bien.

Mais il comprit que la question de son interlocuteur n'était pas surprenante. Il se sentait le visage tiré, ses vêtements étaient chiffonnés après de nombreuses heures dans le lit d'hôpital. Il était à bout de forces et barbu. Il avait arrêté sa voiture sur le bord de la route, il s'était échoué comme n'importe quel pauvre diable.

— Je devais simplement me reposer un peu. J'habite juste à côté, ajouta-t-il rapidement.

— Puis-je vous demander votre permis de conduire et les papiers du véhicule ? le pria l'officier.

Gunder le regarda, ne sachant trop que penser. Pourquoi ça ? Croyait-il avoir affaire à quelqu'un conduisant en état d'ébriété ? Les apparences devaient aller dans ce sens. Il pouvait sans problème souffler dans le ballon, il n'avait pas bu une seule goutte depuis son retour de Mumbai. Il attrapa les papiers dans la boîte à gants et sortit son porte-feuille. L'officier ne le quittait pas des yeux, jusqu'à ce qu'il soit interrompu par le crépitement d'un talkie-walkie. Il se détourna et grommela deux ou trois mots que Gunder ne saisit pas. À la suite de quoi il prit quelques notes. Il remit alors l'appareil à sa ceinture et étudia le permis de conduire de Gunder.

— Gunder Jomann, né en 49 ?

— Oui.

— Vous habitez juste à côté ?

— Vers le centre-ville. À un kilomètre d'ici.

— Où alliez-vous ?

— En fait, je rentrais chez moi.

— Alors vous allez dans la mauvaise direction, l'informa l'officier sans se départir de son regard scrutateur.

Gunder se mit à bégayer.

— Je sais, répondit-il d'une voix sans timbre. J'étais juste curieux. De ce qui s'est passé.

— À quoi faites-vous référence ?

Gunder était complètement paumé. L'autre se faisait-il vraiment plus bête qu'il n'était ?

— Cette étrangère. J'ai entendu ça à la radio.

— La zone est bouclée, lui apprit son interlocu-teur.

— Ça, je vois. Je vais rentrer chez moi.

Il récupéra ses papiers et s'apprêta à repartir. Le policier se pencha contre la vitre, comme pour reni-fler à l'intérieur de l'habitacle. Gunder se raidit.

— Je sais que j'ai l'air fatigué, concéda-t-il très vite, mais il se trouve que ma sœur est à l'hôpital. Dans le coma. Je l'ai veillée. C'était un accident de la route, ajouta-t-il à voix basse.

— Oui. Rentrez chez vous et reposez-vous.

Gunder attendit encore un moment avant de démarrer, tandis que le dos noir disparaissait. Il parcourut alors une dizaine de mètres, fit reculer la Volvo sur le chemin de terre et prit le chemin du retour. L'officier le suivit du regard. En parlant dans son talkie-walkie.

— *Se conduisait un peu bizarrement. Semblait avoir peur de quelque chose. J'ai noté ses coordonnées, par acquit de conscience.*

La maison était vide. Pas de valise dans l'entrée, pas de Poona dans le salon. Les pièces étaient plongées dans l'obscurité, il était parti dans la journée sans allumer de lampe. Il resta un bon moment dans son fauteuil, à regarder droit devant lui. Ce qui s'était passé à Hvitemoen le perturbait. Il avait le sentiment d'avoir fait une bêtise. Le policier s'était comporté de façon étrange. Cela ne regardait en somme personne s'il sortait faire un tour en voiture, pas davantage que les endroits où il s'arrêtait. Gunder se sentait légèrement abruti. Cette histoire de Poona, tout ce qui s'était passé en Inde, ce n'était peut-être qu'un rêve. Le jouet de son imagination alors qu'il était au Tandels Tandoori. Qui partait à l'étranger et se cueillait pour ainsi dire une épouse, comme d'autres cueillent des fruits en automne ? Ce doit être ce livre, se dit-il, *Tous les peuples du monde*, qui m'a flanqué des lubies dans la tête. Il vit le dos de couverture rouge sur l'étagère. S'obligea à se lever pour allumer la lumière. La télévision. Il restait une demi-heure avant les actualités. En même temps, il avait peur. Il ne voulait pas en apprendre davantage. Mais il devait savoir ! Ils diraient quelque chose qui écarterait définitivement Poona. La défunte, dont il apparaîtrait qu'elle était chinoise. Ou nord-africaine. La défunte, qui avait la petite vingtaine, la défunte, qui n'est pas encore identifiée, porte un tatouage tout à fait inhabituel qui lui recouvre la totalité du dos.

Son imagination était lâchée. Dehors, tout était calme.

*
* *

Le visage marqué de Konrad Sejer reflétait en permanence une grande correction. Fort rares étaient ceux qui l'avaient vu rire ouvertement, encore moins nombreux ceux qui l'avaient vu écumant de rage. Il y avait néanmoins une tension dans son expression, une vigilance de tous les instants dans ses yeux gris qui témoignaient d'un certain sérieux, d'intérêt et de chaleur. Il tenait ses collègues à distance. À l'exception de Jacob Skarre, de vingt ans son cadet. C'étaient pourtant ces deux-là que l'on observait discutant à bâtons rompus. Skarre mâchonnant un bonbon gélifié, Sejer suçotant un Fisherman's Friend. Skarre était en outre le seul au poste qui ait réussi la prouesse d'attirer l'inspecteur principal à aller prendre une bière après le travail. Et ce en pleine semaine. D'aucuns trouvaient Sejer grincheux et arrogant. Skarre le savait réservé. Une singularité qui se traduisait par l'emploi du patronyme Skarre en présence d'autres collègues. Ce n'était que lorsqu'ils étaient seuls qu'il s'appelait Jacob.

Sejer s'arrêta près d'une fontaine à eau. Il se pencha sur le jet et but une gorgée du froid liquide. Il se sentait vaguement inquiet. L'homme qu'il recherchait pouvait se révéler être quelqu'un de sympathique. Ayant les mêmes rêves et les mêmes souhaits dans la vie que lui-même avait eus. Il avait jadis été enfant. Il avait été intensément aimé. Il était lié à quelqu'un, il avait des devoirs et des responsabilités, une place dans la société qu'il perdrait bientôt. Sejer continua. Il ne s'accordait pas beaucoup de temps à réfléchir sur lui-même. Mais au fond de ce personnage strict se cachait un grand appétit pour les gens. Qui ils étaient, pourquoi ils agissaient comme ils le faisaient. S'il prenait le coupable et parvenait à véritablement comprendre qu'il avait été contraint d'agir de la sorte, il pouvait clore l'affaire et la mettre de côté. Cette fois-ci, il ne savait pas. La femme n'avait pas seulement été tuée, elle avait été massacrée, pilée jusqu'à ce qu'il n'en reste rien. Prendre une vie, c'était bien assez dramatique. S'acharner sur le corps ensuite, c'était bestial. Beaucoup d'idées contradictoires circulaient autour du concept de criminalité, mais il était avant tout absorbé par tout ce qu'ils ne savaient pas encore. Il y avait une femme dans sa vie. La psychiatre Sara Struel. Elle pouvait aller et venir chez lui, elle avait la clé. Il ressentait toujours une petite tension après avoir vaincu les treize étages de son immeuble, en arrivant sur la dernière marche. Il voyait dans le petit interstice entre la porte et le chambranle si elle était là ou non. De plus, il avait son chien Kollberg. C'était son excès à lui. La nuit, il arrivait que l'énorme animal se faufilât dans son lit. Son maître faisait alors semblant de dormir et de ne rien remarquer. Mais Kollberg pesait soixante-dix kilos, et le matelas grinçait joyeusement quand il s'allongeait tout au bout du lit.

Il tourna dans les locaux de Police Secours et fit un rapide signe de tête à Skarre et à Soot, qui attendaient près du téléphone dédié aux renseignements sur l'affaire en cours.

— Sait-on qui elle est ?

— Non.

Il regarda sa montre.

— Qui appelle ?

— Pour l'essentiel des gens que la médiatisation excite.

— Pas étonnant. Y a-t-il quoi que ce soit d'intéressant ?

— Des observations de voitures. Deux personnes en ont vu une rouge aller vers Hvitemoen. Une a vu un taxi noir partir très vite vers le centre-ville. Il n'y a presque pas de circulation dans ce secteur, si ce n'est entre 16 et 18 heures. Plusieurs personnes se plaignent des journalistes. Du neuf, à part ça ?

— Les rapports du porte-à-porte sont en cours. Tous les échantillons ont été envoyés, répondit Sejer. Ils ont promis de donner la priorité à cette affaire. On est quarante là-dessus. Il ne s'en sortira pas.

Il étudia la liste des appels entrants. Les numéros commençaient tous par les quatre mêmes chiffres, ce qui montrait que la plupart émanaient d'habitants d'Elvestad ou des environs. Tandis qu'il étudiait la liste, le téléphone sonna. Skarre appuya sur le bouton du haut-parleur, et une voix emplit la pièce.

— Oui, j'appelle d'Elvestad. Je m'appelle Kalle Moe. Je parle bien à la police ?

— En effet.

— C'est au sujet de cette affaire, à Hvitemoen.

— Je vous écoute.

— Il s'agit d'un de mes amis. Ou disons plutôt une connaissance. C'est vraiment un chic type, alors je suis un peu perplexe, j'ai peur de lui poser quelques problèmes.

— Mais vous appelez malgré tout. Vous pouvez nous aider ?

Sejer remarqua la voix de l'homme. Il était bien adulte, et très nerveux.

— Peut-être. Vous savez, ce type que je connais, il vit tout seul là-bas, et ça a toujours été le cas. Il est parti en vacances il y a un petit moment. En Inde.

104

Le dernier mot mit Sejer en éveil.

— Oui ?

— Et puis il est revenu.

Skarre attendit. Il y eut un petit moment de silence. Soot secoua la tête, désemparé.

— Alors, l'après-midi du 20 août, il m'a appelé parce qu'il avait besoin d'aide.

— D'aide ? intervint Skarre pour le faire activer dans sa longue histoire.

— Sa sœur était à l'hôpital après un accident de voiture. Grièvement blessée.

L'homme fit une nouvelle pause. Skarre leva les yeux au ciel. Sejer posa un doigt sur sa bouche.

— Il devait y aller sans attendre, naturellement, pour rester auprès d'elle. C'est épouvantable, quand ça arrive. Mais il m'a appelé, donc, parce que, en fait, il aurait dû être à Gardermoen.

— À Gardermoen ? répéta Skarre dont la curiosité s'était éveillée.

— Il attendait une visite de l'étranger. Et vous me croirez si vous voulez, il m'a raconté que, pendant les quinze jours qu'il avait passés à l'étranger, il avait trouvé le temps de se marier !

Skarre sourit. La réaction du type à un événement aussi inhabituel se traduisait en un crescendo émerveillé.

— Ce qui fait que cette femme que j'étais chargé d'aller chercher, c'était sa femme, en d'autres termes. Une femme indienne.

Sejer et Skarre échangèrent un regard.

— Bien, sourit Skarre, contaminé par son enthousiasme.

— Mais ce qu'il y a, c'est que je ne l'ai jamais trouvée.

Les trois hommes étaient tout ouïe. Le type peinait de plus en plus dans son histoire tout en détails. Ils se doutaient que c'était important, que c'était la toute première étape vers une solution.

— Elle devait atterrir à 18 heures, poursuivit la voix. Mais elle ne s'est jamais présentée.

— Pourquoi est-ce qu'il ne téléphone pas lui-même ?

— C'est bien ça qui m'inquiète. Je l'ai appelé plus tard pour savoir si elle était arrivée. Peut-être par un autre taxi. Vous comprenez, je suis chauffeur à Elvestad. Le seul, ajouta-t-il. Ou si elle avait pris une chambre dans un hôtel, quelque chose dans le genre. Et il m'a répondu vraiment de façon laconique. Je ne crois même pas qu'il ose envisager cette solution. C'est comme s'il n'était plus lui-même, ça a dû faire trop pour lui, sa sœur, tout ça. C'est pour ça que je vous appelle.

— Comment s'appelle-t-il ? demanda Skarre en partant à la recherche d'un stylo.

— Gunder Jomann. Il habite à quelques kilomètres du centre d'Elvestad ; Blindveien 2. La seule maison. Je ne sais pas s'il est rentré, il se peut qu'il soit à l'hôpital. Mais comme je vous l'ai dit, je ne suis vraiment pas tranquille. Elle a peut-être essayé de se débrouiller seule, puisqu'elle n'a pas été accueillie par Jomann comme elle s'y attendait. Et il se serait passé quelque chose en cours de route.

— Je comprends, acquiesça Skarre. Vous avez son nom ?

— Oui, se souvint-il subitement. J'ai ça quelque part sur un bout de papier. Mais c'est une autre chemise que je porte aujourd'hui. Je l'ai mis dans la poche de poitrine.

— Vous pouvez le retrouver ?

— Possible que cette chemise-là soit dans la machine à laver. Et flûte ! Vous n'allez quand même pas foncer chez lui ? Si ça se trouve, je me goure complètement.

— Absolument pas, l'assura Skarre.

À côté de lui, Soot secoua la tête, découragé.

Skarre étudia l'adresse.

— Nous sommes infiniment reconnaissants pour votre aide. Nous allons vérifier.

Il reposa le combiné. Ils se regardèrent.

— On fonce, déclara Sejer.

Les phares puissants d'une automobile balayèrent la cour. Gunder sursauta. Était-ce Karsten ? Il passa les mains sur son crâne luisant et sortit en hâte dans le couloir, avant d'ouvrir la porte d'une main hésitante. En voyant la voiture, il recula d'un pas. Sejer montait l'escalier, main tendue.

— Jomann ?

— Oui ?

La poignée de main était solide.

— Pouvons-nous entrer un instant ?

Gunder le précéda et s'arrêta dans le salon. Il regarda les deux hommes. Le premier faisait un peu moins de deux mètres, et avait à peu près son âge. Le second était nettement plus jeune, et ce qui frappait de prime abord chez lui, c'étaient de grosses boucles blondes.

— Vous savez peut-être quel est l'objet de notre visite ? demanda Sejer.

— Ça doit avoir un rapport avec l'accident ? bredouilla Gunder.

— Votre sœur, vous voulez dire ?

— Oui.

— C'est triste ce qui est arrivé à votre sœur, compatit Sejer. Comment va-t-elle ?

— Son mari est arrivé de Hambourg. Il est auprès d'elle. Il a promis d'appeler. Elle est toujours dans le coma.

Sejer hocha la tête.

— Il s'agit d'autre chose.

Gunder sentit sa mâchoire inférieure dévisser.

— Mais asseyez-vous, invita-t-il tout bas.

Il agita vaguement les mains, comme s'il ne savait trop qu'en faire. Son corps était aux aguets.

Il donnait l'impression de vouloir s'enfuir. Sejer et Skarre s'assirent dans le canapé et regardèrent autour d'eux dans le salon rangé avec soin. Tout à coup, Gunder alla à sa table de travail. Sejer le vit s'activer sur le mur qui se trouvait derrière.

— Excusez-moi, les pria Gunder en revenant. Il fallait juste que je note quelque chose d'important. Ça commence à faire beaucoup, aujourd'hui, il y a beaucoup de choses qui arrivent ; autrement, je suis plutôt ordonné, mais vous savez, il arrive que les événements vous atteignent comme de vraies giboulées de grêle et vous laissent comme un pauvre... comme un pauvre...

Il se mordit la lèvre et leva vers eux des yeux angoissés.

Sejer planta son regard dans celui de Jomann.

— Notre visite concerne votre femme. Est-elle arrivée saine et sauve ?

— Ma femme ? déglutit Gunder.

— Oui. Votre femme indienne. Nous avons cru comprendre que vous l'attendiez à Gardermoen le 20, et que vous avez envoyé quelqu'un que vous connaissez la chercher. Est-elle arrivée ?

Sejer connaissait déjà la réponse. Gunder hésita. Le trouble considérable qu'il éprouvait fit son impression.

— Kalle a appelé ? demanda-t-il d'une toute petite voix.

— Oui, répliqua Skarre. Nous pouvons peut-être vous aider d'une façon ou d'une autre ?

— Oh, m'aider... réagit Gunder. Comment le pourriez-vous ? Tout est allé si mal, ces derniers temps. Et je ne suis même pas allé bosser, depuis plusieurs jours. Personne ne sait si Marie se réveillera. Et dans quel état sera sa tête, à supposer qu'elle se réveille. Je n'ai qu'elle, ajouta-t-il.

— Oui, compatit Sejer. Et votre femme. Vous vous êtes marié récemment, c'est bien cela ?

De nouveau, Gunder resta sans voix. Sejer lui laissa tout son temps.

— Oui, ce doit être ça, répondit-il calmement.

— Vous vous êtes marié au cours d'un voyage en Inde ?

— Oui.

— Comment s'appelle-t-elle ? demanda aimablement Sejer.

— Poona. Poona Bai Jomann.

Une pointe de fierté était bien audible dans sa voix.

— Avez-vous une idée quant aux raisons pour lesquelles elle ait pu manquer à son rendez-vous ?

Gunder ne put s'empêcher de fixer un point à l'extérieur pendant quelques secondes.

— Pas *a priori*.

— Jusqu'à présent, qu'avez-vous entrepris pour la retrouver ?

— Relativement peu de choses. Je ne sais pas trop ce que je dois faire. Est-ce qu'il faut que je sorte chercher sur la route ? Et puis il y a ma sœur, ça n'a pas été rien, de son côté.

— Votre femme a de la famille, peut-être ?

— Seulement un frère aîné. À New Delhi. Mais je ne me rappelle pas son nom.

Un brusque sentiment de gêne l'envahit. Oublier le nom de son beau-frère, rien que cela !

Sejer sentit un sourd malaise naître dans ses entrailles.

— Que lui est-il arrivé, à votre avis ?

— Non, je ne comprends pas ! s'emporta-t-il soudain. Mais ce que je comprends, en tout cas, c'est que vous croyez que c'est elle que l'on a retrouvée à Hvitemoen !

Gunder fut pris de violents tremblements. Skarre baissa brusquement les yeux, tout en pensant « nous ne connaissons pas cet homme. Il est profondément troublé, mais nous ne savons pas pourquoi ».

— Ce n'est absolument pas ce que nous croyons, répliqua Sejer. Ce que nous souhaitons en premier lieu, c'est l'écarter. De temps en temps, c'est ainsi que nous travaillons. Nous ne savons pas qui est la défunte, et cela nous ennuie fort. Nous pensions par conséquent vous poser quelques questions simples. Il est vraisemblable que nous puissions décider ici et maintenant si des recherches plus poussées doivent être effectuées.

— Oui, articula Gunder, qui essayait de se calmer.

— Pour commencer : avez-vous une photo de votre femme ?

Le regard de Gunder vacilla.

— Non, mentit-il.

— Non ?

— Nous n'avons pas eu le temps de prendre des photos de mariage dignes de ce nom. Quinze jours, ça ne suffit pas pour tout faire, déclara-t-il pour couper court au débat.

— Non, naturellement. Mais je pensais davantage à une photo courante. Que vous auriez prise d'elle dans un autre contexte ?

— Non. Rien de tel.

Il ment. Il ne veut pas nous la montrer.

— Mais vous pouvez bien sûr nous expliquer à quoi elle ressemble. Cela suffira peut-être.

Gunder ferma les yeux.

— Elle est jolie, commença-t-il tandis qu'un large sourire apparaissait sur sa bouche. Assez mince et légère, pas une bonne femme grosse, lourde. Les Indiennes ne sont pas si grosses. Je veux dire, pas autant que les Norvégiennes.

— Elles ne le sont pas, objecta Sejer avec un sourire, en se laissant séduire par cet homme mal à l'aise et la façon simple dont il s'exprimait.

— Elle a les yeux marron, les cheveux noirs. Si longs qu'ils touchent presque par terre. Ils sont toujours noués en une longue tresse.

Les deux hommes hochèrent la tête. C'était de l'inquiétude qu'exprimait le visage de Sejer.

— Comment s'habillait-elle au quotidien ?

— Tout à fait classiquement. Comme les Norvégiennes. À moins qu'il ne s'agisse d'une occasion particulière. Et elle mettait des sandales. Ils ne portent rien d'autre, là-bas. Des sandales basses, brunes. Elle travaillait dans un restaurant tandoori, et il fallait qu'elle ait de bonnes chaussures aux pieds. Mais quand elle devait se faire belle, elle avait d'autres vêtements et d'autres chaussures. Quand on s'est mariés, elle portait un sari et des sandales dorées.

Un silence sépulcral s'abattit sur le living de Gunder.

— D'un autre côté, relança-t-il très vite devant ce silence qui l'effrayait, bien des Indiennes ont des tresses et des sandales dorées.

— Incontestablement, convint Sejer tout haut. Et hormis cela ? Voulez-vous nous raconter des éléments de votre séjour là-bas ?

Gunder le regarda, perdu. En même temps, cela faisait du bien de pouvoir parler de Poona à quelqu'un qui voulait écouter.

— Comment avez-vous fêté ces noces ? s'enquit Sejer.

— Dans la plus grande simplicité. Rien que nous deux. Nous sommes allés dans un restaurant très bien que connaissait Poona, où nous avons dîné, en prenant en plus un dessert et un café. Nous sommes ensuite allés nous promener dans un parc où nous avons fait des projets sur tout ce que nous ferions ici, concernant la maison et le jardin. Plus que tout, Poona veut travailler. Elle parle bien anglais et ne ménage pas sa peine. Peu de filles de nos campagnes lui tiendraient la dragée haute, permettez-moi de vous le dire.

Le visage de Gunder rougissait et s'échauffait.

— Elle m'avait acheté un cadeau. Un gâteau d'amour, il a fallu que je le mange en entier. Il était absolument terrifiant, sucré, douceâtre, mais j'en suis venu à bout. Enfin, en ce qui concerne Poona, j'aurais avalé un éléphant indien, si elle me l'avait demandé.

Il rougit brièvement de l'aveu qu'il venait de faire. Sejer se sentit envahi par une grande tristesse.

— Et qu'a-t-elle reçu de vous ?

— Il faut reconnaître que je m'étais préparé à l'avance. Je me disais, je rencontrerai peut-être quelqu'un. Je savais bien ce qui m'attendait, je savais à quel point les femmes étaient belles, en Inde. J'ai lu des livres, malgré tout. J'avais un bijou. Une broche traditionnelle norvégienne.

On n'entendait pas un son dans le petit séjour.

— Jomann, reprit Sejer à voix basse, pour ne négliger aucune piste dans cette grave affaire, je vous prierai de bien vouloir nous accompagner.

Gunder pâlit.

— Mais la soirée est déjà bien avancée, bredouilla-t-il. Ça peut bien attendre demain ?

Ils l'invitèrent à passer une veste, l'attendirent au-dehors et prévinrent le poste de police. Gunder Jomann devait voir les bijoux de la victime. Ses boucles d'oreilles, ses bagues. Et la broche. Tandis qu'ils attendaient dans la cour, les deux hommes aperçurent une voiture qui arrivait lentement. Elle s'arrêta près de la boîte aux lettres de Gunder, et ils virent le chauffeur lire le panonceau nominatif.

— Les journalistes, annonça Sejer en plissant les yeux. Il n'y a pas grand-chose qui leur échappe.

— Ils pioncent dans leurs bagnoles, renchérit Skarre d'un air sombre avant de se tourner vers Sejer. Il était sacrément fier de son épouse indienne.

L'autre hocha la tête.

— Pourquoi est-ce qu'il n'a pas appelé ?

— Parce qu'il refuse de le croire.

Gunder sortit. Il avait enfilé une veste de tweed brun. Il s'immobilisa un instant et se débattit avec les boutons ; il ressemblait à un grand enfant plein de mauvaise volonté refusant de partir de chez lui. Il allait donc voir quelques bijoux. Il ne pourrait par conséquent plus nier. Et pourtant, il était contrarié. Il était en outre fatigué, et il avait tant de choses auxquelles penser. Mais c'était terrible, bien sûr, que personne ne sache qui elle était.

Il ne fut pas dit grand-chose au cours de la demi-heure nécessaire entre Elvestad et le palais de justice. Sejer sortit et lui tint la portière ouverte. En y réfléchissant, Gunder ne se souvint pas d'avoir une seule fois dans sa vie discuté avec un policier. Avant ce grincheux de Hvitemoen, se remémora-t-il. Mais ces deux-là étaient sympathiques. Le jeune était ouvert et amical, son aîné poli et correct. Jamais non plus il n'était entré dans le palais de justice. Ils prirent l'ascenseur. Gunder pensa à Karsten, en espérant que celui-ci avait pu dormir un peu. Il faut que j'aille bosser, se dit-il. Ça ne peut pas continuer comme ça.

Ils s'étaient installés dans le bureau de Sejer. Il alluma une lampe et composa un numéro sur son téléphone.

— Nous y sommes. Tu peux venir.

Il désigna une chaise à Gunder. Celui-ci percevait l'intense gravité dont la pièce était empreinte, il jeta un coup d'œil vers la porte, vers ce qui se rapprochait. Seulement quelques bijoux. Il en oublia de respirer. Il ne comprenait pas complètement cette tension, rien que parce qu'il allait voir deux ou trois bijoux et dire qu'il ne les avait jamais vus. Jamais. Skarre voulut le débarrasser de sa veste, mais Gunder voulut la garder. Une femme policier entra. Gunder remarqua ses épaules, qui paraissaient larges en raison des épaulettes de sa chemise d'uniforme. Elle portait de grosses chaussures noires à lacets, et tenait à la main un sac en papier brun et une enveloppe étroite jaune. Le sac brun était suffisamment grand pour contenir un pain, constata Gunder. Qu'est-ce que cela pouvait bien être ? Elle déposa les objets sur le bureau de Sejer et ressortit. Qu'y avait-il dans l'enveloppe étroite ? Dans le sac brun ? Quelle opinion avaient-ils de lui ? Quelle était la véritable raison pour laquelle ils étaient venus le chercher ? Il se sentit pris de vertige. Il n'y avait que la lampe de bureau d'allumée, sa lumière puissante éclairait le plan de travail et le sous-main de Sejer, un planisphère. Il le repoussa, et comme celui-ci avait adhéré à la table, il émit un bruit immonde et déchirant au moment où le policier l'arracha. Il saisit ensuite l'enveloppe qui était fermée par un trombone. Le cœur de Gunder battait la chamade. Tous les sons de la pièce disparurent, il ne resta plus que ce cœur qui battait. Sejer fit alors basculer l'enveloppe, et les bijoux tombèrent pour s'immobiliser dans la lumière de la lampe. Une boucle d'oreille passant au travers d'une petite bille, qui pouvait effectivement rappeler certaines que Poona avait eues, un jour qu'ils étaient en ville ensemble. Deux petits anneaux parfaitement anonymes, un élastique rouge, à cheveux selon toute vraisemblance. Mais cet autre objet, le gros, partiellement recouvert par les anneaux, qui se révélait lentement dans toute sa splendeur ; une belle broche traditionnelle norvégienne. Gunder émit un hoquet. Sejer leva la tête et le regarda.

114

— Est-ce que cela vous dit quelque chose ?

Gunder ferma les yeux. Et malgré tout, il voyait la broche. Il la voyait dans ses moindres détails, l'ayant vue tant et tant de fois. Mais il se rappela qu'il s'en fabriquait beaucoup d'autres du même genre, qui étaient identiques en tout point. Alors pourquoi celle-ci devrait-elle être celle de Poona ?

— Impossible de dire quoi que ce soit de certain, répondit-il d'une voix rauque. Les broches de ce genre sont on ne peut plus semblables.

— Je comprends, acquiesça Sejer. Mais pouvez-vous l'exclure ? Pouvez-vous dire de façon catégorique que ce n'est pas celle que vous avez offerte à votre femme ?

— Non, toussota-t-il derrière sa main. Elle peut ressembler, si on peut dire. Peut-être, ajouta-t-il.

Skarre hocha la tête sans rien dire et regarda son supérieur.

— Cette femme dont il est question, reprit Sejer... elle peut, d'après ce que l'on suppose, venir d'Inde.

— Je comprends que vous croyiez que c'est elle, répondit Gunder d'une voix plus assurée. Il n'y a pas d'autre solution. Je vais la voir. La morte. Comme ça, on en sera débarrassés une fois pour toutes.

Sa voix était à présent tellement perturbée par une respiration irrégulière qu'elle arrivait en staccato haché.

— Malheureusement, cela ne sera pas faisable.

— Pourquoi donc ? demanda Gunder, pris au dépourvu.

— Elle n'est pas identifiable.

— Là, je ne vous suis plus, s'impatienta Gunder. Si c'est ma femme, je le verrai immédiatement. Et si ce n'est pas elle, je le verrai aussi.

— Non.

Sejer regarda Skarre, comme pour demander de l'aide.

— Elle est particulièrement méconnaissable après ce dont elle a été victime, tenta Skarre prudemment.

— Méconnaissable ?

Gunder se mit à contempler ses genoux. Puis comprit enfin ce qu'ils voulaient dire.

— Oui, mais alors comment est-ce qu'on va pouvoir s'en sortir ?

— La broche, répondit Sejer. Est-ce cette broche que vous avez offerte à votre femme ?

Gunder se mit à osciller.

— Si vous pensez que c'est celle-là, il nous faudra prendre contact avec son frère à New Delhi et demander de l'aide de là-bas. Nous n'avons pas trouvé ses papiers. Mais ils trouveront peut-être son dossier dentaire.

— Je ne crois pas qu'elle allait si souvent chez le dentiste, répondit Gunder, désemparé.

— Et d'autres signes particuliers ? Des grains de beauté, des choses de ce genre…

Gunder déglutit. Elle avait une cicatrice. Parce qu'une fois, elle avait retiré un éclat de verre de son épaule, elle avait une jolie petite cicatrice, plus claire que le reste de sa peau. Sur l'épaule gauche. Elle avait eu quatre points de suture. Gunder y pensait, mais ne dit rien.

— Des cicatrices, par exemple ? demanda l'inspecteur principal en regardant de nouveau intensément Gunder. La victime avait une cicatrice sur l'épaule gauche.

Gunder se plia en deux.

— Mais sa valise, enfin ? On ne vient pas d'Inde en Norvège sans valise ? !

— Nous n'avons pas trouvé de valise, répondit Sejer. Le coupable a dû s'en débarrasser. Mais elle avait une sacoche. Assez particulière.

Il commença à ouvrir le sac brun. Lentement apparut la sacoche jaune. À cet instant précis, Sejer remercia le sort par ailleurs si affreux. L'objet était propre, et non souillé de sang.

Gunder s'était agrippé à cet espoir si longtemps. C'était étrange, presque bon de se laisser tomber.

— Jomann... est-ce la sacoche de votre femme ?

*
* *

La vision de cet homme brisé le poursuivait. L'instant où il avait fini par abandonner. Sa voix quand il leur avait instamment demandé de lui permettre de voir sa femme défunte. J'y ai bien droit ? avait demandé Jomann. Vous pouvez réellement me le refuser ?

Il ne le pouvait pas. Seulement l'inciter à s'épargner. Elle n'aurait pas souhaité que vous la voyiez, ne cessait-il de répéter. Gunder n'était plus que l'ombre de lui-même lorsqu'il descendit le couloir. Une femme policier allait le reconduire chez lui. Dans une maison vide. Ce qu'il avait dû l'attendre ! Se réjouir comme un enfant. Sejer se rappela l'extrait d'acte de mariage qu'il leur avait montré avec tant de fierté. Ce document important, la preuve même de son nouveau statut.

— Elle s'appelle Poona Bai, expliqua plus tard Sejer, debout à la porte de Police Secours. Indienne. En Norvège pour la première fois.

Soot, qui s'occupait de recueillir les informations téléphoniques, ouvrit de grands yeux.

— Ça va être dans les journaux ?

— Non. Nous n'avons pas de papiers. Mais un type d'Elvestad l'attendait. Ils se sont mariés en Inde le 4 août. Elle le rejoignait.

Il se pencha pour lire ce qu'affichait l'écran.

— Qu'est-ce que tu as là ?

— Une nénette, répondit Soot, surexcité. Elle vient tout juste d'appeler. Il va falloir que tu trouves une voiture. Linda Carling, seize ans. Elle passait à vélo le 20, un peu après 21 heures. Il y avait une voiture rouge garée sur la route, et un homme et une femme qui s'abêtissaient dans le pré.

— Qui s'abêtissaient ? répéta Sejer, soudain sur le qui-vive.

— Elle luttait comme pas permis pour trouver ses mots, expliqua Soot. Elle a cru qu'ils tiraient un coup. Ils se couraient après, comme s'ils jouaient. Puis ils sont tombés dans l'herbe. Plus tard, elle s'est dit que c'était peut-être la victime et son bourreau qu'elle avait vus. Qu'ils avaient peut-être fait crac-crac avant qu'il ne la tue. Ni l'un ni l'autre ne l'avait vue.

— Ils n'ont pas fait l'amour, l'informa rapidement Sejer. Mais il a très bien pu essayer. Et la voiture ?

Il serrait inconsciemment les poings.

— Rouge. Et cette voiture rouge est intéressante.

— Karlsen est passé. Un type dans une Volvo rouge s'est garé près du pré en question ce soir. Il est resté là, point. Ils ont pris son identité, par acquit de conscience. Il avait un comportement bizarre.

— Son nom ? s'enquit Sejer.

— Gunder Jomann.

Le silence se fit dans la salle de Police Secours.

— C'est son mari, expliqua Sejer. Et peu de chances qu'il ait fait le coup.

— Est-ce qu'on doit en être aussi sûr ?

— Si je ne m'abuse, il était à l'Hôpital central, à ce moment-là. Sa sœur y est. J'ai vérifié. Skarre, va voir cette Linda Carling. Vas-y prudemment : elle a vu la voiture !

— Pigé. Mais ce n'est pas une heure…

— On n'épargne personne dans cette affaire. Rien d'autre ? demanda-t-il à Soot.

— Rien de décisif.

— Il y a quelque chose de bizarre, fit remarquer Skarre en enfonçant les mains dans les poches de son blouson. L'arme. Avec quoi est-ce qu'il l'a battue ? Il n'y a pas de pierre dans l'herbe, là-bas. S'il est venu en voiture, et s'il avait des outils dedans, je ne vois rien qui puisse correspondre aux blessures qu'elle avait. Qu'est-ce qu'ils ont, les gens, dans leur voiture ?

— Un cric, peut-être, suggéra Sejer. Une clé démonte-roue. De petits outils. Des trucs du genre. Snorrason parle de quelque chose de gros et de lourd. Il nous faut repasser toute la zone au peigne fin. Il y a un lac à l'autre bout. Le Norevann. Il a pu y jeter l'arme. La valise itou. Et il faut qu'on retrouve le frère de la défunte.

— Son frère ?

— Sa seule famille. Et le beau-frère de Jomann. Il faut qu'on le fasse venir, en supposant que ce soit faisable.

— On est parti ! s'enthousiasma Skarre.

Le besoin d'attention que ressentait Linda ne connaissait pas de limites. Être parmi ses congénères, être en permanence en vue était pour elle une condition vitale. Seule, elle était dans l'ombre. Mais à présent, elle allait passer dans le soleil. Un policier arrivait ! Elle s'affairait de-ci, de-là, cherchait sa brosse. S'aspergea avec le Lager-feld de sa mère. Elle ressortit en trombe et jeta un coup d'œil vers la route. Toujours pas de voiture en vue. Elle ouvrit la fenêtre pour l'entendre plus vite et débarrassa la table du salon. Le magazine d'ados *Girls* était ouvert sur les pages centrales, sur la photo de Di Caprio. Elle le glissa dans le porte-revues. Elle enleva ses pantoufles et se mit à aller et venir pieds nus, en pensant à ce qu'elle allait dire. Il était important de garder la tête froide et de relater exactement ce qu'elle avait vu, pas ce qu'elle croyait avoir vu. Mais elle ne se souvenait pas de grand-chose, et cela l'irritait. Elle refit mentalement son parcours à vélo et formula intérieurement quelques phrases. Le peu qu'elle avait à lui donner. Car c'était évidemment un homme qui viendrait, cela ne l'effleura pas que ce puisse être une femme policier, bien qu'il en existe. Lorsqu'elle entendit enfin le ronronnement d'un moteur et le crissement de pneus sur le gravier, son cœur fit un bond. Elle entendit la sonnette mais s'attarda un peu, ne voulant pas se précipiter comme une petite jeune. Elle se figura alors qu'elle s'était un peu trop pomponnée et fonça dans la salle de bains pour y mettre bon ordre. Quand la porte finit par s'ouvrir, le regard de Skarre tomba sur une adolescente essoufflée, qui avait manifestement chaud, dont les joues étaient rouges et le visage entouré d'un nuage de cheveux écumant tous azimuts. Il émanait d'elle une lourde odeur de parfum.

— Linda Carling ? demanda-t-il avec un sourire.

À la seconde même, il se passa quelque chose dans la tête de Linda. Son regard fut captivé par le jeune officier. L'éclairage extérieur scintillait dans les boucles blondes de Skarre. Son blouson de cuir noir était luisant. Ses yeux bleus l'atteignirent comme un éclair. Elle sentit la tête lui tourner. Elle était soudain importante. Elle perdit l'usage de la parole et se raidit, se retrouvant tendue comme un arc dans l'ouverture de la porte.

Skarre la regarda avec curiosité. Cette jeune fille pouvait tout bonnement être passée en vélo à Hvitemoen à l'instant précis où le crime avait lieu. Était-elle un témoin fiable ? Les femmes étaient de meilleurs témoins que les hommes, savait-il. Elle était jeune, elle voyait peut-être bien. De plus, il faisait clair, à 21 heures. Elle était passée à vélo, pas en voiture. En voiture, on serait passé en quatre ou cinq secondes. Il savait en outre que ce qu'elle allait maintenant raconter serait vraisemblablement tout ce dont elle se souvenait. Si d'autres choses lui revenaient, il y aurait tout lieu d'être plus prudent. L'homme avait ce besoin inné de compléter le tableau pour composer un tout. Une harmonie intérieure. Ce qui pour l'heure était des fragments d'événement pouvait se révéler par la suite plus conséquent. Et il voyait son désir frénétique de se montrer coopérative. Skarre connaissait sa psychologie du témoin, il était au courant de toutes ces petites choses qui influencent l'expérience que constitue pour quelqu'un ce qu'il voit réellement. « La relativité de l'impression. » L'âge, le sexe, la culture et l'état d'esprit. La façon de poser les questions. Elle semblait de plus peu concentrée, étourdie et nerveuse. Son corps était constamment en mouvement, elle gesticulait sans arrêt en secouant la tête, envoyant des vagues de lourd parfum vers lui.

— Tu es seule à la maison ?

— Oui. Maman est dans le transport routier. Elle n'est pour ainsi dire jamais à la maison.

— Le transport routier ? Impressionnant. Est-ce que tu envisages une carrière semblable, toi aussi ?

— Vous appelez ça une carrière ? répliqua-t-elle en riant. Pour rien au monde.

Elle secoua la tête. Skarre ne put s'empêcher de penser à de la laine de verre en regardant ses cheveux presque blancs. Ils s'installèrent au salon.

— Où étais-tu ?

— Chez une amie. Karen Krantz. Elle habite sur la route de Randskog.

— C'est une bonne amie ?

— Ça fait dix ans qu'on se connaît.

— Vous êtes dans la même classe ?

— J'entre en section coiffure dans deux jours, au lycée. Karen suit le tronc commun. Mais sinon, on a toujours été dans la même classe.

— Qu'est-ce que vous avez fait chez Karen ?

— On a regardé une vidéo, répondit Linda. *Titanic*.

— Ah. Avec Di Caprio. Un film assez romantique, n'est-ce pas ?

— Vachement romantique, sourit-elle.

Il vit scintiller les yeux de la jeune fille.

— Autrement dit, tu étais de plutôt bonne humeur quand tu es partie de chez Karen ?

— On peut le dire, concéda-t-elle avec un haussement coquet d'épaules. D'humeur assez romantique.

Et voilà pourquoi tu as pensé qu'ils jouaient, songea Skarre. Tu as vu ce que tu voulais voir, conformément aux dispositions de ton cerveau. Un homme qui court après une femme pour faire l'amour.

— À quoi pensais-tu en pédalant sur la route ? Tu peux me répondre à ça ?

— Non, hésita-t-elle, gênée. Je pensais pas mal au film.

— Tu as croisé des voitures sur le chemin du retour ?

— Aucune, affirma-t-elle.

— En approchant de Hvitemoen, quelle est la première chose que tu as vue ?

— La voiture. D'abord, j'ai vu la voiture. Elle était rouge, garée de travers. Comme si elle s'était arrêtée brusquement.

— Continue, l'incita Skarre. Essaie de raconter librement, d'oublier que je t'écoute.

Linda le regarda, troublée. C'était complètement impossible.

— J'ai regardé autour de moi, pour voir s'il y avait des gens. Il fallait bien que cette voiture appartienne à quelqu'un. C'est alors que j'ai vu deux personnes loin dans le champ, presque dans le bois. Elles couraient. En me tournant le dos. Je voyais l'homme plus nettement, parce qu'il me masquait la femme. Il portait un haut blanc. Une chemise blanche. Il faisait de grands gestes avec les bras. J'ai cru qu'il lui faisait peur pour rire.

Elle se tut, car mentalement, elle s'était de nouveau détournée en approchant de la voiture.

— Qu'as-tu vu de l'autre personne ?

— Elle était plus petite que lui. Sombre.

— Sombre. De quelle manière ?

— Tout était sombre. Ses cheveux et ses vêtements.

— Tu es tout à fait sûre que c'était une femme ?

— Elle courait comme une femme, répondit simplement Linda.

— Est-ce que tu as vu les mains de l'homme ? Est-ce qu'il tenait quelque chose ?

— Je ne crois pas.

— Continue.

Skarre ne prenait pas de notes. Tout ce qu'elle disait s'imprimait de façon indélébile.

— La voiture s'est retrouvée d'un seul coup en travers de ma route. J'ai dû faire un écart. Et puis j'ai jeté un nouveau coup d'œil. L'homme l'avait rattrapée, et ils sont tombés tous les deux. Ils ont basculé dans l'herbe.

— Alors ils devaient être partiellement dissimulés depuis la route. Ou est-ce que tu pouvais toujours voir quelque chose ?

— L'homme était, euh... au-dessus, poursuivit-elle en rougissant légèrement. J'ai vu des bras et des jambes. Mais, à ce moment-là, mon vélo n'a plus roulé très droit et j'ai dû de nouveau regarder la route.

— Tu as entendu quelque chose ?

— Un chien qui aboyait.

— Rien d'autre, des cris, des éclats de voix ? Ou des rires, peut-être ?

— Rien d'autre.

— La voiture, reprit Skarre. Tu peux te la représenter ?

— Oui. Elle était rouge.

— Rouge, ça veut tout dire. Quelle nuance de rouge ?

— Rouge vif. Rouge pompier.

— Bien, acquiesça Skarre. Tu as remarqué des détails concernant la voiture au moment où tu passais ? Il y avait du monde dedans ?

— Non, elle était vide. J'ai jeté un coup d'œil à l'intérieur.

— Les plaques ?

— Des plaques norvégiennes. Mais je ne me rappelle pas le numéro.

— Elle te faisait face, comme si elle était venue d'Elvestad ?

— Oui. Mais elle était garée en biais.

— Est-ce que les portières étaient ouvertes ?

— Celle du côté passager.

— Tu as vu l'intérieur de la voiture ? Il y faisait sombre ou clair ?

— Sombre, il me semble. Je ne suis pas trop sûre. La peinture était rutilante.

— Tu n'as absolument aucune idée de la marque ou du modèle ?

— Non.

— Et tu es absolument certaine que personne ne t'a vue ?

— Absolument certaine, répéta-t-elle. Ils s'occupaient uniquement l'un de l'autre. Et un vélo, ça ne fait pas un barouf de tous les diables.

124

Skarre réfléchit un court instant. Puis lui fit un sourire.

— Si tu as besoin de moi, tu peux appeler le commissariat. À ce numéro.

Il lui tendit une carte, qu'elle saisit avidement. Jacob, lut-elle dessus. Skarre. Elle n'aimait pas l'idée que tout dût prendre fin, l'ensemble avait duré moins de dix minutes. Il lui serra la main et la remercia. Sa main était chaude, la poignée ferme.

— Demain, il nous faudra te déranger pour que tu nous montres l'endroit où se trouvaient les deux personnes. Pareil pour la voiture. Le plus précisément possible. Ça ne pose pas de problème ?

— Aucun ! s'exclama-t-elle.

— Alors on enverra une ou deux personnes dans le courant de la matinée.

— Bon, acquiesça-t-elle, dépitée.

Elle serrait la carte dans sa main. Sachant qu'il n'y aurait rien d'autre. Le souvenir dansait, flou et sans détails. Elle formula une courte prière pour que d'autres éléments, tout à fait déterminants, lui reviennent dans son sommeil. Elle devait revoir cet homme ! Il lui appartenait. C'en était un comme celui-ci qu'elle avait attendu. Tout concordait. Le visage, les cheveux, les boucles blondes. L'uniforme. Elle pencha la tête de côté et baissa les yeux en prenant un air timide, comme elle savait si bien le faire.

Si tu as besoin de moi !

Qu'avait-il voulu dire ? Il pouvait avoir pensé à tout et n'importe quoi. Elle verrouilla derrière lui et retourna à petits pas dans le salon. Elle se dissimula derrière le rideau et le suivit du regard. On enverra une ou deux personnes. Peuh ! Elle alla à la salle de bains et se brossa les dents. Grimpa en courant l'escalier jusqu'au premier. Se planta devant le miroir dans sa chambre et brossa ses che-

veux en mouvements amples. Ils se chargèrent
d'électricité et se mirent à crépiter.

— Non, il s'appelle Jacob, confia-t-elle au miroir.
Quel âge a-t-il ? Vingt et quelques. En tout cas pas
encore trente. Évidemment, il est beau. On sortira
samedi, au Børsen, vraisemblablement. Je n'entre
pas ? Accompagnée d'un policier, j'entre partout !
Si je suis amoureuse ? Je suis sur des charbons
ardents.

Elle regarda ses joues incandescentes.

— Je dois dire, Karen, que cette fois-ci, c'est du
sérieux. Cette fois, je suis prête à aller très loin pour
arriver à ce que je veux. Très, très loin !

Elle entendit de nouveau un moteur ronronner
dans la cour. Un moteur puissant et claquant de
diesel, bien connu et soudain malvenu. C'était sa
mère qui arrivait. Elle éteignit la lumière et se glissa
sous sa couette. Elle ne voulait pas parler maintenant. Quand elle apprendrait cela, elle lui prendrait
tout. Elle gérerait tout pour elle. C'était elle, le
témoin. Comment appelaient-ils ça ? Témoin principal. Je suis le témoin principal de Jacob, pensa-
t-elle en fermant les yeux. Sa mère ouvrit la porte
du rez-de-chaussée, elle entendit le déclic dans la
serrure. Linda respira aussi régulièrement qu'elle
le put lorsque sa mère jeta un coup d'œil dans la
chambre. Puis le silence revint. Elle s'imagina
près de la maison de Karen. J'y vais ! Je t'appelle
demain. Puis elle enfourcha son vélo. Il y avait une
légère descente sur la première partie du chemin
les séparant de la nationale. Le temps était agréa-
blement doux. Lorsqu'elle déboucha sur l'asphalte,
la bicyclette n'émettait pas le moindre bruit. Je
repars en vélo, le temps est idéal. Garde la tête
froide, enregistre tout, il y a des bois à droite et des
bois à gauche, pas âme qui vive sur la route. Je suis
toute seule, et les oiseaux se taisent car c'est le soir,

mais il ne fait pas encore sombre ; et là, je sors du virage et j'approche du champ de Hvitemoen. Loin devant, je vois l'avant d'une voiture rouge. Qu'y a-t-il d'écrit sur la plaque ? Pas possible de le voir ! Et merde ! J'approche, et je dois faire un écart. Il y a un mouvement sur la droite, au loin, il y a des gens dans le pré, qu'est-ce qu'ils fabriquent ? Ils courent çà et là comme des gosses, bien qu'ils soient adultes ! Elle essaie de s'échapper, mais il la retient par le bras. Il est plus rapide, on dirait qu'ils jouent, c'est presque comme une danse ; là, je vire devant la voiture et je passe à son niveau, elle est vide, mais je vois quelque chose de blanc sur la vitre latérale. Un autocollant. Et je suis en plein milieu de la route juste à l'entrée du virage, il faut que je me range, mais je regarde encore une fois dans le champ, où les deux autres viennent de basculer dans les hautes herbes. L'homme est allongé sur la femme. Je vois un bras qui se tend et l'homme qui se penche dessus, et je me dis Seigneur ! Ils vont coucher ensemble en plein milieu de ce champ, c'est complètement insensé ! Il porte une chemise blanche, elle a les cheveux noirs. Il est plus grand qu'elle, plus large. Ses cheveux à lui, est-ce qu'ils sont blonds ? Ils sont déjà derrière, et je regarde une dernière fois. Ils ont disparu dans l'herbe. Mais l'homme était blond, et il y avait un autocollant sur la vitre de la voiture. Il faut à tout prix que j'appelle Jacob.

Gunder ne voulait pas rentrer chez lui, dans cette maison vide. Ce qu'il aurait préféré, ça aurait été rester au commissariat, dans le bureau de Sejer, toute la nuit. À proximité des bijoux. Disponible, au cas où un quidam aurait apporté des précisions déterminantes concernant la défunte. Ça ne pouvait pas être Poona ! D'accord, il n'avait pas pu la voir. Je suis lâche, songea Gunder, j'aurais dû m'obstiner. Il remercia l'officier et remonta l'escalier à pas traînants. Il ne se donna pas la peine de verrouiller. Entra au salon. Il sortit le cliché de Poona et lui du tiroir, où il l'avait caché. Il regarda la sacoche jaune. Et s'ils se trompaient ? On n'avait pas fabriqué qu'une banane, on en avait fabriqué cent, mille. Marie, pensa-t-il. Mon boulot. Tout se disloque. Qu'avait dit l'homme dans l'avion ? L'âme reste à Gardermoen. Gunder comprit soudain ce qu'il avait voulu dire. Il était une coquille chiffonnée, assis dans son fauteuil. Il se leva et se rassit, erra sans but dans la maison. Un papillon de nuit qui voletait en cherchant la lumière.

*
* *

Le palais de justice tout entier était en effervescence. Trente personnes travaillaient d'arrachepied. Une fureur s'était emparée d'eux après ce qui s'était passé. Une femme d'origine étrangère, une mariée, plus précisément, était arrivée en Norvège avec une broche traditionnelle épinglée sur la poitrine. Quelqu'un l'avait brisée tout près du but. Ils voulaient résoudre ça, cet homme devait être arrêté. Il y avait une détermination implicite qui leur conférait à tous un dos droit et un regard assuré. Une conférence de presse fut organisée. Elle prenait sur un temps des plus précieux, mais en même temps, ils diraient aux Norvégiens en les regardant bien en face : on va y arriver. Sejer aurait tout fait pour y couper. Il y avait des reporters et des caméras. Une forêt métallique de micros sur la table. Il ressentit une démangeaison menaçante. Il faisait de l'eczéma, et celui-ci le tourmentait encore plus intensément quand Sejer n'était pas à son aise. À sa gauche, le capitaine de police Holthemann, et à sa droite, Karlsen. Il n'y avait aucune échappatoire. La presse, et les gens, avaient pour une raison inconnue toute une série de revendications. Concernant les photos, les stratégies, la progression, les informations sur la formation du groupe d'investigation, quelle était leur expérience et quelles étaient les affaires sur lesquelles ils avaient travaillé par le passé.

Le vacarme éclata. Y avait-il un suspect possible ? Distinguaient-ils un quelconque mobile ? La femme avait-elle été victime d'abus sexuels, avait-elle été identifiée, avait-on fait des découvertes concrètes d'importance sur le lieu du crime, l'origine de la victime avait-elle été établie de façon sûre, tout comme son âge ? Combien de renseignements avaient-ils reçus, avaient-ils effectué des interrogatoires systématiques à la ronde, et quelles étaient les chances pour que le meurtrier frappe de nouveau ?

Comment est-ce que je le saurais, bon sang de bois ? pensa Sejer le temps d'un éclair. Et l'arme ? Était-il en mesure de dire quoi que ce fût ? Était-il possible de passer quelqu'un à tabac sans laisser de traces ? Et ce témoin à bicyclette, était-il de la commune ? Ils écrivaient avec un tel entrain que l'encre giclait. Sejer se glissa un Fisherman's Friend dans la bouche. Les larmes jaillirent.

— Le rapport d'autopsie est-il prêt ?

— Non. Il sera complet.

— Impossible de prendre des photos d'elle ?

— Absolument impossible.

Silence, tandis que tous faisaient travailler leur imagination.

— Devons-nous comprendre que vous qualifiez cette affaire de particulièrement horrible ? Comparée à d'autres affaires criminelles norvégiennes ?

Sejer embrassa la pièce du regard.

— Je devrais certainement me garder de mettre des affaires en relation les unes avec les autres, pour ce qui est de leur degré d'horreur. Seuls les morts ont ce droit. Mais oui. Il y a, dans ce cas, un degré de sauvagerie auquel je n'ai encore jamais été confronté dans ma carrière de policier.

Il imaginait déjà les manchettes. Tout en pensant à la quantité de travail qu'il aurait pu écluser durant cette heure que dura la conférence de presse.

— En ce qui concerne l'assassin, commença quelqu'un, partez-vous du principe que l'homme – ou les hommes – sont du district ?

— Nous n'excluons pas cette possibilité.

— Quelle quantité d'informations nous tenez-vous secrète ? s'enquit une femme.

Sejer ne put s'empêcher de sourire.

— Quelques broutilles.

C'est alors qu'il aperçut Skarre, tout au fond de la pièce. Ses cheveux pointaient droit en l'air. Il essayait de se tenir tranquille, tandis que le reste des questions trouvaient leurs réponses. Holthemann, à côté, avait lui aussi remarqué Skarre. Il se pencha vers Sejer.

— Skarre a quelque chose, murmura-t-il. Il est rouge comme une pivoine.

Enfin ce fut terminé. Sejer entraîna Skarre avec lui le long du couloir.

— Accouche, intima-t-il, à bout de souffle.

— Ça a fini par mordre. Centrale de taxis. L'une de leurs voitures est partie de Gardermoen pour Elvestad, le 20 à 18 h 40. Le propriétaire m'a donné le nom du conducteur. Sa femme a répondu, il sera à la maison d'un instant à l'autre. Elle lui demandera de rappeler illico.

— Si ce type a un tant soit peu de mémoire, ça devrait avoir fait tilt depuis un bon moment. Comment s'appelle-t-il ?

— Anders Kolding.

— Taxi de Gardermoen à Elvestad. Ça doit coûter une fortune ?

— Entre mille et mille cinq cents, évalua Skarre. Mais Jomann lui avait donné de l'argent. En couronnes et en deutschemarks.

Ils attendirent, mais personne n'appela. Sejer lui laissa trente minutes avant de composer le numéro. Un homme décrocha.

— Kolding.

— Police. On vous attend.

— Je sais. Je sais.

Une voix jeune. Fébrile. Sur fond de cris furieux d'enfant.

— Nous aimerions vous voir au poste.

— Maintenant ? Tout de suite ?

— À la minute, si faire se peut. Parlez-moi de cette excursion à Gardermoen.

— Oh, j'ai conduit une nana pas d'ici à Elvestad. Comment ça s'appelait... Blindveien. Mais il n'y avait personne à la maison. Alors elle est remontée en voiture et m'a demandé de la conduire en centre-ville, près d'un resto routier.

— Oui ?

— Et là, elle est descendue.

— Elle est descendue au bar ?

— Elle est entrée dans le bar, pour être exact. Chez Einar, se souvint-il.

— Vous l'avez revue, à la suite de ça ?

— Fichtre, non. Je suis rentré.

— Est-ce qu'elle avait des bagages ?

— Une énorme valise brune. C'était tout juste si elle a réussi à la traîner derrière elle au moment de monter les marches.

Sejer réfléchit quelques secondes.

— Vous ne l'avez donc pas aidée ?

— Hé ?

Toujours des cris teigneux en arrière-plan.

— Vous ne l'avez pas aidée à monter sa valise en haut des marches ?

— Non. Je devais déjà rentrer en centre-ville. Ça fait pas mal de kilomètres à vide.

— Et c'est la dernière fois que vous l'avez vue ?

— Dernière fois.

— Alors je compte bien vous voir, Kolding. Je viens de tirer une chaise à votre intention.

— Mais je n'ai rien d'autre à raconter. Ma femme doit partir, et on a un gosse hystérique, ici. Ça tombe vraiment très mal.

— Vous êtes jeune papa, si je comprends bien ?

— Depuis trois mois. Un garçon.

Il n'avait pas l'air heureux.

— Venez avec, suggéra Sejer. C'est aussi simple que cela.

— Venir avec le môme ?

— Vous avez certainement une nacelle.

Il raccrocha et regarda Skarre.

— Je m'occupe d'Anders Kolding, décréta-t-il. Toi d'Einars Kro.

*
* *

Gunder se traîna jusqu'au téléphone. Il composa le numéro du travail et tomba sur Bjørnsson.

— Il se trouve, bégaya-t-il, que j'ai besoin de quelques jours à la maison. Je ne suis pas en pleine forme. Et ma sœur est toujours dans le coma. Il va sûrement falloir que je me dégote un certificat médical.

Bjørnsson tiqua.

— Tu as récolté quelque chose en Inde, peut-être ?

— Il faisait effectivement très chaud, là-bas. C'est possible.

Bjørnsson lui souhaita un bon rétablissement, et entrevit une possibilité de lui piquer quelques-uns de ses clients. Gunder appela l'hôpital et tomba sur la gentille blonde.

— Il n'y a malheureusement aucune évolution, l'informa-t-elle. Son mari vient de partir, il avait des choses à régler à la maison.

— Alors j'arrive tout de suite.

— Venez si vous en avez le courage. Nous vous appellerons s'il y a du nouveau.

— Je sais, répondit-il d'un ton lourd. Mais j'arrive.

Il avait besoin de sa sœur. D'être près d'elle, même si elle ne pouvait pas l'aider. Il n'avait personne d'autre. Karsten n'avait jamais été un confident. Il n'était même pas au courant pour Poona et pour tout ce qui s'était passé. Il l'avait simplement regardé sans comprendre, sans oser poser davantage de questions. Il ne voulait d'ailleurs pas en dire plus, de quoi cela aurait-il eu l'air ? Que pouvait-il dire ? Mieux valait tenir tout cela secret jusqu'à ce qu'ils aient des certitudes. Car ce n'était pas sûr. Gunder craignait que Kalle Moe ne rappelle. Il avait peut-être mauvaise conscience d'avoir téléphoné à la police. Il se contraignit à aller à la salle de bains. Il n'eut pas la force de se doucher, mais il se rasa et se brossa les dents. Il n'avait pas mangé depuis longtemps, et la tête lui tournait. Il sortit alors la voiture du garage et mit le cap vers le centre-ville.

Marie était alitée comme précédemment. Le temps semblait s'être arrêté. Il prit sa main sur le drap. Il sentit brusquement combien c'était bon d'être ainsi, parfaitement immobile, la main de sa sœur dans la sienne. On lui avait demandé de lui parler, mais il n'avait rien à dire. Si Poona avait été à la maison, à s'affairer dans la cuisine, ou bien dehors dans le jardin, il aurait pu en parler. Poona s'occupe des roses. Elles sont à leur plus beau, en ce moment. Ou alors, aujourd'hui, Poona va me faire du poulet. Du « lal murgh », du poulet rouge. Mais il n'y avait rien à dire. Gunder était absolument silencieux à côté du lit. À intervalles réguliers, une infirmière entrait, c'en était encore une nouvelle, une petite boulotte avec une tresse.

— Il ne faut pas perdre espoir, le réconfortat-elle. Il arrive que cela prenne du temps.

Le lit supplémentaire n'avait pas été retiré. Karsten y avait peut-être dormi. Gunder sentit que tout était différent, à présent, lui aussi s'allongerait lorsqu'il serait fatigué. Au bout de quelques heures, il sortit pour appeler le médecin. Il n'allait jamais chez le docteur, et il dut réfléchir. Qui allait-il appeler ? Pas celui d'Elvestad, il lui fallait en chercher un en ville. Il se rendit alors compte qu'il se trouvait dans un hôpital. On lui avait recommandé de se manifester s'il y avait quelque chose. Il hésita, revint sur ses pas et s'arrêta à la porte de la salle de soins. La blonde se leva instantanément.

— Je me posais simplement une question, confia-t-il à voix basse pour que les autres n'entendent pas. J'ai besoin d'un certificat médical. Il me faut quelques jours de congé pour traverser tout ça. Est-ce que quelqu'un d'ici peut s'en occuper, ou faut-il que je m'adresse ailleurs ?

— Je vais en parler avec le médecin. Retournez auprès de votre sœur, il viendra vous voir dans peu de temps.

Il remercia et s'en retourna. Le respirateur travaillait sans relâche, et il fut tranquillisé à l'idée de pouvoir se reposer tandis que la machine maintenait la vie en elle. La machine ne se fatiguait pas. Elle effectuait sa tâche, infatigable comme ne le serait jamais aucun humain. Puis le médecin arriva et compléta les papiers nécessaires. Il avait apporté un sac en plastique, qui contenait les affaires de Marie. Celles qu'elle avait eues dans la voiture. Un sac et un bouquet fermé. Il l'ouvrit. C'étaient des roses rouges. Agrémentées d'une carte. « Chère Poona. Bienvenue à Elvestad. »

Si Poona était entrée à l'Einars Kro, quelqu'un avait dû la voir. Et, depuis, comprendre de qui il s'agissait. Le taulier lui-même, en tout état de cause. Mais il n'avait pas téléphoné. Pourquoi ? Skarre remarqua deux voitures garées devant la taverne, un break vert et une Toyota rouge. Lie-de-vin, nota-t-il automatiquement, pas rouge pompier. En ouvrant la porte, il aperçut le juke-box. Il s'immobilisa un instant pour le contempler, curieux de savoir quel genre de musique il renfermait. À sa grande surprise, il constata qu'il était ancien. Pratiquement deux fois plus vieux que lui. Il s'en arracha et alla au comptoir. Deux femmes étaient assises près de la fenêtre, chacune avec un café. Un homme roux et dégingandé était assis derrière le comptoir, un journal sur les genoux.

— C'est la tournée des interrogatoires ? demanda rapidement Einar.

— On peut le dire, sourit Skarre.

Parce qu'il souriait toujours, il paraissait relativement inoffensif, et totalement dénué de méfiance.

— Vous avez un endroit à disposition où nous pourrions parler tranquillement ?

— C'est aussi sérieux que ça ?

Einar Sunde ouvrit une porte de sorte que Skarre puisse entrer. Ils se rendirent dans le bureau d'Einar. Il y régnait un certain désordre et le sol était jonché de toutes sortes de choses, mais Einar tira une chaise pour Skarre ; lui-même prit place sur une caisse de bouteilles de bière.

— J'ai appelé la centrale de taxis, aujourd'hui, commença Skarre. Le résultat, c'est que me voici.

Einar fut instantanément sur la défensive.

— Un chauffeur a conduit une femme jusqu'ici, le 20 août, depuis Gardermoen. Il l'a déposée devant votre taverne. La dernière chose qu'il a vue, c'est que cette femme grimpait à grand-peine vos marches, une valise à la main.

Einar écoutait sans rien dire.

— La femme venait d'Inde. Elle portait une robe bleu foncé par-dessus un pantalon assorti. Elle avait une longue tresse dans le dos.

Einar hocha derechef la tête. On eût dit qu'il réfléchissait à s'en faire péter les méninges.

— Alors maintenant, je vous demande, poursuivit Skarre, si une femme de ce genre est passée ici dans la soirée du 20 ?

— Oui, c'est exact, répondit Einar à contrecœur. Je me souviens d'elle.

— Alors vous allez peut-être me raconter ce qu'il y a à raconter ? sourit Skarre.

— Pas grand-chose. Elle a lâché sa valise près du juke-box et a commandé une tasse de thé, se souvint-il. Elle est allée s'asseoir tout là-bas dans le coin. Je n'avais que du Lipton. Mais ça a eu l'air d'aller.

— Vous avez discuté ensemble ?

— Non, affirma-t-il.

— Vous avez vu la valise ?

— La valise ? Oui, moui, j'ai bien vu une valise marron. Elle s'en est débarrassée près du juke-box. Et puis elle est venue au comptoir pour demander du thé. Au fond, elle avait l'air stressée ; comme si elle attendait quelqu'un.

Skarre essayait de se composer une image d'Einar et de qui il était. Fermé, impassible. Et en éveil.

— Combien de temps est-elle restée ?

— Un quart d'heure, peut-être.

— D'accord. Et puis ?

— La porte a claqué, et elle n'était plus là.

Le silence se fit tandis que tous deux réfléchissaient.

— Elle a payé son thé avec des pièces norvégiennes ?

— Oui.

— Et maintenant, avec le recul, que vous évoque le souvenir de cette femme ?

Einar haussa les épaules, exprimant un certain découragement.

— Oh, c'est probablement elle... que l'on a retrouvée là-bas, à Hvitemoen.

— Bien vu, apprécia Skarre. C'est aussi simple que cela. Vous n'avez jamais pensé à nous passer un coup de fil ?

— Mais je ne savais pas que c'était elle. Il y a beaucoup de monde qui vient ici.

— Pas beaucoup d'Indiennes, j'imagine ?

— Nous avons notre lot d'immigrés ici, ou de réfugiés, ou de ce qu'ils peuvent bien être. J'ai un peu de mal à les distinguer les uns des autres. Mais c'est clair, j'aurais sûrement dû envisager cette possibilité. Alors je n'ai plus qu'à m'excuser, déclarat-il d'un ton boudeur. Mais vous l'avez découvert tout seul.

— C'est en général ce que l'on fait, répondit Skarre en plantant son regard dans celui d'Einar. Bien. Par où est-elle partie ?

— Aucune idée. Je ne regardais pas par la fenêtre, et je dois dire que ça ne m'intéressait pas.

— Il y avait du monde dans le bar, à ce moment-là ?

— Personne. Il était trop tard pour les amateurs de café et trop tôt pour les amateurs de bière.

— Elle parlait anglais ?

— Oui.

— Mais elle n'a posé aucune question ? Sur quoi que ce soit ?

— Non.

— Elle n'a pas demandé à se servir du téléphone, des choses de ce genre ?

— Non.

— Qu'avez-vous pensé quant à son identité ou à l'endroit où elle pouvait bien aller ? Une étrangère, seule, avec une grosse valise, en pleine campagne, le soir ?

— Rien. Les gens ne m'intéressent pas plus que ça. Je les sers, voilà tout.

— Est-ce qu'elle était belle ? rebondit Skarre en regardant Einar Sunde bien en face.

Ce dernier leva sur lui deux yeux troublés.

— Drôle de question...

— Je suis curieux, rien de plus, précisa Skarre. Je ne l'ai jamais vue.

— Vous ne l'avez pas vue ?

— Pas avant qu'il ne soit trop tard.

Einar ne put s'empêcher de cligner des yeux.

— Belle, belle... commença-t-il en regardant rapidement ses mains. Sais pas trop. Oui, d'une certaine façon. Carrément exotique. Mince, bien fichue. Et elles s'attifent comme des femmes, si vous voyez ce que je veux dire. Pas en jean ou en survêtement, le genre de trucs pitoyables qu'on porte ici. Ses dents étaient on ne peut plus proéminentes.

— Mais sinon, comment se comportait-elle ? Avec assurance ? Avec angoisse ?

— Je vous l'ai dit. Elle avait l'air stressée. Désorientée, ajouta-t-il.

— Et l'heure ? Quelle heure était-il quand elle est partie ?

Il plissa le front.

— Peut-être 20 h 30, dans ces eaux-là.

— Merci.

Il se leva et quitta le bureau, ouvrit la porte et ressortit dans la salle. Il s'arrêta et regarda autour de lui. Einar arriva derrière. Il saisit un torchon et se mit à essuyer par-ci, par-là.

— On ne voit pas la table près du juke-box, quand on est derrière le bar, constata Skarre lentement.

— Non. C'est bien ce que j'ai dit. Je ne l'ai pas vue partir. J'ai entendu la porte se refermer.

— Mais la valise. Vous m'avez dit qu'elle était marron. Comment l'avez-vous vue ?

Einar se mordit la lèvre.

— Bah, j'ai dû aller faire un tour en salle, peut-être. Je ne me rappelle pas trop.

— Non, je vois. Merci, en tout cas.

— Oh, c'est la moindre des choses.

Skarre fit quatre pas avant de s'arrêter de nouveau.

— Une petite chose, reprit-il en levant l'index à ses lèvres. En toute franchise. Avec la foule d'incitations dans la presse et à la télévision, concernant toutes les informations dignes d'intérêt à propos d'une femme d'origine étrangère à Elvestad, le 20. Pourquoi diable n'avez-vous pas téléphoné ?

Einar lâcha son torchon. Une terreur sourde passa sur son visage.

— Je ne sais pas.

Son regard vacilla.

First we take Manhattan, songea Skarre. *Then we take Berlin*[1].

Les journaux évoquaient Linda comme un témoin important. Anonyme, bien entendu. Mais quand même. Elle allait et venait de-ci, de-là sur son vélo, au petit bonheur, pour qu'on la voie. Personne n'était au courant, excepté Karen. Et sa mère. Qui rabâchait comme jamais.

---

1. *Prenons d'abord Manhattan, prenons ensuite Berlin* ; refrain d'une chanson de Leonard Cohen (« First we take Manhattan ») sur l'album *I'm your man* (1988).

— Mais nom d'un chien, qu'est-ce que tu as dit ?

— Presque rien. Je me souviendrai peut-être de davantage de choses, le temps aidant.

Elle avait appelé Jacob avec les derniers éléments. Ces cheveux blonds. Cet autocollant sur la vitre. Elle avait senti cette valeur particulière qui était enfin la sienne. Elle allait vers le centre-ville et passa devant le magasin de Gunwald. Une vieille mobylette était garée à l'extérieur. Bien qu'elle n'eût jamais rien acheté chez Gunwald, elle pouvait y entrer tout tranquillement et y glisser deux ou trois mots. Qui voletteraient ensuite d'oreille à oreille comme un papillon, informant que c'était elle, Linda Carling, le témoin à vélo. Les gens la verraient, viendraient la voir, parleraient d'elle.

Linda a vu le meurtrier.

La boutique possédait son odeur bien à elle. Faite de pain, de café et de chocolat sucré. Elle fit un signe de tête au marchand et alla vers le comptoir des glaces. En prenant tout son temps. Gunwald habitait juste à côté du pré. S'il s'était trouvé à sa fenêtre, il aurait vu la même chose qu'elle, si ce n'est d'un peu plus près. À condition de ne pas être myope, bien sûr. Il portait des lunettes à verres épais. Gunwald n'avait aucune de ces chouettes nouvelles glaces, seulement des Pinup ou des Krone. Elle choisit une Pinup, en déchira le papier et ficha la glace entre ses incisives aiguës. Puis elle chercha de l'argent dans sa poche.

— Carling se balade ? minauda Gunwald. Tu mesures cinquante centimètres de plus à chaque fois que je te vois, mais je te reconnais bien, va. Tu marches comme ta mère.

Linda ne supportait pas les répliques de ce genre, mais elle sourit malgré tout et déposa l'argent sur le comptoir. Le journal était ouvert sur la caisse, Gunwald était en pleine affaire de meurtre. Une horreur inouïe.

140

— Ça, là, ça me dépasse, déclara-t-il en pointant un doigt vers le quotidien. Ici, à Elvestad. Une histoire pareille. Je ne l'aurais jamais cru.

Linda posa ses lèvres sur l'enrobage de chocolat pour le faire fondre.

— Pense un peu à ce type ! Il peut lire ce qu'on écrit sur lui dans le journal ! continua-t-il.

Les dents de Linda crevèrent le doux nappage de chocolat.

— Aujourd'hui, il a eu une surprise, répondit-elle.

— Ah oui ?

Le commerçant repoussa ses lunettes sur le bout de son nez.

— Aujourd'hui, il peut en fait lire qu'il a été vu. Presque en plein flagrant délit.

Gunwald ouvrit des yeux comme des soucoupes.

— Que dis-tu ? Ce n'est pas mentionné, rétorqua-t-il en consultant de nouveau son article.

— Si. Là, en bas.

Elle se pencha par-dessus la caisse et posa un doigt sur la page.

« Un important témoin s'est manifesté à la police. La personne est passée à vélo près de l'endroit où a eu lieu le meurtre à un moment fort intéressant et a observé un homme et une femme dans le champ, à l'endroit où la victime a été retrouvée par la suite. Une voiture rouge a par ailleurs été observée, garée sur le bas-côté. »

— Fichtre ! s'exclama Gunwald. Ce témoin, ce pourrait être quelqu'un d'ici ?

— Ça l'est certainement, répondit Linda avec un hochement de tête.

— Mais alors, il y a peut-être un signalement, des trucs comme ça. Alors ils vont sûrement le retrouver. Voilà ce que je dis, en définitive il n'y en a pas beaucoup qui s'en sortent après des coups comme ça.

141

Il lisait toujours. Linda mangeait la glace.

— Elle a dû voir quelque chose, poursuivit-elle. Et la police ne raconte pas tout. Elle a peut-être vu bien plus que ce qui figure ici. Ils doivent être obligés de protéger des témoins comme celui-ci, il faut croire.

Elle imagina Jacob dans son propre salon, responsable de sa vie à elle, Linda.

Un délicieux frisson lui parcourut l'échine.

— Elle ? C'est une nana ?

— Ce n'est pas écrit ? s'étonna Linda en levant sur lui deux yeux bleus et innocents.

— Non. Seulement « témoin » et « la personne ».

— Hmm. Ça devait être dans un autre journal.

— Ça finira bien par se savoir, prédit Gunwald en regardant de nouveau Linda, puis la glace à présent à moitié mangée. Je ne pensais pas que vous mangiez des glaces, les demoiselles, confia-t-il en riant. Vous avez constamment si peur de prendre du poids…

— Pas moi. Je n'ai pas ce genre de problèmes.

Puis elle sortit du magasin, finit de nettoyer le bâtonnet et remonta en selle. Il y avait peut-être quelqu'un de connu à la taverne. Deux voitures étaient garées au-dehors. Le break d'Einar, sans surprise, et la Dieu-sait-quoi de Gøran. Elle rangea son vélo et s'arrêta un instant pour regarder la voiture de Gøran. Sans être grosse, elle n'était pas petite. Elle avait été lavée peu de temps auparavant, la peinture était belle. Et rouge comme un camion de pompiers. Elle l'examina plus attentivement. Sur la vitre latérale gauche, elle vit un autocollant rond, sur lequel elle lut ADONIS. Elle eut alors l'idée de s'éloigner quelque peu, de façon à la voir telle qu'elle avait vu l'autre véhicule, là-bas, à Hvitemoen. Elle traversa la route jusqu'à la station Shell de Mode, d'où elle étudia le tableau. D'une certaine façon, ça aurait bien pu être ce genre de véhicule. Allez savoir. Mais il y en avait des tas qui se ressemblaient comme deux gouttes d'eau. Sa mère disait souvent que plus aucune voiture n'avait de personnalité propre. Ce qui n'était pas tout à fait vrai. Elle traversa de nouveau et s'approcha. Gøran roulait en Golf. Comme ça, elle le savait. Et bon nombre avaient des autocollants sur les vitres. Sa mère, par exemple, qui avait l'insigne jaune des Ambulances Aériennes Norvégiennes sur la lunette arrière de son véhicule personnel. Elle entra dans le bar où un groupe s'était formé : Gøran, Mode, Nouille et Frank. Le dénommé Frank avait également un autre surnom, quand les gens voulaient être méprisants ou affectueusement ironiques. La performance de Margit. Parce que la mère Margit s'était plainte pendant toute sa grossesse, morte de trouille à l'idée d'accoucher. Le médecin avait dit que l'enfant était énorme, il pesait plus de six kilos. Il était trop gros. Il l'était toujours. Ils lui firent des signes de tête, qu'elle leur retourna. Einar était aussi peu causant qu'à son habitude, son visage aussi fermé. Elle se paya un Coca et alla au jukebox, dans lequel elle glissa une couronne. Il ne prenait que les vieilles pièces, les grandes, qui attendaient dans un bol à côté de l'appareil et resservaient indéfiniment. Une fois le bol vide, Einar vidait la caissette et remettait les pièces dans le bol. Ça ne diminuait jamais. Un miracle, se disait Linda. Elle chercha parmi les titres et opta pour Eloise. Pendant ce temps, Gøran vint vers elle. Il s'arrêta et lui jeta un regard menaçant. Elle nota qu'il portait des traces de griffures au visage, avant de baisser rapidement les yeux.

— Qu'est-ce que tu as à regarder ma voiture comme ça ?

Linda sursauta. Elle n'avait pas pensé que quelqu'un pourrait la voir.

— La regarder ? répéta-t-elle, effrayée. Mais je n'ai rien regardé...

Gøran ne la quittait pas des yeux, elle vit plusieurs raies rouges sur sa figure et sur l'une de ses mains. Il retourna à la table. Désorientée, elle écouta un moment la musique sans bouger. Gøran s'était-il bagarré avec quelqu'un ? Ce n'était pas son genre de se fâcher. C'était un type vif, loquace, sûr de lui. Il s'était peut-être disputé avec Ulla. On disait d'Ulla qu'elle était plus mauvaise qu'un diable de Tasmanie quand la moutarde lui montait au nez. Linda ne savait pas ce que c'était, mais à l'évidence une créature pourvue de griffes. Cela faisait un an que Gøran et Ulla étaient ensemble, et Karen disait souvent que c'était à ce moment que les choses commençaient à moins bien aller. Elle haussa les épaules et alla s'asseoir près de la fenêtre. Les autres regardaient ailleurs, et elle ne se sentait pas la bienvenue. Troublée, elle but son Coca à la paille sans cesser de regarder au-dehors. Devait-elle appeler Jacob pour lui relater cet événement ? Était-ce important ? Ça, ce serait à lui d'en décider. Elle n'était censée rappeler que si quelque chose lui revenait. Elle venait de voir la voiture de Gøran, de voir qu'elle ressemblait.

— Bonjour, ici Linda.

— Salut, Linda. C'est encore toi ? Est-ce que ça veut dire que tu as autre chose à dire ?

— Ce n'est certainement pas très important. Mais c'est à propos de cette voiture. Je me demandais si ça ne pouvait pas être une Golf.

— Tu en as vu une qui ressemble ?

— Oui. À l'instant.

— À Elvestad ?

— Oui. Mais ce n'est pas celle-là, parce que je connais celui à qui elle appartient, mais elle ressemble. Si tu vois ce que je veux dire.

Elle se perdit dans ses pensées. Se mit à gamberger. Combien de voitures rouges recensait-on à

144

Elvestad ? Elle réfléchit. Gunder Jomann possédait une Volvo rouge. Hormis cela ? Ses neurones tournaient à plein régime. Le toubib. Il conduisait un break rouge, presque identique à celui d'Einar. Elle sirotait son Coca en regardant par la fenêtre. En écoutant les voix qui lui parvenaient depuis l'autre table. Eloise avait fini. Einar manipulait à grand bruit verres et cendriers. Elle était sûre que chez lui aussi, Einar ne se déplaçait pas sans un torchon. Pour essuyer bancs, table, cadres de fenêtre, bonne femme, gosses, tout ce qui lui tombait sous la main. Mais Gøran et ses plaies à vif. Elle avait tellement peur de lui...

Anders Kolding avait vingt-cinq ans. Frêle, yeux marron, petite bouche. Il se pointa dans un uniforme de chauffeur de taxi bien trop grand pour lui et des mocassins noirs sur des chaussettes de tennis blanches. Ses yeux étaient injectés de sang.

— Ton mioche ? s'enquit Sejer.

— Il dort dans la voiture. Je n'ai pas pris le risque de le réveiller. Il a des coliques, expliqua-t-il. Et je fais les trois-huit. Je dors dans le taxi entre les courses.

Il déposa un chargeur à monnaie archi-usagé sur le bureau. L'étui de cuir partait en lambeaux.

— Ce meurtre à Elvestad... tu en as entendu parler ?

— Oui.

Il posa sur Sejer le regard de quelqu'un qui se sent coupable.

— T'est-il venu une seule fois à l'idée que ça ait pu être celle que tu as raccompagnée de Gardermoen ?

— En vérité, non, répondit Kolding très vite. Je veux dire, pas sur le moment. Je véhicule toutes sortes de gens. Il y a beaucoup d'étrangers.

— Raconte-moi tout ce dont tu te souviens quant à cette femme et cette course, le pria Sejer. Ne laisse rien de côté.

Il s'installa confortablement dans son fauteuil.

— Si tu as vu un hérisson traverser la route en volant au moment où tu approchais d'Elvestad, tiens-en compte.

Kolding laissa échapper un petit rire. Il se détendit quelque peu, récupéra son chargeur à monnaie et se mit à le manipuler tout en réfléchissant. Cette histoire d'Indienne l'avait poursuivi jusque dans ses rêves. Il n'en fit pas mention.

— Elle est venue à pied jusqu'à la voiture avec une énorme valise brune. Presque à contre-cœur. Elle regardait sans arrêt derrière elle, comme si elle n'avait vraiment pas envie de partir. Je lui ai pris sa valise pour la mettre dans le coffre, mais elle a protesté. Elle était complètement angoissée. Elle regardait l'heure, elle regardait par-dessus son épaule, vers l'entrée. Alors j'ai attendu patiemment. En plus, j'étais fatigué, et il se peut que je me sois assoupi un moment. J'ai ouvert la portière, mais elle ne voulait pas monter. Je lui ai demandé si elle attendait quelqu'un, et elle m'a fait oui de la tête. Elle est restée un moment debout à tenir la portière ouverte. Et puis elle a voulu que je rouvre le coffre. Je l'ai fait, et elle a fourragé dans sa valise. Un dossier marron s'était coincé dans la fermeture, une espèce de chemise. Elle l'a récupérée et a fini par s'asseoir à l'intérieur. Elle était assise tout au bord du siège, et elle regardait par la fenêtre. Toujours vers l'entrée, vers la porte du hall, vers la fin de la file d'attente pour les taxis, et elle avait constamment les yeux rivés sur sa montre. Moi aussi, j'étais sur des charbons ardents ; elle voulait un taxi, oui ou non ?

Kolding avait besoin d'une pause. Sejer lui versa de la Farris[1] dans un verre, qu'il lui tendit. Kolding but et posa le verre sur le sous-main de Sejer, à peu de chose près sur le canal de Panamá.

— Alors je me suis retourné et j'ai demandé où on allait. Elle a ouvert la fermeture Éclair de la serviette marron et elle m'a tendu un bout de papier avec une adresse. À Elvestad. Ça fait loin, j'ai dit. Et très cher. Ça prendra environ une heure et demie. Elle a hoché la tête et m'a montré quelques billets pour me faire comprendre qu'elle avait de l'argent. Je ne connais pas bien le coin, alors je lui ai dit qu'il faudrait qu'on demande notre chemin. Elle avait l'air perdue. Je l'observais dans mon rétro, ses yeux sautaient sans arrêt d'un endroit à un autre. Elle avait toujours le nez dans son sac, comme si elle cherchait quelque chose. À un moment donné, elle s'est mise à examiner ce qui restait de son billet d'avion, comme s'il y avait un problème de ce côté-là. Elle ne voulait pas parler. J'ai essayé deux ou trois fois, mais elle répondait par des mots d'une seule syllabe, en anglais de base. Je me rappelle sa longue natte, qui pendait sur le devant de son épaule et lui descendait jusque sur le genou. Elle était retenue par un gros élastique rouge, je me rappelle même qu'il y avait de petits fils dorés tissés dedans.

Tu es un drôle de numéro, songea Sejer. Si seulement c'était toi qui étais passé à vélo à Hvitemoen !

Kolding toussa dans le creux de sa main et renifla avant de poursuivre :

— Il n'y a pas beaucoup de baraques, dans ce coin-là, et toutes n'ont pas de numéro. Quand on a eu fait quelques kilomètres hors du centre-ville,

---

1. Gamme d'eaux minérales gazeuses, aromatisées (citron, lime) ou non.

j'ai fini par trouver Blindveien. Elle a eu l'air infiniment soulagée. J'ai remonté l'allée de gravier, aussi soulagé qu'elle. Pour la première fois, elle a souri, et je me souviens que j'ai pensé que c'était dommage, pour ses dents. Parce qu'elles étaient vraiment très proéminentes. Mais cela mis à part, elle était jolie. Quand elle fermait la bouche, donc. Je suis descendu de voiture, et elle aussi. J'ai voulu sortir sa valise du coffre, mais elle m'a fait signe d'attendre. Et elle est allée sonner à la porte. Personne n'a ouvert. Elle a sonné, encore et encore. Je faisais les cent pas dans la cour, en attendant. Elle était de plus en plus perturbée, on aurait dit qu'elle allait se mettre à pleurer. Ils savent que tu arrives ? je lui ai demandé. Oui, elle a répondu. Il a dû se passer quelque chose. *Something is wrong.*

« Elle est remontée en voiture. Sans dire un mot. Je ne savais pas ce qu'elle voulait, et j'attendais, moi aussi. Le taximètre courait, on en était arrivé à une somme rondelette. Il n'y a pas un endroit où tu puisses appeler ? lui ai-je demandé, mais elle a secoué la tête. Alors elle m'a prié de la reconduire en centre-ville. En arrivant là-bas, elle m'a fait signe de m'arrêter. À la taverne. Elle m'a dit qu'elle voulait y attendre. J'ai sorti sa valise de la voiture, et elle m'a payé. Le voyage revenait à plus de mille quatre cents couronnes[1]. Elle avait l'air totalement harassée. Ce que j'ai vu en dernier, c'est qu'elle traînait sa valise en haut des marches. J'ai traversé la route pour faire le plein ; il y a une station Shell, de l'autre côté. Ensuite, je suis retourné en ville. Je n'ai pas pu l'oublier. Je pensais au long voyage qu'elle avait fait, pour trouver porte close. On a dû la berner de A à Z. C'est vraiment dégueulasse, conclut Kolding.

_____

1. Soit un peu plus de 170 euros.

Il reposa le chargeur à monnaie et regarda Sejer.

— Non, elle n'a pas été bernée. Mais celui qui devait venir la chercher à l'aéroport en a été empêché. Elle n'a jamais su pourquoi. Mais si elle l'avait su, elle lui aurait pardonné.

Kolding le regarda avec curiosité.

— Sur le chemin entre Elvestad et la maison… as-tu remarqué quelque chose ? Du monde le long de la route ? Des voitures en stationnement ?

Kolding n'avait rien vu. Il y avait peu de circulation. Aux questions qui suivirent, il répondit qu'il était chauffeur de taxi depuis deux ans, marié et père de ce petit choriste depuis trois mois. Il confirma par ailleurs approximativement les horaires.

— Tu as fait le plein, se souvint Sejer. Qui tenait le comptoir ? À la station Shell ?

— Une jeune. Blonde.

— Tu as acheté autre chose ?

Kolding le regarda sans trop comprendre.

— Autre chose ? Des trucs à boire ou à grignoter, vous voulez dire ?

— N'importe quoi.

— En fait, j'ai acheté une batterie de voiture, reconnut-il finalement.

Sejer réfléchit un instant.

— Tu as acheté une batterie pour auto à la station-service d'Elvestad ?

— Oui. Ils avaient une promo intéressante. On ne trouve pas de batteries si bon marché en ville, expliqua Kolding.

— Et… cette batterie, où est-elle, à présent ?

— Dans ma voiture, naturellement. Mon véhicule personnel, s'entend.

Sejer pensa à une batterie pour voiture, au poids que cela pesait. À ses parois lisses et dures. Si on en lâchait une sur la tête de quelqu'un, les dégâts ne seraient pas minimes. L'idée lui fit regarder attentivement le visage de Kolding. Se dire que Poona avait voyagé dans sa voiture.

— Qu'est-ce que tu as fait d'autre dans cette station-service ?

— Bof, pas grand-chose. J'ai bu un Coca, pendant que j'y étais. J'ai jeté un coup d'œil au présentoir CD, feuilleté *VG*[1].

— Tu as donc passé un peu de temps, là-dedans ?

— Seulement quelques minutes.

— Tu n'as pas vu l'Indienne repartir de la taverne ?

— Non, non.

— Et ensuite, où es-tu allé ?

— Je suis retourné en ville. Je n'ai pas de course d'Elvestad. Je n'avais plus qu'à faire le retour à vide.

— Le taxi que tu conduis... quel genre est-ce ?

— C'est une Mercedes noire.

*
* *

— Combien de personnes habitent à New Delhi ?

Ils étaient à la cantine. Sejer chipotait dans son assiette.

— Vraisemblablement plusieurs millions, estima Skarre. Et on n'a même pas son prénom.

Sejer n'aimait pas beaucoup l'idée que Poona Bai puisse avoir un frère qui ne sache rien de la situation. Il récupéra la décoration de sa tartine. Ils mangèrent un moment en silence.

— Le temps court, fit remarquer Sejer.

— Eh oui. C'est souvent ce qu'il fait.

---

1. *Verdens Gang* (*Le Cours du monde*), quotidien semi-tabloïd norvégien vis-à-vis duquel les opinions sont très partagées.

— Le coupable l'utilise bien. Il se construit une défense. Il se débarrasse d'indices.

— La valise, par exemple, articula Skarre tout en mâchonnant.

— Et les vêtements qu'il avait sur lui. Les chaussures. Les blessures qu'il avait à la suite du pugilat auront le temps de cicatriser. Parle-moi d'Einar Sunde.

Skarre réfléchit.

— Mutique. Plein de mauvaise volonté. Totalement dénué d'envie de se retrouver sous les feux de la rampe.

— Ou effrayé, intervint Sejer.

— Pas impossible. Mais il était seul dans son bar quand le meurtre a eu lieu. Peu de chances qu'il ait fermé la porte, qu'il soit sorti et ait passé Poona à tabac, pour ensuite revenir cuisiner ses hamburgers.

— Nous n'avons que sa parole qui atteste qu'il était bien seul.

Sejer s'essuya la bouche avec sa serviette.

— Ça va être le genre d'affaires dans lesquelles les gens ont une trouille bleue de parler, présagea Sejer. Tout va être utilisé contre eux, tôt ou tard. Mais je pense à cette gosse, Linda. Elle est réellement passée à vélo, elle les a vus. Sans rien voir d'autre qu'une chemise blanche.

— Ce sont des choses qui arrivent...

— Il doit bien y avoir un moyen de la faire se souvenir.

— On ne peut pas se rappeler quelque chose que l'on n'a pas vu, objecta Skarre. Les impressions visuelles ont pu être multiples, mais si elles n'ont pas été traitées par le cerveau, elle ne pourra jamais les faire revenir.

— Fichtre, quel puits de science !

— Psychologie élémentaire du témoin.

— Eh bien ! On n'avait rien de tel, nous.

— Vous avez bien dû avoir de la psychologie ?

— Un seul et unique exposé. De deux heures. En tout et pour tout.

— Sur tout le cursus ?

— Il a fallu que je trouve tout par moi-même.

Skarre regarda son chef avec incrédulité.

— C'est avec une certaine tristesse que je dois le reconnaître, poursuivit-il, mais je ne sais pas trop jusqu'où elle est sérieuse. Elle est trop enthousiaste.

— Si les psychologues réussissent à faire en sorte que les gens se souviennent de leurs vies antérieures aussi loin que l'âge de la pierre, vous devriez parvenir à raviver dans la mémoire de Linda le souvenir de deux personnes dans un champ, il y a quatre jours.

— Le sérieux commence à t'abandonner, constata sèchement Skarre.

— Je sais.

Il s'arrêta tout net.

— J'ai une heure devant moi. Je vais aller faire un tour à Hvitemoen. J'emmène Kollberg, il a besoin de prendre l'air.

Ils débarrassèrent leurs plateaux. Sejer sortit sur le parking. Tandis qu'il approchait, il vit la voiture qui s'agitait violemment. Le lourd leonberg faisait des bonds à l'intérieur. Pas aussi légèrement que par le passé, songea-t-il brusquement. Mais ce n'était plus un chiot.

Il brossa quelques poils cuivrés de son pantalon. Il laissa le chien faire ses besoins dans les buissons, avant de reprendre la voiture vers Elvestad. Arrivé à Hvitemoen, il se rangea là où Linda avait vu la voiture rouge. L'endroit était marqué par deux tresses orange. Il libéra de nouveau le chien et se mit en route vers le virage par lequel Linda était arrivée en vélo. Une fois là-haut, il se retourna et regarda en contrebas. D'où il était, il pouvait à présent observer son propre véhicule. Le soleil luisait sur le capot et le faisait scintiller comme de l'argent, bien qu'il fût en réalité bleu. Il redescendit la route à pas rapides, le chien à côté de lui. Quelques mètres plus bas, il tourna la tête et jeta un coup d'œil dans le champ, vers la zone où ils avaient trouvé la femme. Une personne serait vraisemblablement visible jusqu'à la taille, compte tenu de la distance et des hautes herbes. Il braqua derechef le regard sur sa voiture. Que voyait-il, en fait ? Que le véhicule était imposant, large, que la peinture en était métallisée. Au premier coup d'œil, elle pouvait passer pour gris argent, ou gris tout court. Une voiture perçue comme rouge pouvait en réalité avoir été brune. Ou orange. Le découragement s'empara de lui. Il se planta au bord de la route, jeta un coup d'œil dans l'herbe pour s'assurer qu'elle était sèche et s'assit. Le chien vint se mettre à côté de lui et le regarda, dans l'expectative, avant de commencer à renifler ses poches. Sejer en sortit un biscuit pour chien et demanda qu'on lui donne la patte. Une grosse patte lourde. Kollberg engloutit le biscuit.

— Il ne faut pas être aussi gourmand, murmura Sejer.

Kollberg émit un petit aboiement sourd.

— Non, je n'en ai pas d'autres. Tu as l'air patraque, ajouta-t-il pensivement.

Il releva la tête de l'animal et plongea son regard dans les yeux noirs.

— Moi non plus, je ne suis pas spécialement heureux. Concernant ce qui s'est passé.

Il regarda à nouveau fixement vers le champ. Vers le mur noir de sapins qui dissimulaient partiellement la maison de Gunwald. Une fenêtre scintilla. Comment avait-il osé ? Il se rendit subitement compte que rien de tout cela n'avait été planifié. Il était question d'un homme qui était tombé par hasard sur une femme. Elle avait fait du stop, peut-être, ou avait marché le long de la route, et il était arrivé en voiture. Elle, en tant que femme, dans toute sa personnalité exotique, avait allumé quelque chose en lui. Il ne pensait plus de façon rationnelle, qu'il faisait toujours clair, que quelqu'un pouvait arriver à tout moment. Comme Linda, à vélo. Comment un homme pouvait-il accumuler tant de fureur envers quelqu'un qu'il ne connaissait peut-être pas ? Encore que, cela, ils ne le savaient pas. À supposer qu'elle n'ait pas servi de représentation pour une autre. Ou pour toutes les autres femmes. Un homme lésé qui n'avait pas eu ce qu'il voulait, un grand enfant dédaigné. Un homme doté de beaucoup de force, ou bien d'une arme extrême, il ne comprenait pas quoi. Qu'avait-il eu dans la voiture rouge ? Sejer pressentait que là se trouvait une partie de la solution. L'arme leur apprendrait une part de son identité. Étaient-ce réellement les deux que Linda avait vus ? Ce devait être eux, l'heure coïncidait. L'avion s'était posé à 18 heures. Elle était montée dans le taxi de Kolding à 18 h 40. Ils étaient arrivés chez Jomann à 20 heures et à Einars Kro à 20 h 15. Sunde avait dit l'avoir vue repartir aux alentours de 20 h 30. Seule, sur la route. Là, elle avait rencontré quelqu'un. Avait-elle erré sur cette route avec sa lourde valise ? Anders Kolding avait dit qu'elle était lourde et qu'elle l'avait pratiquement traînée dans le bar. Un homme était arrivé en voiture. Il imagina un véhicule rouge, et son conducteur, qui apercevait la femme basanée. Elle avait dû apparaître infiniment exténuée et tentante. Une femme menue dans de beaux vêtements. Où comptait-elle aller ? Retourner chez Jomann, probablement, la direction était la même. Pensait-elle attendre assise sur les marches ? Si elle n'avait pas été arrêtée sur la route, elle aurait effectivement retrouvé Jomann. Il était de retour chez lui à 21 h 30. Mais elle n'était jamais arrivée. Après son long voyage depuis l'Inde, elle était morte à un kilomètre de sa maison. Il imagina l'homme qui s'arrêtait pour lui parler. Peut-être montrait-il la valise du doigt, en demandant à la femme où elle allait.

Je peux t'emmener, c'est sur mon chemin. Il a alors pris la valise et l'a mise dans le coffre. A ouvert la portière pour sa passagère. Elle se sentait en sécurité, elle était dans le pays de Gunder, la petite et sûre Norvège. Ils ont roulé. Il lui a demandé ce qu'elle allait faire chez Gunder. Elle lui a peut-être répondu que c'était son mari. Sejer avait beau se cramponner à cette image, elle lui échappa, car il ne savait pas ce qui avait déclenché la fureur et l'attaque. La voiture fut hors de portée, disparut dans le virage. Le chien lui donna un léger coup du museau.

— À un endroit comme celui-ci, murmura Sejer en regardant autour de lui le bois, le champ et la maison de Gunwald, à un endroit comme celui-ci, les gens se protègent les uns les autres. C'est toujours comme ça. S'ils ont vu quelque chose qu'ils ne comprennent pas, ils n'osent pas le raconter. Ils partent du principe que ce doit être faux, parce que j'ai grandi avec ce type, j'ai travaillé avec lui, et en plus de ça, c'est mon cousin. Ou mon voisin. Ou mon frère. On est allés à l'école ensemble. Alors je ne dis rien, de toute façon, ce sera faux. Nous sommes comme ça, nous, les hommes. Et ce n'est pas plus mal, hein, Kollberg ?

Il baissa les yeux sur le chien.

— Il ne s'agit pas de mauvaise volonté, ici, c'est la bonne volonté qui empêche les gens de dire ce qu'ils savent.

Il resta un long moment le regard braqué dans le champ, tout ouïe. Linda n'avait strictement rien entendu. Le pager de Sejer bipa, et il reconnut le numéro de Snorrason. Il tira son mobile de sa poche et appela.

— J'ai fait une trouvaille, déclara le légiste. Il se pourrait que ce soit intéressant.

— Oui ?

— D'infimes traces d'une poudre blanche.

— Continue.

— Sur sa sacoche, et dans ses cheveux. Très, très peu, mais on l'a isolée et envoyée au labo.

Sejer remercia. Kollberg s'était relevé. Une poudre blanche. Que l'on pouvait tracer. Des stupéfiants ? Il jeta un dernier coup d'œil vers le bois. La femme avait-elle couru d'elle-même à travers le champ après avoir aperçu la maison de Gunwald et y avoir vu un salut possible ? Il n'y avait nulle part ailleurs où courir. Pourquoi n'avait-elle pas crié ? Gunwald n'entendait que les cris graves. Mais peut-être entendait-il mal ? Pourquoi avait-il arrêté sa voiture juste ici, où on pouvait si facilement le voir ? Pouvait-elle avoir ouvert la porte pendant qu'ils roulaient, pour s'enfuir ? Linda avait précisé que la portière était ouverte du côté passager. Avait-elle vu la route de l'autre côté, ce qui lui avait donné l'envie d'y courir ? Vers le Norevann. Il laissa le chien grimper dans le véhicule et s'installa au volant. Ferma les yeux. Comme il le faisait souvent. À ce moment-là, le véritable paysage disparaissait et d'autres images émergeaient de sa conscience. Qui défilaient en scintillant, claires, nettes. *D'après les statistiques, un homme d'entre vingt et cinquante ans. Ayant très probablement un emploi stable, mais pas au terme études très poussées. Un homme qui manque de mots pour préciser qui il est et ce qu'il ressent. Il a peut-être des amis, mais il ne se lie à personne. Une relation bien nébuleuse avec les femmes. Une âme lésée.*

Sejer traversa la route et descendit lentement vers le lac. Au bout de cinq cents mètres environ, il arriva à une baie encaissée terminée par une plage pierreuse. Aucune maison, aucun chalet. Il resta un instant à fixer l'autre rive. Il n'y avait pas âme qui vive. Il plongea la main dans l'eau, très froide, et la passa ensuite sur son front. Il avait à sa droite un bois dense, impénétrable. Une jetée étroite s'étirait à sa gauche. Il alla jusqu'à son extrémité, où il découvrit les restes d'un feu, dans lesquels il joua un instant avec la pointe de sa chaussure. L'eau était noire, peut-être profonde. Il aurait pu la faire disparaître. C'est ce que faisaient beaucoup de gens, les jeter à l'eau, les enterrer. Rien n'avait été fait pour dissimuler le meurtre. Rien n'avait été fait pour les mettre sur de fausses pistes. Un assassin désorganisé, que caractérisaient le trouble et le manque de contrôle. Il retourna ensuite au commissariat.

*
* *

Skarre entra immédiatement en trombe. Comme à son habitude, il mâchonnait une guimauve à la réglisse.

— Alors, Kolding ? demanda-t-il, plein d'espoir. Ce n'est pas notre homme ?

— Crois pas. S'il ne l'a pas tuée avec la batterie de voiture qu'il prétend avoir achetée à la station-service d'Elvestad. Je passerai les voir pour discuter un peu avec eux. Il reste d'ailleurs le pénible boulot de contrôler les anciens auteurs d'attentats à la pudeur.

— Mais il ne l'a pas violentée ?

— Ça a pu être sa première intention. C'est horrible à dire, mais j'aurais aimé qu'il y parvienne. On aurait retrouvé davantage.

— Quelle est la probabilité pour que celui-ci se soit déjà manifesté ?

157

— Assez importante. Mais il peut être jeune, et ne pas en avoir encore eu le temps.

— Il l'est ?

— Cette fureur, qui a été si intense... il y a quelque chose de jeune, là-dedans. J'ai cinquante ans, murmura-t-il pensivement... Je ne crois pas qu'il ait cinquante ans. Trente, tout au plus.

— Trente ans, et costaud.

— Et mortellement blessé. Peut-être par une femme, ou par toutes les femmes. On devient très fort, quand on est en colère. D'autant plus qu'il avait une arme redoutable. Qu'est-ce que tu as dans ta voiture, Jacob ?

Ce dernier gratta ses boucles.

— Une caisse à outils en métal, avec de petits outils dedans. Un cric. Un triangle de signalisation. Des trucs du genre. De temps en temps, un cintre pour ma veste.

— Mazette !

— Une thermos, si je dois faire un long trajet. Une lampe de poche.

— Trop petit.

— La mienne est énorme. La plus grosse Maglite, elle fait quarante centimètres de long.

— Elle est trop anguleuse, et aurait occasionné d'autres blessures.

— Et puis j'ai quarante cassettes dans la boîte à gants, plus quelquefois un sac de bouteilles vides, à l'arrière, que j'oublie toujours de rendre à la consigne. Et toi, qu'est-ce que tu as, dans ta voiture ?

— Kollberg.

Il alla à la fenêtre. Skarre le rejoignit. Ils réfléchirent un moment en silence.

— Il compte les heures, lâcha Sejer.

— Il les accumule, ajouta Skarre.

— L'heure devient une manie. Le journal tous les matins. Et les infos. Toutes les infos qui filtrent.

Il suit, note tout. Essaie de découvrir ce que nous savons.

— Autant dire pas grand-chose. Et Jomann ?

— Il a quitté l'hôpital vers 21 heures. Ils me l'ont confirmé. Il lui faut une demi-heure pour rentrer chez lui.

— Et il n'a rencontré personne ?

— Une Saab blanche. À toute berzingue. Il s'en est fallu de peu qu'ils s'emplafonnent.

— Moi aussi, j'ai tendance à écraser un peu le champignon sur les routes de campagne, sourit Skarre.

*
* *

Un homme entra dans la chambre. Gunder lâcha la main de Marie. Il reconnut Sejer, et il se rendit brusquement compte que tout était une effrayante méprise. La sacoche-banane était probablement un exemplaire parmi plusieurs milliers. Sejer contempla un instant cet homme voûté.

— Comment ça va ? s'enquit-il.

Gunder le regarda avec découragement.

— Je ne comprends pas comment ça va finir. Ils disent qu'ils vont bientôt devoir lui mettre le tube dans la gorge, parce que ça lui fait du mal d'avaler. Ils lui font tout bonnement des trous dans la gorge pour y passer des tuyaux. Je ne comprends pas où on va, répéta-t-il.

Un silence momentané s'abattit entre les deux hommes.

— Est-ce que vous avez trouvé son frère ? demanda Gunder.

— Non, mais nous cherchons. Il y a beaucoup de monde à New Delhi, nous devons être sûrs d'avoir trouvé la bonne personne.

— Il ne voulait pas qu'elle s'en aille, expliqua-t-il tristement. D'ailleurs, je paierai le billet. Faites-le-lui savoir. C'est de ma responsabilité.

Sejer promit de transmettre le message. Gunder se passa une main froide sur la nuque.

— Vous me le direz, quand je pourrai l'enterrer ?

— Ça prendra certainement quelque temps, hésita Sejer. Il y a pas mal de choses qui doivent être clarifiées d'abord. Il faut que nous discutions avec son frère de l'endroit où elle doit être enterrée. Il faudra peut-être vous attendre à ce qu'il veuille la reprendre avec lui. En Inde.

— Ah non ! s'exclama un Gunder livide. Non, elle sera enterrée ici, près de l'église d'Elvestad. C'est ma femme, quand même, s'inquiéta-t-il. J'ai l'extrait d'acte de mariage ici même, précisa-t-il en posant une main sur sa poche.

— Oui. Je dis cela pour vous préparer. On comprend bien ce genre de choses. Mais ça peut être long.

— C'est ma femme. C'est à moi de décider.

Gunder montait sur ses grands chevaux. Ce qui n'arrivait par ailleurs jamais. Tout son corps lourd en tremblait.

— En Inde, la tradition veut qu'ils incinèrent leurs défunts, n'est-ce pas ? tenta prudemment Sejer. À quelle religion appartenait-elle ?

— Elle était hindoue, répondit-il à voix basse. Mais pas spécialement pratiquante. Elle aurait voulu reposer ici, auprès de moi. Ça, j'en suis sûr.

Ils se turent de nouveau.

— Mais si son frère veut la récupérer en Inde, qu'est-ce que je vais faire, à ce moment-là ? s'écria-t-il, perdu.

— Il y a certainement des règles pour les situations comme celle-là. Vous avez des droits, c'est certain. Un juriste pourra vous aider, n'y pensez pas pour le moment. Pensez à vous et à votre sœur. Vous ne pouvez rien faire d'autre pour votre femme.

— Si ! Je peux veiller à ce qu'elle ait un bel enterrement. Je vais m'occuper de tout. Je suis en arrêt maladie. C'est pour cela que je passe mes journées ici. Peu importe pour moi l'endroit où se trouve le fauteuil sur lequel je passe ma journée. J'ai aussi un lit, précisa-t-il en pointant un doigt vers le lit près de la fenêtre. Karsten n'a pas la force de rester ici. Karsten, c'est son mari, expliqua-t-il. C'est triste, pour Karsten. Il est littéralement terrorisé.

— J'étais souvent comme ça vis-à-vis de ma mère, confia Sejer. Elle est morte voilà deux ans. Les derniers temps, elle était allongée, les yeux levés sur rien, sans rien dire. Elle ne me reconnaissait pas. Je me disais : d'une certaine façon, elle doit quand même enregistrer que je suis là. Même si elle ne sait pas que c'est moi, elle sent au moins qu'il y a quelqu'un près de son lit. Elle sent qu'elle n'est pas seule.

— Comment passiez-vous le temps ?

— À marmotter pour moi-même, sourit Sejer. De tout et n'importe quoi. De temps en temps, je lui parlais directement, à d'autres moments seulement à moi. Je pensais à voix haute. En m'en allant, j'avais véritablement l'impression d'être venu la voir. D'avoir fait quelque chose. Si on se contente de rester sans rien dire, c'est un peu plus pénible.

Il regarda Gunder.

— Il n'y a qu'à parler, tout simplement. Personne ne vous entendra, ici. Parlez-lui de Poona, conseilla-t-il. Racontez-lui tout ce qui s'est passé.

— Je ne sais pas si j'en aurai la force, répondit Gunder, la tête baissée.

— C'est un moyen de l'assimiler. Vous n'avez peut-être pas le sens de la gestion psychiatrique des crises. Vous avez une sœur. Racontez-lui tout.

— Mais elle n'entend rien !

— Vous en êtes sûr ?

Sejer tapota l'épaule de Jomann.

— Je sais que vous avez largement de quoi occuper vos pensées. Si vous voulez demander quoi que ce soit, appelez. Sur cette carte, il y a mon numéro, à la maison et au boulot.

— Merci.

Sejer gagna la porte.

— Je dois vous dire une chose, confia Gunder, gêné.

— Oui ?

— J'ai une photo de Poona. Je vous l'ai cachée.

— Vous voulez bien me la prêter ?

— Si je la récupère.

*
* *

Le flux des informations arrivant par téléphone se tarit. Les manchettes se réduisirent à de modestes notes. Poona ne faisait plus la première page. Conformément à ses desiderata, Jomann n'était pas expressément nommé. Mais l'information filtra. Il ne s'était pas fait d'illusions. Sejer eut enfin du temps pour réfléchir. Cette poudre blanche, qu'est-ce que ça pouvait bien être ? Les pensées se bousculaient dans sa tête, tandis qu'il observait la carte murale d'Elvestad et ses environs. Le carrefour et la station Shell, la taverne d'Einar, le commerce de Gunwald. La route qui partait vers Hvitemoen. Le champ et le Norevann. Poona représentée par une croix rouge, à l'endroit exact où ils l'avaient trouvée. La voiture rouge rangée sur le bas-côté. Linda à vélo. Tout était en place. Il est venu du centre, songea Sejer, sa voiture avait le pif tourné vers Randskog. Non, pas fatalement. Il venait peut-être de l'autre côté. Il l'a aperçue, est passé à son niveau et a fait demi-tour. Le bon-

162

homme était seul dans sa voiture, il a été pris d'une impulsion. Il avait un objet lourd dans sa voiture. Poona pesait quarante-cinq kilos, le type pouvait faire deux fois son poids. Linda, qu'est-ce que tu as vu, bonté divine ? se demanda-t-il. Tu connais la plupart de ceux qui habitent à Elvestad. Lui, tu le connaissais ? Est-ce que tu sais quelque chose que tu n'oses pas raconter ?

Il se mit à griffonner sur un bloc. Depuis l'avion. À travers le hall des arrivées. Jusqu'à Kolding. Jusqu'à Einar. Seule sur la route.

Je ne l'ai pas vue sortir, j'ai entendu la porte claquer.

Einar Sunde disait-il la vérité ? Pourquoi est-elle partie ? Sur la route avec sa lourde valise. Parce qu'elle ne savait plus où elle en était ? Quand on s'en va, c'est vers une solution. La campagne norvégienne, avec ses champs dorés, a dû éveiller la confiance chez elle, qui venait d'une mégalopole de douze millions d'habitants. Des rues si pleines de monde qu'on n'arrivait presque jamais nulle part. Et ici, elle allait seule. La femme basanée, comme une fleur étrangère entre le laurier de Saint-Antoine et le pissenlit. Il quitta la salle de réunion et entra dans son bureau, sortit le dossier du tiroir, feuilleta et lut. Ses propres rapports, ceux de Skarre, les dépositions de témoins. Le téléphone sonna. C'était Snorrason.

— Dis-moi que tu as de bonnes nouvelles, le pria Sejer.

— La poudre blanche. C'est du magnésium.

— Je suis nul en chimie. À quoi ça sert ?

— On ne peut pas dire à coup sûr quelle fonction cette poudre-là a eue. Elle peut vraisemblablement servir à plusieurs choses. Mais je me suis fait quelques idées. Ou alors, on va discuter avec les gens, et on verra bien ce qu'ils en pensent. On utilise aussi le magnésium à des fins médicales, mais c'est un autre composé.

— Rappelle-moi quand tu sauras quelque chose. Et évite la presse.

— Promis.

Il reposa le combiné et ferma le dossier. Magnésium, songea-t-il. En poudre. Qui se trimballait avec du magnésium ? Quelqu'un qui travaillait dans le chimique, peut-être. Est-ce que cela renseignait sur le lieu de travail ? Il pensa que Kolding avait acheté une batterie pour voiture. Pile en face d'Einars Kro, de l'autre côté de la route, à un moment où Poona s'y trouvait, à seulement quelques mètres de lui. Il quitta le bureau et se rendit à la station-service d'Elvestad. Mode Bråten se tenait derrière le comptoir. Il contempla Sejer avec une curiosité tranquille, semblant apprécier la situation dans son ensemble. Ce grand empoté qui dominait son comptoir, avec toutes ses questions. La plupart des gens battaient automatiquement en retraite, Mode se pencha vers l'avant et le regarda comme un client d'exception.

— Ce n'est pas moi, se défendit-il avec un sourire plein d'humour. Comme je l'ai dit à celui qui est venu il y a peu, je ne travaillais pas ce soir-là. Je suis allé jouer au bowling. C'était Torill, qui bossait. Elle habite juste en face. Je peux l'appeler pour lui demander de venir.

— Ah ! s'exclama Sejer en plantant son regard gris dans celui de son interlocuteur, ça, c'est ce que j'appelle du service.

— Tout juste, sourit Mode. C'est une station Shell.

Deux minutes plus tard, une jeune femme entra dans la boutique.

— C'est tranquille, ici, surtout le soir. Alors je me souviens bien de lui, s'emballa-t-elle. Il a fait le plein de gasoil et s'est payé un Coca, se remémora-t-elle.

— Rien d'autre ? s'enquit Sejer.

— Si. Une batterie. Et il a lu *VG* en douce. Mais il ne l'a pas acheté.

— Ce qui fait qu'il a passé quelques minutes ici ?

— Oui. Mais il n'a rien dit. Il s'est contenté d'aller et venir.

— Quelle heure était-il quand il est parti ? Vous vous en souvenez ?

— Non, hésita-t-elle. Environ 20 h 30, peut-être...

— Vous avez vu la voiture, à ce moment-là ?

— Oui. Il a dû avoir un appel. Le bandeau était éteint.

— Une course ? Ici ? Il est parti vers la ville ?

— Non. Il a pris à gauche, vers Randskog.

— Vers Hvitemoen, autrement dit, compléta Sejer en plissant le front.

— Oui.

Il jeta un coup d'œil lugubre à la jeune Torill.

— Vous êtes absolument certaine qu'il a pris à gauche ? Et pas à droite, vers la ville ?

— Bien sûr ! J'ai même vu son clignotant.

Elle posa sur lui un regard des plus clairs.

— J'en suis sûre à cent pour cent.

Ça par exemple, pensa-t-il. Une fois sorti, il s'arrêta pour regarder la taverne d'Einar, de l'autre côté de la route. Et si Kolding avait joué la montre en traînassant dans la boutique de la station-service pour voir si Poona ressortait ? L'Indienne lui tournicotait peut-être toujours dans la caboche, en même temps que l'idée qu'elle était seule et démunie. Elle avait peut-être redescendu les marches, en traînant sa valise. Kolding pouvait l'avoir suivie et prise en stop. En ayant une batterie dans son coffre. Ou bien Torill se trompait-elle dans ses souvenirs ? Parole contre parole. Il y en avait toujours beaucoup. Mais il y avait peu de chances que Torill eût des choses à cacher. Kolding s'était trouvé bien au chaud dans la voiture, avec Poona à l'arrière. Il l'avait regardée dans son rétroviseur. Il était jeune. Prisonnier d'un mariage, avec un mioche qui lui tapait manifestement sur le système. Très fatigué, peut-être déstabilisé. Et en dépit de toutes les incitations, il n'avait jamais téléphoné à la police. Sejer rentra tranquillement chez lui. Les voitures allaient et venaient dans sa tête. Les yeux injectés de sang de Kolding. Ses mains nerveuses qui jouaient avec le chargeur à monnaie. Un gringalet. Mais avec une batterie, il n'avait pas besoin de muscles.

*
* *

Linda alla chercher une pile de vieux journaux dans l'escalier de la cave. Puis elle s'installa à la table de la cuisine et les parcourut lentement. Il y avait beaucoup à lire à propos du meurtre de Hvitemoen. Elle s'arma d'une paire de ciseaux et commença à découper. Il y avait plusieurs photos de policiers, mais aucune de Jacob. Son visage était en train de disparaître. Mais elle se rappelait sa voix et ses yeux.

Pourtant, il y avait cette voiture. Chaque fois qu'elle pensait à cette voiture rouge, elle ressentait une peur diffuse. Elle n'avait pas appelé Jacob. Ce qui était peut-être un hasard pouvait malgré tout avoir son importance. Et si elle appelait tout simplement pour dire : ce pouvait être une Golf. Rien de plus, pas de façon plus certaine. À ce moment-là, ils pourraient exclure d'autres pistes. Ce n'était par exemple pas une Volvo, ni une Mercedes. Les ciseaux tranchaient le papier, elle eut bientôt un joli tas d'articles et de photos. Qu'elle ordonna chronologiquement avant de les glisser dans une pochette plastique. Pendant un instant, elle fut tentée de souligner quelques phrases. Un témoin à vélo affirme avoir vu deux personnes sur le lieu du crime, qui pourraient avoir été la victime et son meurtrier. Ou bien : nouveau témoin important dans l'affaire d'Elvestad. Mais elle n'était pas puérile à ce point. Elle entra dans le salon et s'assit près du téléphone, la carte de Jacob à la main. Elle se la passa sur la joue, la renifla et plissa la bouche en cul-de-poule. Elle traça avec coquetterie trois croix sur le nom du policier. Qu'importait ce que l'on faisait, quand personne ne le voyait ? Une idée très séduisante, dans le fond. Puis elle composa le numéro. Elle se mit à trembler lorsqu'il répondit, et dut s'efforcer de paraître ferme et réfléchie, ce qu'elle n'avait jamais été. Elle tenta d'être concise, elle avait décidé de ne dire que cela, que c'était une Golf. Mais Jacob ne s'en contenta pas. Elle n'était pas préparée au tour que prit la conversation et perdit le contrôle. Ne pouvant se rétracter, raccrocher, car Jacob lui aurait échappé.

— Tu connais quelqu'un qui conduit une Golf rouge ? interrogea-t-il.

Elle fut immédiatement sur la défensive et répondit du tac au tac :

— Non.

— Est-ce que tu en as vu une semblable à Elvestad ?

— C'est possible, reconnut-elle alors, mais personne que je connaisse bien.

— Mais tu connais donc quelqu'un à Elvestad qui roule en Golf rouge ?

Linda se mordit la lèvre.

— Il n'a rien à voir avec le meurtre, il y a juste que sa voiture ressemble.

— Nous entendons bien, persista Skarre. Je cherche juste à savoir comment tu en es arrivée à cette conclusion. Que c'était peut-être une Golf.

Voilà pourquoi je te pose la question. Si tu as son nom, j'aimerais bien l'avoir.

Linda avait le regard braqué sur le jardin et les arbres, de l'autre côté de la fenêtre. Ils ressemblaient à des soldats en guerre, avec leurs cimes pointues. Son cœur tambourinait. N'allait-il pas venir ? Ne le reverrait-elle pas ? La peur s'immisça en elle. La sensation d'avoir initié quelque chose. Cette simple idée la faisait frémir. Mais le nom ? Et les blessures qu'il avait ? Elles ressemblaient à de longues griffures teigneuses.

— Tu es là, Linda ? s'enquit Jacob à travers le combiné.

Elle s'adoucit sur-le-champ. Il la suppliait, à présent.

— Gøran, répondit-elle. Gøran Seter. On l'a griffé au visage, aussi.

À cet instant précis, de vigoureux flashs blancs illuminèrent le ciel, à plusieurs reprises, comme pendant le blitz. On n'entendait pas de coups de tonnerre, rien qu'un chuintement faible. Éclairs de chaleur, pensa-t-elle le souffle court. Seulement des éclairs de chaleur. C'est l'automne.

Lorsque Skarre vit la jeune fille frémissante, il pensa instantanément à une tranche de rosbif. Fine comme du papier à cigarette et crue, à engloutir. Il pria Dieu de lui pardonner cette pensée gourmande et afficha le sourire le plus aimable qu'il put.

Linda n'aimait pas du tout l'idée que tout ce qu'elle raconterait doive être transcrit, et qu'elle doive ensuite le relire avant d'apposer sa signature en dessous.

— On doit pouvoir laisser tomber le nom de Gøran ? s'angoissa-t-elle.

— Bien sûr. Et un petit conseil : garde tout ça pour toi. Ça t'évitera d'avoir des problèmes plus tard. On ne plaisante pas avec la rumeur publique, avec la presse non plus. Est-ce qu'ils sont déjà venus, à propos ?

— Non.

Comment ferait-elle front s'ils se pointaient avec les caméras et tout le reste de l'attirail ? Elle n'en savait rien. Elle n'avait parlé de la Golf à personne, et son regard était assuré, à cet instant précis, parce que c'était vrai. Elle s'échinait à trouver un autre moyen d'impressionner Jacob. Il replia son papier et se leva. Elle tenta une dernière attaque désespérée.

— Quand vous aurez trouvé celui qui a fait ça, est-ce que je peux compter être témoin au procès ?

Il la regarda en souriant.

— Pas que je sache, Linda. Tes observations ne sont pas assez sûres.

Elle fut indiciblement déçue. Puis il fut de nouveau parti, et elle se retrouva plantée là, la main sur les lèvres. Elles avaient l'air grosses. Elle alla chercher l'annuaire, l'ouvrit à S et trouva Skarre, Jacob, Nedre Storgate 45, ainsi que son numéro, qu'elle mémorisa deux fois. Il demeura ensuite comme gravé dans sa mémoire. Elle reprit la pochette avec les coupures de journaux et monta dans sa chambre. S'arrêta un instant devant son miroir. Puis elle relut l'ensemble. Elle devait garder cette affaire au chaud. Souffler dessus comme on souffle sur des braises. C'était devenu quelque chose dont elle se nourrissait, presque une sorte de mission de toute une vie. Elle se rappelait un enquêteur de Kripos[1] qui avait été relevé d'une affaire parce qu'il avait noué une relation avec un témoin pour ensuite se marier avec elle. Ce n'était même pas un témoin important, même pas aussi

---

1. KRIminalPOlitiSentralen, Centrale de Police Criminelle.

important qu'elle. À l'idée de tout ce qu'elle pouvait déclencher, elle rougit et s'échauffa. Elle pensa à ce que Jacob avait dit, qu'elle ne devait parler à personne, ce qu'elle ferait. Hormis à Karen.

*
* *

Les rumeurs couraient. Se glissaient partout où il y avait une faille. La défunte était la femme de Gunder Jomann, qu'il était allé chercher en Inde ! Si Poona était arrivée indemne à bon port, elle ne s'en serait pas tirée à si bon compte. Ils l'auraient toisée jusqu'à l'impitoyable. Mais la mort, ça, elle ne l'avait pas méritée, et Gunder s'attira de la sympathie pour ses excès amoureux. Ce qui les dévorait encore davantage, c'était que la voiture de Gøran Seter avait été vue juste à côté du lieu du crime. Ils étaient préparés à ce que les rumeurs courent, et ils ne croyaient pas un seul instant que Gøran ait pu tuer quelqu'un, c'était un beau jeune homme que tout le monde connaissait. Ils s'attachaient plus à l'identité de la personne qui non seulement avait vu une voiture semblable, mais qui en outre avait appelé la police. Pour leur donner le nom de Gøran. Ils buvaient chez Einar. Frank, la performance de Margit, un type mince et pâle qu'on appelait Nouille, et Mode de la station Shell. Frank posa ses gros avant-bras sur la table.

— Pourquoi ne me soupçonnent-ils pas moi, par exemple ? J'ai une Toyota rouge, et j'ai l'air d'un sauvage.

Einar approuva ce dernier point.

— Mais ta Toyota est marron, prétendit-il depuis son bar.

— Brun rouille, affirma Frank. De loin, elle a l'air rouge.

170

— Mais en fait, je crois que c'était toi, Einar. Les journaux disent qu'elle est venue boire un thé ici.

Einar tira un panier métallique plein de frites hors de la graisse en ébullition.

— Évidemment ! Elle a débarqué en se dandinant avec sa valoche, je l'ai flanquée dans la voiture et je l'ai conduite à Hvitemoen, je lui ai explosé la tête et je suis rentré comme une balle pour m'occuper de mes steaks hachés. Aussitôt dit, aussitôt fait.

Il se fendit d'un renâclement.

— Ce doit être ce vieux Gunwald, estima Nouille. Il habite juste à côté de l'endroit où ça s'est produit, et ça fait une éternité qu'il est veuf. Alors il a vu cette bonne femme en sari passer sur la route, et il est parti à grands pas, les bijoux de famille à l'air.

Le point de vue déchaîna les rires de tous. Einar secoua la tête.

— Elle n'avait pas de sari. C'était plus une espèce de costume avec pantalon. Bleu foncé, ou bleu-vert. Non, ça ne doit pas être quelqu'un d'ici.

— Non, parce qu'on est bien évidemment meilleurs que tous les autres, approuva Frank.

— Moi, je crois qu'il est du coin. Maintenant, on est plusieurs milliers, ici. Tu peux jurer que c'est ici qu'ils cherchent.

— Oh, ce doit être Mode, intervint Einar. Il était à la station, avec sa compta, et il l'a vue partir d'ici. Alors il s'est jeté dans la Saab et il l'a suivie.

— Ma voiture est blanche, répondit tranquillement l'intéressé. En plus, c'est Torill qui était dans le magasin. Moi, je jouais au bowling à Randskog.

— C'est vrai que tu as ta boule à toi, maintenant ? lui demanda Einar.

— Oui ! cria Nouille. Et pas n'importe laquelle. Elle est claire comme du cristal. Et elle pèse vingt et une livres. Et au centre, il y a un petit scorpion noir. Il se fait appeler Scorpion, sur le tableau des scores.

— Merde, c'est bien chichiteux, tout ça ! s'écria Frank.

Mode se faisait chahuter selon toutes les règles de l'art. Les coups pleuvaient. Il se défendait, au bowling, avec un record personnel de deux cent trente points.

— Mais on ne sait pas si la voiture était rouge, objecta Einar avec un sourire d'une oreille à l'autre. Il n'y a qu'un abruti qui en a vu une. Et qui s'est imaginé que ça pouvait être une Golf.

— Un abruti du coin. Et depuis, les rumeurs courent sur Gøran, compléta Frank.

— Sûrement celle qui fait toujours du vélo, supposa Nouille. Princesse aux yeux éclatants, aux cheveux presque blancs. D'ailleurs, un jour, elle était dehors, le blase collé à la voiture de Gøran. Ensuite, elle est entrée dans le bar. Il est même allé lui demander ce qu'elle reluquait.

— Linda Carling ? demanda Einar.

— C'est ça. Celle qui est en promo, tu sais. Putain, elle a appelé les perdreaux. Je parie que c'est elle.

Tous burent leur bière en silence. Frank se roula une cigarette de travers, Einar saupoudra des épices pour grillades sur des pommes de terre sautées et lui porta l'assiette.

— Qu'en dit Gøran ?

Frank fit claquer le capuchon de son Zippo et huma la nourriture.

— Gøran ne s'affole pas. Il dit qu'ils parlent à tout le monde.

— Je viens de me rappeler quelque chose, fit Mode. Gøran est venu ici, ce doit être le jour où elle est morte. Non, le lendemain. Il avait des griffures au visage.

— Sûrement Ulla, ricana Frank. Elle est pire qu'un chat.

172

— Non, mais merde, je me demande si les condés l'ont vu.

— Elles ont cicatrisé depuis belle lurette, éclaira Einar. Non, presque cicatrisé.

— Maintenant, oui. Mais les gens ont bien dû le voir, objecta Nouille.

Frank le fusilla du regard.

— Alors s'ils viennent te voir et se lancent dans leur interrogatoire croisé, tu mettras un point d'honneur à ne pas l'oublier ? De dire qu'il était griffé ?

— Bien sûr que non. Je ne suis pas idiot.

— Pourquoi ne le dirait-il pas ? intervint tranquillement Mode. Tu as peur que ce puisse être lui, peut-être ?

— Bien sûr, que ce n'est pas lui.

— Pourquoi on ne peut pas parler de ces marques, alors ?

— Pour lui épargner des emmerdes. C'est une fausse piste, évidemment.

À cet instant précis, la porte se referma. Gøran arriva, suivi de son chien. Un silence de mort s'abattit sur la table. La culpabilité se lisait sur leur visage à tous. Gøran leur jeta un regard des plus mesurés.

— Le clebs, commença Einar. Dehors.

— Il peut bien rester couché sous la table, rétorqua Gøran en tirant une chaise dont les pieds raclèrent durement le sol.

— Le clébard sort, répéta Einar.

Gøran se leva à contrecœur et disparut. Il attacha le chien à la balustrade, à l'extérieur, et rentra. Einar lui tira une pinte.

— Bois ta pinte pendant que tu le peux encore, ricana Nouille.

— Ben tiens ! s'exclama Gøran. Parce que dans pas longtemps, je serai en cabane. Non, on n'en est pas là. Ils voulaient savoir où j'étais allé ce jour-là.

Ils ont noté deux ou trois trucs et sont repartis. Il y a beaucoup de gens à Elvestad qui ont une voiture blanche. Il leur reste encore à faire.

— Oui, oui. Moi, en tout cas, j'ai un alibi, pouffa Frank. On était au cinéma, ce soir-là. J'ai même gardé le billet. Maintenant, je ne vais pas le bazarder, tu penses bien ! On ne peut pas compter sur ces gens-là. Des gens sont continuellement condamnés à tort.

— En règle générale, ils chopent le bon, estima Nouille.

— Tu as trouvé celui qui a donné ton nom ? demanda Frank à Gøran.

— Non. Je m'en balance.

— Ce doit être Linda. Celle aux cheveux albinos ?

— J'avais envisagé la possibilité, répondit Gøran, le regard vissé au fond de sa pinte.

— Elle les a bien vus dans le champ, aussi, bordel…

— Elle en a vu les contours, rectifia Frank.

— Qui a dit ça ? demanda Gøran très vite.

— Karen.

— Dieu sait ce qu'elle a réellement vu.

La bière clapota dans le verre de Gøran.

— Elle devrait faire attention à ce qu'elle dit. Bon Dieu. Si un malade se promène dans le coin et si elle passe son temps à causer aux poulets, tout est possible. À sa place, je ferais profil bas.

— Cette nénette n'a jamais fait profil bas, nota Einar.

— Si elle avait vraiment vu un truc important, les flics seraient plus avancés. Ce n'est même pas sûr que ce soient eux qu'elle a vus.

— À ce qu'ils disent, si ! s'écria Nouille en faisant de grands gestes avec les bras. Pense un peu à tout ce que le police sait et ne dit pas. Ils racontent peut-être qu'elle n'a vu que deux silhouettes, tout bonnement pour la protéger. Alors qu'en vérité, elle a vu bien plus.

— Ça, j'en doute, répéta Einar en déposant des chopes vides dans le lave-vaisselle.

— C'est ce qu'ils font, affirma Nouille. Ils laissent filtrer quelques miettes pour la presse, pour qu'ils se tiennent à distance, alors qu'ils ont un peu de tout.

— Alors en tous les cas, tu es innocent, Gøran, le rassura Einar, sans quoi ils t'auraient coffré il y a longtemps. Linda sait bien qui tu es. Si c'était toi qu'elle avait vu, elle l'aurait dit depuis belle lurette.

— Les albinos comme elle sont miros, postula Gøran, grande gueule.

— Elle n'est pas albinos. Elle est seulement très blonde. Mais elle ne voit pas plus loin que le bout de son nez. Pourquoi est-ce qu'Ulla n'est pas avec toi ?

— Ulla est au lit avec je ne sais pas trop quoi, répondit Gøran sur un ton mauvais. Les filles me courent vraiment sur les godasses.

Il but lentement sa bière. Son regard se perdit. Les autres le regardaient en douce. De fines raies rouges étaient encore visibles sur son visage, et sur la main qui tenait la pinte.

— On pensait que vous vous étiez peut-être bagarrés, reprit Frank. Puisque tu es toujours, disons, marqué à la figure ?

— C'était le cabot, sourit Gøran. Ça arrive qu'on mesure nos forces. Il faut régulièrement rappeler à cette bestiole qui est le patron.

— Alors ? Qu'ont dit les condés ?

— Ils doivent parler à tout le monde. Alors tenez-vous prêts, invita Gøran en serrant la pinte entre ses pattes. Tu as entendu, Einar ?

— Ils sont déjà venus, répondit-il en haussant les épaules avec indifférence. Ils ont envoyé un collégien tout bouclé. Je dois avouer que je tremblais dans mon falzar.

— C'est celui qui est venu chez moi, confirma Gøran. Il n'avait pas spécialement l'air d'une flèche.

— Les flèches filent chez Kripos, expliqua Frank.

Mode pensait très fort.

— Je me demande s'ils élaborent un profil du tueur, murmura-t-il. C'est à la mode, ces temps-ci. Le pire, c'est que ça correspond, la plupart du temps.

— Hé, ce n'est pas exactement Chicago, ici, objecta Nouille.

— Non, mais quand même…

Mode avait une façon un peu rêveuse de parler, comme s'il pensait à voix haute.

— Je me demande aussi si c'est vrai que les assassins préfèrent certaines marques de voiture. À savoir, dis-moi ce que tu conduis, je te dirai qui tu es.

Les autres pouffèrent de rire, car ils connaissaient le penchant de Mode pour les conclusions hâtives quand il s'agissait de ce dans quoi les gens roulaient.

— Prends Volvo, par exemple, poursuivit Mode. Volvo est la voiture typique du vieux. Même chose pour Mercedes. Il n'y a qu'à regarder Gunder Jomänn et Kalle Moe, et vous verrez que ça colle. Tandis qu'une personne qui conduit une voiture française, elle a en quelque sorte un certain style, le sens du confort et de l'élégance. Mais pas de sens pratique. Les voitures françaises sont attrayantes, mais impossible de mettre les mains dans le moteur. Ceux qui achètent des voitures jap, eux, ils ont le sens pratique, mais ils manquent de style et d'élégance.

Ces mots déchaînèrent les rires généralisés, tous pensaient à la voiture de Frank.

— Et puis tu as BMW, continua Mode pensivement. Ce sont les mecs qui en veulent trop. BMW, c'est de l'affichage à cent pour cent. Tandis que les voitures anglaises sont souvent conduites par des hommes un peu efféminés. Et puis il y a Opel. Opel révèle aussi bien du style que du sens pratique que de la confiance en soi. Sans parler de Saab !

Nouveaux rires de hyènes autour de la table. Mode avait une Saab.

Il but un peu de sa bière et regarda Gøran.

— En ce qui concerne Skoda et Lada, je préfère ne rien dire.

— Alors il reste les Golf, intervint Nouille en regardant les autres.

Gøran écoutait, bras croisés.

— Les Golf sont très intéressantes, commença Mode. Elles sont conduites par des gens de tempérament. Qui ont besoin que les choses aillent vite, et qui sont continuellement en mouvement. Rapides tant sur la pédale qu'ailleurs. Un tantinet excités, peut-être.

— Il me semble que tu devrais proposer tes services à la police, suggéra Einar depuis son bar. Avec tes connaissances des gens et des voitures. Tu es inestimable.

— Je sais, ricana Mode.

Einar referma le lave-vaisselle et éteignit trois fois de suite la lumière. Les jeunes gens poussèrent des grognements mécontents, mais terminèrent leurs verres en toute hâte et les rapportèrent au comptoir. Personne ne désobéissait à Einar. De temps en temps, cela les surprenait.

La soirée fut bientôt fort avancée. La lumière avait disparu et les arbres étaient déjà de sombres silhouettes. Gunwald attacha le chien en laisse et passa tranquillement la lisière du bois. Il ne se résolvait pas à traverser le champ. Le silence le tourmentait, sans qu'il comprît pourquoi. Mais ce qui s'était passé l'avait sérieusement ébranlé. Tous les gens du canton étaient des têtes connues. Et voilà que quelqu'un d'extérieur avait semé la mort et la dépravation. Si c'était un étranger. Gunwald n'avait jamais eu peur du noir. Il secoua la tête et continua à descendre. C'était un parcours habituel qu'il suivait tous les soirs. Cela lui donnait la sensation d'avoir rempli son devoir vis-à-vis du chien grassouillet. C'était bon de l'avoir. Pas une personnalité forte ni très présente, peut-être. Pas un chien de concours, ni très obéissant. Seulement cette compagnie silencieuse. Des pattes qui traînaient un peu par terre. Cet avertissement bien connu quand quelqu'un approchait de la maison. Ils étaient au bout de la route, et il arriva sur un pré herbeux qui descendait vers le lac. Ses pas devinrent silencieux. Le ciel respirait au-dessus de lui, il sentait ses cheveux bouger. Il entendit soudain un son bien connu. Un bruit de moteur, encore faible, mais qui approchait rapidement. Il regarda l'heure. Une voiture près du Norevann, tard dans la soirée, cela lui échappait. Il plongea entre les arbres et attendit pendant que le chien faisait ses besoins. Gunwald ne comprit pas pourquoi il fut instantanément saisi par la peur. C'était ridicule, il était venu ici pendant des années, tout comme bien d'autres personnes, avec ou sans chien. Il tendit l'oreille. La voiture descendait lentement, presque en hésitant, la route en terre. Elle s'arrêta. Ses phares éclairaient la surface du lac de leur lumière halogène froide blanc bleuâtre. Ils s'éteignirent, et l'obscurité revint. Une silhouette apparut. Elle alla chercher quelque chose à l'arrière de la voiture, avant d'aller vers la jetée. Gunwald recula encore un peu entre les arbres, en se disant : maintenant, le chien va se mettre à aboyer. Mais celui-ci ne le fit pas, il écoutait, lui aussi. Dans la lumière décroissante qui tombait du ciel, Gunwald voyait la silhouette d'un homme. Qui se tenait tout au bout de la jetée, avec dans la main un objet gros et lourd. Cela ressemblait beaucoup à une valise, remarqua-t-il. L'individu se retourna et regarda autour de lui. Puis il balança brusquement le bras, et on entendit un plouf ! puissant. Gunwald sentit son cœur battre la chamade. Le chien était comme médusé à côté de lui. L'homme retourna rapidement à sa voiture. Que des gens jettent des choses dans le lac ne signifiait probablement rien de particulier, se dit Gunwald. Malgré tout, il tremblait. Cette voiture qui venait de nulle part, cet homme qui regardait à la hâte par-dessus son épaule, cela l'effrayait. L'autre était arrivé à sa voiture. Il resta un instant à fouiller la pénombre du regard, tandis que Gunwald était recroquevillé entre les arbres. Le chien, contaminé par la peur qu'éprouvait son maître, était comme changé en statue de glace. Ses oreilles étaient dressées. L'homme s'assit au volant, démarra et recula. Il prit un virage brusque et repartit dans le bon sens, pour disparaître vers la nationale. Gunwald en était tout à fait sûr. L'homme, c'était Einar Sunde.

Il resta un bon moment à cogiter dans son fauteuil. Devait-il faire savoir ce qu'il avait vu ? D'après ses souvenirs, les journaux avaient parlé d'une valise disparue. Mais il s'agissait d'Einar, un homme qu'il connaissait. Depuis toujours. Un père de famille travailleur, à la conduite irréprochable. Il est vrai que des ragots couraient quant à la stabilité de son mariage, sous-entendant que sa femme avait des secrets. Mais Gunwald était indulgent, il ne jugeait personne sur ce genre de choses. Il s'était vraisemblablement débarrassé de saloperies, et ce n'était à vrai dire pas légal, mais on ne téléphonait pas à la police pour ça. S'il appelait, on saurait qui il était. On pourrait l'utiliser contre lui par la suite. Et Einar n'avait bien évidemment pas liquidé une femme sans défense. Ça, il en était sûr. Mais c'était peut-être important. Pourquoi jeter une valise dans le lac ? Si c'était bien une valise. Il pouvait passer un coup de fil anonyme, ce devait être légal. Il ferma les yeux et revit la scène. Le froid l'envahit subitement. Il se leva et alla chercher une bouteille d'eau-de-vie dans le placard, et s'en versa un grand verre. Il ne voulait pas être mêlé à ce genre de choses. Or elle, la jeune Linda Carling, elle était passée en vélo et elle avait dit qu'elle savait, sans aucune réserve. Mais elle était jeune et pleine d'allant. Lui était vieux, la soixantaine bien sonnée. En revanche, s'il appelait pour dire : il y avait quelqu'un tout au bout de la jetée, et il a lancé quelque chose dans le Norevann. Je sortais le chien. Je n'ai pas vu qui c'était, ni ce qu'il balançait. Mais ce pouvait être une valise. Ils iraient peut-être voir dans l'eau et trouveraient quelque chose. Et si c'était un sac-poubelle, ça n'aurait pas de conséquences. Appeler rapidement et ne dire que cela. Ne pas donner le nom d'Einar. Il but davantage d'eau-de-vie. En outre, si c'était la voiture d'Einar, rien ne prouvait que ce fût lui qui conduisait. Il avait un fils qui lui empruntait sa voiture de temps à autre. Ellemann. Ce pouvait être Ellemann Sunde. Mais celui-ci était trapu, et le type était grand. Aucun doute, c'était la voiture d'Einar. Il n'avait pas vu le numéro d'immatriculation, mais il connaissait cet arrière, le véhicule était toujours garé devant la taverne, dos à la route. Une Sierra break. Il la voyait quotidiennement depuis son magasin. Est-ce que la ligne mise à disposition par la police était accessible maintenant, à une heure aussi tardive ? Il but davantage d'eau-de-vie. C'était difficile d'aller se coucher sans pouvoir en parler à personne. Einar ne jetterait par ailleurs jamais d'ordures dans le lac, se dit-il soudain. Devant sa taverne, il avait un énorme container que Vestengen Transport vidait une fois par mois. Gunwald ne l'avait jamais vu plein. Il contenait des gobelets en carton, du polystyrène et des filtres à café. Il regarda son chien et lui caressa la tête.

— On appellera demain. Maintenant, il fait nuit. Tu n'as pas aboyé, murmura-t-il, incrédule. Je ne pige vraiment pas pourquoi. Tu ne sais faire que ça.

*
* *

La profondeur était d'environ cinq mètres, et l'eau était très trouble. Deux plongeurs s'activaient. Sejer se tenait à l'extrémité de la langue de terre, regardant les deux silhouettes floues se tortiller comme des poissons. Skarre le rejoignit.

— Parle-moi de Gøran Seter, lui enjoignit Sejer.

— Beau jeune homme. Dix-neuf ans. Fils unique de Torstein et Helga Seter. Habite chez ses parents, dans sa chambre. Travaille dans une menuiserie. Il s'entraînait en ville, le 20 au soir, à la salle de sport Adonis. Il est passé à Hvitemoen vers 20 h 30.

— Et après ?

— Il était avec sa copine Ulla. Ils étaient de baby-sitting chez la sœur de cette dernière.

— Comment a-t-il réagi à tes questions ?

— Il a répondu à tout sans sourciller. Mais j'ai remarqué quelques traits rouges sur son visage. En partie cicatrisés.

Sejer leva les yeux.

— Tiens donc. Tu lui as posé la question ?

— Il s'était amusé avec le chien. Il a un rott-weiler.

— Cet entraînement... est-ce qu'il le suit de manière intensive ?

— C'est à peu près sûr. Ce type est une montagne de muscles. Pas loin du quintal, probablement.

— Tu l'as apprécié ?

Skarre sourit. Sejer avait parfois des questions étranges.

— Oui. En fait, oui.

— Il faut contrôler auprès de sa copine.

— Je ne te le fais pas dire.

— J'ai pensé à une chose, rebondit Sejer. Qui se promène le soir ? Tard le soir, ici, près du lac ? Les gens qui ont un chien ?

— Sûrement.

— Si j'avais habité là où habite Gunwald, c'est exactement ici que je serais venu pour faire prendre l'air au clebs.

— Je ne crois pas qu'il lui fasse prendre l'air. Il ressemble à un hippopotame, son cabot.

— Mais il faut qu'on parle à son patron. Si c'est lui qui a appelé, il craquera comme un élastique à bucques. Il n'est pas spécialement costaud.

— Un élastique à bucques ?

— On verra ce qu'on trouve.

— Il était bizarre, au téléphone, expliqua Skarre. Il a déblatéré son texte, comme s'il l'avait appris par cœur, avant de raccrocher. Mort de trouille.

— Pourquoi, d'après toi ?

— Je crois qu'il mentait. Il a dit qu'il n'avait fait que voir les contours d'un gars. En réalité, il a peut-être vu qui c'était. Et ça l'a effrayé. Peut-être parce que c'est quelqu'un qu'il connaît ?

— Et voilà.

Skarre regardait fixement vers les profondeurs. Des bulles remontaient dans l'eau et éclataient. L'un des hommes-grenouilles apparut à la surface et nagea vers la rive.

— Il y a quelque chose, là-bas. On dirait une caisse.

— Est-ce que ça pourrait être une valise ? s'enquit Sejer.

— Possible. Elle est lourde. Il nous faut une corde.

On lui fournit une glène de nylon, et il disparut de nouveau. Les hommes restés à terre retenaient leur souffle. Sejer était penché en avant et observait, les yeux plissés jusqu'à l'étourdissement.

— Ils remontent. Ils sont prêts.

Deux techniciens tirèrent, un petit peu à chaque fois. Ils virent bientôt apparaître un objet sous la surface. Ils virent la poignée à laquelle la corde verte était nouée. Sejer ferma les yeux de plaisir. Il saisit la poignée et participa à haler l'énorme valise sur la terre ferme. Elle demeura un instant dans l'herbe, trempée, luisante. C'était une vieille valise de similicuir munie d'une solide poignée. Une pochette brune du même matériau était fixée sur son flanc. Un porte-adresse était attaché à la poignée, mais l'inscription avait été effacée par l'eau. Il pensa involontairement à Jomann.

— Est-ce qu'il y a beaucoup d'eau qui est entrée dedans ?

— Pas mal. La valise est vieille et usée.

Sejer souleva le bagage.

— Fichtre, elle est lourde. Je ne comprends pas comment elle a pu marcher sur une aussi longue distance avec ça.

— Si elle l'a effectivement fait. Elle buvait du thé chez Einar. Einar Sunde l'a vue repartir.

— Mais elle a à l'évidence été tuée à l'endroit où on l'a retrouvée, lui rappela Sejer.

— Et s'ils étaient deux ? S'il y avait eu un client dans le bar quand Poona est arrivée ?

— Que les deux s'en soient pris à elle et que l'un d'entre eux soit parti avec elle pour terminer le boulot ?

— Oui, un truc dans le genre.

Sejer déposa prudemment la valise dans la voiture.

— Skarre, on part vérifier le contenu de ceci. Toi, tu vas voir la copine de Gøran Seter.

— Bien, chef.

Sejer leva les yeux au ciel.

— Elle travaille au centre commercial, à la parfumerie, l'informa Skarre. Ça correspond bien, non ? Un tas de muscles et un pot de peinture, c'est conforme à la règle.

— Va-t'en, ordonna Sejer.

— Pourquoi tu deviens chiant ?

— Tu dis qu'il avait des griffures au visage. Vérifie son alibi.

La valise n'était pas fermée. Elle était garantie contre une ouverture accidentelle par deux larges courroies bien serrées. Sejer poussa les taquets sur le côté, et on entendit deux déclics bien nets. Il souleva alors le couvercle. Des vêtements mouillés et des chaussures apparurent. Il passa un moment à contempler ces couleurs exotiques. Vert turquoise, jaune citron, orange. Et les sous-vêtements. Ils avaient l'air flambant neufs, et étaient rangés dans des sacs plastique transparents. Deux paires de chaussures. Une trousse de toilette à fleurs. Une sacoche contenant des élastiques à cheveux de différentes couleurs. Une brosse à cheveux. Un peignoir, rose, brillant comme de la soie. Le linge était bien ordonné, bien serré. Le peu de possessions semblaient abandonnées, déplacées, dans la salle de réunion. Ces affaires les bouleversaient. Elle était censée les ranger dans les tiroirs dans la chambre de Jomann. La brosse dans la commode, la trousse de toilette dans la salle de bains. Les chaussures dans un placard. Elle s'était imaginée déballant tandis que son mari l'aiderait. Il lui restait mille mètres à parcourir quand elle était morte.

Dans la pochette brune, ils trouvèrent les papiers de Poona. Son assurance-voyages et son passeport. Sur ce dernier, elle était très jeune et ressemblait presque à une adolescente. Elle ne souriait pas.

— Ce sont désormais les affaires de Jomann, déclara Sejer. Prenez-en soin. C'est tout ce qu'il lui reste.

Les hommes acquiescèrent. Sejer pensa à sa femme, Elise. Sa brosse était toujours sur l'étagère sous le miroir, cela faisait treize ans qu'elle y était, elle ne devait pas en être retirée. Tout le reste avait disparu. Vêtements et chaussures. Bijoux et sacs. Mais pas la brosse. Jomann placerait peut-être cette brosse sous le miroir, lui aussi. Que des choses puissent prendre autant d'importance. Il quitta la pièce et appela l'hôpital. Ils lui confirmèrent que Jomann était assis près du lit de sa sœur.

*
* *

Le centre commercial grouillait de monde. Étrange que Gunwald puisse survivre, songea Skarre. Il chercha la parfumerie, et découvrit un comptoir encastré entre Garnbua et Nøkkelboden[1]. Une fille lisait derrière ledit comptoir. Les yeux de Skarre parcoururent à toute vitesse les flacons, pots, tubes et coffrets. À quoi servaient-ils tous ? se demanda-t-il. Une étagère modeste était consacrée aux hommes. Il étudia les flacons et jeta un coup d'œil à la jeune Ulla.

— Que me conseilleriez-vous, interrogea-t-il, si je voulais sentir un peu bon ?

---

1. Soit un magasin de broderies et un serrurier.

Elle arriva au triple galop et posa sur lui un regard professionnel.

— Hugo Boss, c'est bien. Et Henley. Ça dépend un peu si vous voulez attirer l'attention ou non.

— Oui, j'aimerais bien attirer l'attention, s'enthousiasma Skarre.

Elle choisit un flacon sur l'étagère. Le déboucha et aspergea son poignet. Il renifla docilement et lui fit un sourire.

— Eh bien, eh bien, fit-il en riant. Celui-ci est osé. Combien coûte-t-il ?

— Trois cent quatre-vingt-dix[1].

Skarre s'en vaporisa quelques giclées dans le cou.

— N'oubliez pas qu'il y a des années de recherche derrière un parfum comme celui-ci, expliqua-t-elle doctement. Une éternité d'essais et d'échecs avant d'arriver à un résultat satisfaisant.

— Mmm. C'est vous, Ulla ?

— Oui, répondit-elle, surprise. C'est moi.

— Police. Vous comprenez certainement pourquoi je suis ici.

Ulla était très large d'épaules et avait une poitrine imposante. Qui avait l'air authentique. Elle était par ailleurs mince et avait de longues jambes, et était joliment maquillée.

— Alors je vais devoir vous décevoir. Je ne sais rien de ce qui s'est passé à Hvitemoen.

— Ça, je m'y attendais, sourit Skarre, mais c'est ainsi que nous travaillons. Nous retournons les pierres.

— Il n'y a rien qui grouille sous moi, répliqua-t-elle en prenant un air savamment offensé, ce qui suscita chez Skarre un rire un peu honteux.

— Non, certainement pas. J'essaie simplement d'impressionner, mais ça ne réussit pas chaque

---

1. Un peu moins de 50 euros.

fois. Est-ce qu'il y a un endroit où nous pouvons parler tranquillement ?

— Je ne peux pas partir d'ici.

— Vous ne pouvez demander à personne, juste pour un instant ?

Elle regarda autour d'elle dans le vaste local. Deux filles étaient installées au comptoir du fond, et elles n'avaient pas grand-chose à faire. Elle fit signe à l'une d'entre elles, qui arriva au pas de course.

— Il y a un coin café, là. On peut s'y installer.

Les chaises étaient épouvantables, en fonte. Skarre résolut le problème en s'asseyant tout au bord et en se penchant en avant.

— Par acquit de conscience, nous en sommes à un stade où nous éliminons les gens de cette affaire. Vous comprenez ? Nous essayons de découvrir où les gens se trouvaient le soir du 20. Et ce qu'ils ont pu voir.

— D'accord. Mais je n'ai absolument rien vu.

Elle le regarda, dans l'expectative.

— Ça ne m'empêche pas de vous demander : où étiez-vous le 20 au soir ?

— D'abord à l'Adonis, où je me suis entraînée. Avec un type que je connais.

— Lequel ?

— Un qui s'appelle Gøran.

Skarre trouva qu'elle avait un vocabulaire particulier s'agissant de son petit copain, mais il n'en dit rien.

— On a terminé vers les 20 heures, peut-être. J'ai pris le bus pour aller chez ma sœur qui habite à dix kilomètres d'Elvestad. Elle est mariée et a un gamin de deux ans. Je devais le garder.

— Ah oui ? Vous êtes restée combien de temps ?

— Jusqu'à minuit, à peu près.

— Et... ce Gøran, il était avec vous ?

— Non, répondit-elle sèchement. Je n'ai pas besoin de compagnie pour m'occuper d'un gosse de deux ans. J'ai regardé la télé, et je suis rentrée avec le dernier bus.

— Tu n'étais donc pas avec ton copain ?

Elle lui lança un regard de défi.

— Copain ? Qui dit ça ?

— Gøran.

— Je n'ai pas de copain, trancha-t-elle.

Skarre posa le menton dans ses mains et la regarda. Elle portait un bel anneau serti d'une grosse pierre à un doigt.

— Tu n'es pas avec Gøran Seter ? demanda-t-il calmement.

— Plus, répondit-elle, et il décela une certaine résignation dans sa voix.

— C'est terminé ?

— Oui.

— Depuis quand ?

— Ce jour-là, justement. Le 20, après l'entraînement. J'en avais ma claque.

De longues secondes passèrent en tictaquant tandis que Skarre digérait l'information et en devinait vaguement la signification.

— Ulla, reprit-il à mi-voix, pardonne-moi si je pose des questions indiscrètes. Mais j'ai besoin d'avoir un certain nombre de détails sur cette rupture entre toi et Gøran.

— Pourquoi ça ? demanda-t-elle d'une voix hésitante.

— Je ne peux pas te l'expliquer. Aie l'amabilité de me dire ce que tu peux. Où et comment est-ce arrivé ? Exactement ?

— Mais enfin, pourquoi est-ce que je devrais parler de ça ?

— Je comprends que tu penses que ce ne sont pas mes oignons. Mais détrompe-toi.

188

— Aucun d'entre nous n'a rien à voir dans cette histoire. Je n'en ai pas envie.

Elle se referma. Skarre crocheta.

— Tu n'as pas besoin d'entrer dans les détails. Contente-toi de me donner un bref aperçu de la façon dont ça s'est déroulé.

Il planta son regard bleu dans celui vert d'Ulla. Ça fonctionnait dans la plupart des cas, et elle ne fit pas exception.

— Ça faisait presque un an que nous étions ensemble. On s'entraînait souvent tous les deux, à l'Adonis, deux ou trois fois par semaine. Je n'y vais pas toujours trois fois, mais Gøran, si. Il vient me chercher, et on y va. On s'entraîne deux ou trois heures, et on repart. On était à l'Adonis le soir du 20, et j'avais décidé que c'était fini. J'attendais qu'on ait terminé la séance. On est allés chacun dans son vestiaire. Je tremblais comme une feuille, avoua-t-elle, je me suis décidée à le remettre à plus tard, trouver une meilleure occasion. Mais ça m'a échappé. On s'est rejoints à la sortie, comme d'habitude. Il s'est payé un Coca, moi un Sprite, qu'on a bus dehors. Alors je lui ai dit. Que j'en avais assez. Et que je voulais prendre le bus.

Le cerveau de Skarre travaillait tous azimuts.

— Ulla, intervint-il, que portait-il ? Après le sport. Est-ce que tu te rappelles ?

Elle le regarda sans trop comprendre.

— Voyons voir… Un pull de sport, avec un col. Blanc. Et un Levis. Noir. C'est comme ça qu'il est habillé d'habitude.

— Comment a-t-il réagi ?

— Il est devenu tout blanc. Mais il ne pouvait rien faire. Quand c'est terminé, c'est terminé. Alors il n'a rien dit. Il a juste fichu le camp et s'est jeté dans sa voiture.

— Est-ce qu'il a dit où il allait ?

— Non. Mais je suis restée un moment à le regarder. Il a passé un coup de fil, je me rappelle. Depuis son mobile. Et puis il est parti. Les pneus ont hurlé.

— On te recontactera, prévint calmement Skarre. Mais il ne faut pas que tu t'en fasses. Tu comprends ?

— Oui, acquiesça-t-elle gravement.

— Tu peux retourner travailler.

Il sortit du centre commercial et grimpa en voiture. Passa un moment à tambouriner sur le volant. Gøran Seter n'avait pas joué les nounous avec Ulla. C'était fini. Il s'était fait larguer. En rentrant, il était passé par Hvitemoen. Il était seul dans sa Golf, et il portait une chemise blanche.

*
* *

À maintes reprises, Linda avait composé le numéro de Karen. Mais la mère de celle-ci disait qu'elle était sortie. Il y avait plusieurs jours qu'elles s'étaient vues. Les gens l'observaient quand elle venait à la taverne ou passait à vélo. Ils avaient l'air hostiles. Debout près de la fenêtre, elle regardait dans le jardin obscur. Les rumeurs circulaient à présent sans plus aucune retenue sur les gens chez qui la police était passée, en particulier ceux chez qui elle était allée plusieurs fois. La mère ne montrait aucun enthousiasme à l'idée que Linda ait pu appeler la police. À ce qu'elle en percevait, elle n'avait aucune possibilité de revoir Jacob. Elle ne voyait pas ce qu'elle pouvait trouver pour le faire revenir chez elle. Elle avait cherché d'autres détails, encore et encore, dans les lueurs perturbantes de sa mémoire. Les deux personnes dans le champ, ce jeu étrange. En y repensant, cela ressemblait toujours à un jeu. Mais Jacob avait dit que l'on voyait ce que l'on voulait voir. Personne ne voulait voir un assassinat. Un homme court après une femme, tel qu'ils le font sempiternellement. Voilà pourquoi elle l'avait interprété de la sorte. Gøran lui avait jeté un sale regard, ce jour-là, chez Einar, quand elle avait regardé sa voiture. Il comprenait à présent certainement le lien. Non qu'elle ait peur de Gøran, mais elle ne souhaitait pas lui attirer d'ennuis. Elle voulait seulement parler de la voiture. Il y en avait beaucoup qui avaient des Golf. Ils pouvaient bien venir de partout. Il était trop tard. Ils avaient interrogé Gøran et Ulla. Elle pensa alors au visage de Gøran, aux blessures qu'elle y avait vues. D'autres avaient dû les voir. D'autres les auraient mentionnées de toute façon. Elle ne dirait plus rien, plus un mot. Mais elle devait revoir Jacob ! Debout près de la fenêtre, elle réfléchissait tant qu'elle pouvait. Sa mère était partie chercher des tulipes en Hollande. Tout était tranquille dans la maison, il était plus de 23 heures. Elle fila tout à coup comme une flèche dans le couloir et verrouilla la porte. Le déclic sec de la serrure l'effraya. Elle s'assit à la table de la cuisine. Lorsque le téléphone sonna, elle sursauta si haut qu'un petit halètement lui échappa. C'était peut-être Karen qui essayait enfin de la joindre. Elle décrocha et cria son nom. Mais personne ne répondit. Elle entendit une respiration. Troublée, elle se figea, le combiné à la main.

— Allô ?

Pas de réponse. Seulement la tonalité. Elle reposa le combiné d'une main tremblante. Ils s'employaient à l'effrayer elle aussi. Elle s'assit dans le canapé et commença à se ronger les ongles. Les arbres au-dehors bruissaient faiblement. Personne ne l'entendrait si elle criait. La panique menaçait de la submerger. Elle alluma la télé, mais l'éteignit aussitôt. Si quelqu'un arrivait à la porte, elle ne l'entendrait pas, avec tout ce boucan. Elle choisit d'aller se coucher. Elle se brossa rapidement les dents et grimpa l'escalier en courant. Tira le rideau. Arracha ses vêtements, se recroquevilla sous l'édredon. Et se mit à écouter, immobile. Elle avait la nette sensation que quelqu'un se trouvait au-dehors. C'était idiot. Il n'y avait jamais eu personne dehors, hormis des chevreuils qui mangeaient les pommes tombées à terre qu'on avait eu la flemme de ramasser. Elle éteignit sa lampe et rampa un peu plus loin sous la couette. Cet homme, qui avait commis cet acte épouvantable, ne viendrait jamais jusque chez elle. Il s'était sûrement caché. Il y avait trois cents personnes qui avaient téléphoné à la police pour lui transmettre des informations. Voyons, elle n'était qu'une parmi trois cents. C'est alors qu'elle entendit un bruit. C'était bien net, pas le fruit de son imagination. Un bruit sec contre le mur de la maison. Elle fit un bond dans son lit. Puis tendit l'oreille, le souffle court. Vint ensuite une sorte de raclement. La nausée la prit. Assise, penchée en avant, les mains sur la poitrine. Il y avait quelqu'un dehors ! Dans le jardin. Elle posa les pieds par terre, prête à partir en courant. On ne tarderait pas à bidouiller la serrure du rez-de-chaussée. Ses oreilles sifflaient, elle n'arrivait pas à penser. Le silence revint. Elle se leva et s'immobilisa, tremblante. La chambre était plongée dans l'obscurité. Elle alla à la fenêtre et glissa deux doigts derrière le rideau. Elle jeta un coup d'œil par le mince interstice. Elle ne perçut d'abord que des ténèbres. Mais ses yeux s'habituèrent, et elle distingua les arbres et la faible lumière de la cuisine qui éclairait doucement la pelouse[1]. Elle vit alors un

---

1. Il est tout à fait habituel, en particulier quand les jours sont les plus courts, qu'une ou plusieurs lumières restent allumées durant la nuit dans les maisons norvégiennes, que ce soit dans le salon ou comme ici dans la cuisine.

homme. Qui regardait vers sa fenêtre. Elle fila dans un coin de sa chambre et s'y figea, respirant à toute vitesse. C'est le châtiment, songea-t-elle. Il allait se venger parce qu'elle avait téléphoné. Prise de panique, elle sortit en trombe et descendit à toute vitesse l'escalier. Elle saisit le téléphone et composa le numéro de Jacob, son numéro privé dans Nedre Storgate, qu'elle connaissait par cœur. Elle hoqueta dans le combiné lorsqu'il répondit.

— Il y a quelqu'un ici ! chuchota-t-elle, déboussolée. Il est dehors et regarde vers ma fenêtre !

— Excusez-moi, entendit-elle, mais qui est à l'appareil ?

— Linda ! cria-t-elle. Je suis seule à la maison. Il y a un homme dans le jardin !

— Linda ? répéta Skarre. De quoi est-ce que tu parles ? !

Sa voix fut un grand soulagement. Elle se mit à pleurer.

— Un homme. Il a essayé de se cacher derrière les arbres, mais je l'ai vu.

Skarre avait fini par comprendre de quoi il retournait et s'employa à parler d'un ton professionnel et apaisant.

— Tu es chez toi, et tu penses avoir vu quelqu'un ?

— J'ai vu quelqu'un ! Bien distinctement. Je l'ai entendu, aussi. Il était tout contre le mur de la maison.

Au grand jamais Jacob Skarre n'avait vécu pareille expérience. Il se donna un instant pour réfléchir. Décida de la calmer, elle était manifestement dans tous ses états.

— Comment as-tu eu mon numéro personnel ?

— Il est dans l'annuaire.

— Oui, évidemment. Tu en as bien le droit. Mais tu comprends, je ne travaille pas, en ce moment.

— Non. Mais imaginez qu'il essaie d'entrer !

— Est-ce que tu as fermé la porte ?

— Oui.

— Linda... Va à la fenêtre. Regarde s'il est toujours là.

— Non !

— Fais ce que je te dis.

— Je n'ose pas !

— J'attends ici. Je ne raccroche pas.

Linda se glissa jusqu'à la fenêtre et scruta le jardin. Celui-ci était désert. Elle resta un moment à observer, puis revint lentement.

— Est-ce qu'il était là ?

— Non.

— C'était peut-être quelque chose que tu t'es imaginé. Parce que tu as peur ?

— Vous me croyez hystérique. Mais ce n'est pas vrai !

— Je ne crois pas. Mais ce dont tu as peur, ça n'arrive pas, Linda.

— Tout le monde sait ce que j'ai dit, renifla-t-elle. Tout le canton.

— Est-ce qu'ils sont inamicaux envers toi ?

— Oui !

Elle étreignait le combiné aussi fort qu'elle le pouvait. Il ne devait pas raccrocher. Elle voulait discuter avec Jacob jusqu'au matin.

— Écoute-moi, Linda, la pria instamment Jacob. Bien des gens sont trop poltrons pour téléphoner. Ils voient des tas de choses, mais ne veulent être impliqués à aucun prix. Tu as été courageuse, tu as dit ce que tu savais. Et tu nous as donné une marque de voiture possible, rien d'autre. Personne ne peut t'accuser de quoi que ce soit.

— Non. Mais je pense à Gøran, reconnut-elle. Il est sûrement en pétard.

— Il n'a aucune raison de l'être. Tu sais quoi ? Je propose que tu retournes te coucher et que tu dormes aussi vite que possible. Demain, les choses auront l'air moins sombres.

— Vous ne viendrez pas faire des recherches ?

— Ce n'est sûrement pas nécessaire. Mais je peux appeler le poste et leur demander d'envoyer quelqu'un si tu en as réellement besoin.

— Je préférerais que ce soit vous qui veniez, répondit-elle à mi-voix.

Skarre poussa un soupir.

— Je suis en congé, expliqua-t-il calmement. Essaie de te détendre, Linda. Les gens sont de sortie, tu sais. Un noctambule a peut-être coupé par ton jardin.

— Oui. Excusez-moi, alors.

Elle serrait le combiné si fort contre son oreille qu'il lui semblait que Skarre était dans sa tête.

— En tout cas, maintenant, je ne dirai plus rien, déclara-t-elle sur un ton de défi.

— Mais tu as dit ce que tu savais, non ?

— Oui, souffla-t-elle.

— Alors très bien. Va te coucher. Je comprends que tu aies peur. Ce sont des choses terribles qui se sont passées.

Ne raccroche pas ! cria une voix en elle. Jacob ! Non !

— Bonne nuit, Linda.

— Bonne nuit.

*
* *

Gunder avait les traits tirés. Il n'était pas rasé, et sa chemise avait un cercle sombre au niveau du col. C'est bien que Marie ne puisse pas me voir, pensa-t-il. Il regarda les affaires de Poona qui jonchaient la table. Ses vêtements étaient secs, mais ils portaient des auréoles dues à leur séjour dans l'eau. On voyait malgré tout à quel point ils étaient beaux. Voici les vêtements de ma femme, se dit-il. Sa chemise de nuit et sa brosse à cheveux. Lorsqu'il ferma les yeux, il se remémora la façon qu'elle avait de toujours soulever ses cheveux vers l'avant par-dessus son épaule pour les brosser.

— Aussitôt que possible, nous les ferons porter chez vous, l'assura Sejer.

— Ce sera agréable d'avoir quelque chose, acquiesça Gunder courageusement.

— Autre chose ; nous avons reçu une lettre de la police de New Delhi. Vous pouvez la voir si vous le désirez.

Il acquiesça et prit le courrier. Lutta un peu pour déchiffrer le texte en anglais.

« Mr. Shiraz Bai, living in New Delhi, confirms one sister Poona, born on the 1st of June 1962. Left for Norway on the 19th of August. Mr. Bai will come to Oslo the 10th of September, to take his sister home[1]. »

Gunder haleta.

— La ramener ? En Inde ? Mais c'est ma femme ! J'ai l'extrait d'acte de mariage. Ce n'est pas moi, son plus proche parent ? Est-ce qu'il a le droit de faire ça ?

Gunder était si remonté qu'il en trépignait sur place. Ses yeux bleus regardaient partout en même temps avec angoisse, et la lettre tremblait entre ses mains.

Sejer essaya de le tranquilliser.

— Nous allons vous aider là-dessus. Nous trou-verons certainement une solution.

— Je dois bien avoir des droits ? Un mariage, c'est un mariage.

— Je n'en disconviens pas.

---

1. « M. Shiraz Bai, habitant à New Delhi, confirme l'exis-tence d'une sœur, Poona, née le 1er juin 1962. Partie pour la Norvège le 19 août. M. Bai se rendra à Oslo le 10 septembre pour ramener sa sœur en Inde. »

Il ouvrit un tiroir de son bureau.

— Mais j'aimerais bien que vous repreniez ceci.

Il tendit une enveloppe allongée à Gunder.

— Sa broche.

Gunder ne put s'empêcher d'essuyer une larme en voyant le beau bijou.

— Elle sera enterrée avec, décréta-t-il.

Il glissa précautionneusement la broche dans sa poche intérieure et serra un peu plus sa veste autour de lui.

— Nous travaillons sans relâche sur cette affaire, le réconforta Sejer. Elle sera élucidée.

Gunder baissa les yeux au sol.

— Bien que je comprenne que vous soyez occupé par d'autres choses, poursuivit Sejer. Vous êtes devenu veuf.

Gunder releva alors la tête. Sejer employait le terme de veuf à son égard. Ça ressemblait à une réparation de préjudice. Il rentra chez lui et appela son beau-frère pour lui parler de Marie. C'était toujours ce qu'il faisait lorsqu'il rentrait de l'hôpital. Il n'y avait pas grand-chose à raconter.

— C'est étrange qu'on puisse rester allongé aussi immobile, confia-t-il à Karsten, sans bouger une paupière. Imagine, si elle perd sa voix.

— Elle ne sera probablement que très éraillée. Elle pourra sûrement la faire fonctionner à nouveau.

— Il faudra tout faire fonctionner à nouveau, s'attrista Gunder. Ses muscles fondent. Ils disent que son corps devient tout mou. Que...

— Oui, oui. Il ne nous reste plus qu'à attendre. Je n'en peux plus d'entendre tous ces bla-bla. Je n'y comprends rien, de toute façon.

L'angoisse montait dans sa voix. Karsten ne mentionna pas Poona, bien que l'identité de cette dernière ait fini par filtrer. Gunder en fut profondément blessé. Il passa un moment à jouer avec le fil tout entortillé du téléphone. Karsten ne venait pas souvent à l'hôpital. Gunder, quant à lui, passait volontiers du temps au chevet de sa sœur. Lui parlait d'une voix basse et triste de tout ce qui s'était passé. « Ils ont trouvé la valise, Marie. Avec ses vêtements. Et son frère arrive. Ça m'angoisse, tu n'as pas idée. Je lui ai pris sa sœur. D'accord, Poona disait qu'ils n'étaient pas spécialement liés, mais quand même. Il lui avait déconseillé de s'en aller. Et il a eu raison. »

C'est ainsi qu'il lui parlait. Qu'il classait ses idées, une par une.

Il était toujours en arrêt maladie, et ne voulait pas aller travailler. Les jours passaient, Bjørnsson appelait de temps en temps pour discuter. Il avait l'air sûr de lui. Il pouvait enfin faire ses preuves, maintenant que l'aîné des vendeurs était évacué. Mais le fermier Svarstad l'avait demandé. Et à en croire Bjørnsson, il en était resté comme deux ronds de flan, à la porte, quand il avait entendu toute l'histoire. Il ne l'aurait jamais cru, que Jomann aurait suffisamment de courage pour partir se trouver une femme à l'étranger.

— Dans une précédente entrevue avec l'un de nos agents, Jacob Skarre, vous avez déclaré avoir passé la soirée du 20 avec votre copine Ulla.

Sejer regarda Gøran Seter, qui lui souriait aimablement. Les blessures qu'il avait au visage étaient réduites à de vagues raies.

— C'est exact.

— Mais d'après une conversation avec elle, il ressort les éléments suivants : elle n'est plus votre petite amie, et elle n'a pas passé la soirée avec vous. Vous vous êtes entraînés ensemble au Studio Adonis de 18 heures jusqu'à environ 20 heures. Vous avez bu du Coca, debout près de la sortie. À la suite de quoi elle a rompu votre relation. Vous êtes ensuite parti, furieux, seul dans votre voiture. Vous êtes donc passé à la hauteur de Hvitemoen entre 20 h 30 et 21 heures.

Gøran ouvrit de grands yeux. C'était un homme très costaud et trapu aux cheveux blonds, dont certaines mèches étaient rouge pompier. Ils pointaient droit en l'air. Ses yeux flamboyaient. Sejer pensa à deux billes de vif-argent.

— Alors comme ça, Ulla a de nouveau cassé ?

Il éclata d'un rire résigné.

— C'est une de ses marottes. Ça arrive régulièrement. J'ai arrêté de prendre ça au sérieux.

— Je suis moyennement intéressé par le fait que vous ayez toujours une relation ou non. Vous avez déclaré que vous étiez avec elle plus tard dans la soirée, chez sa sœur, et ça ne correspond pas.

— Si. Mais excusez-moi, pourquoi dois-je répondre à ça ?

— Nous enquêtons sur un meurtre. Une foule de gens doivent répondre sur une foule de choses. En d'autres termes, vous n'êtes qu'un parmi beaucoup. Si cela peut vous réconforter.

— Je n'ai pas besoin de réconfort.

Gøran était fort et convaincant. Son sourire tenait bien en place.

— Ulla est très confuse, expliqua-t-il.

— Pas selon mon officier.

— Il a dû lui parler quelques minutes. Je la connais depuis facilement un an.

— Bien. Votre version, c'est toujours que vous avez passé la soirée avec elle ?

— Oui. Nous avions un baby-sitting.

— Pourquoi Ulla mentirait-elle là-dessus ? À un officier de police ?

— S'il était sympa, il a pu y avoir tout un tas de raisons. Elle court après tout ce qui bouge. Elle devait vouloir se libérer, probablement.

— Elle était un peu faiblarde, celle-là…

— Vous n'avez pas idée de ce que les filles peuvent trouver pour se rendre intéressantes. Elles n'ont pas de limites, dans ce domaine. Et Ulla ne déroge pas.

— Est-ce que vous étiez déjà allé chez cette sœur ?

— Oui, répondit-il en souriant de plus belle. Voilà pourquoi je peux vous décrire aussi bien le salon que la cuisine ou la salle de bains. Agaçant, n'est-ce pas ?

— Comment étiez-vous habillé quand vous êtes parti de l'Adonis ?

— En polo. Blanc, certainement. Levis noir. Comme je suis habillé tout le temps.

— Vous avez pris une douche après le sport ?

— Bien sûr.

— Et pourtant, vous vous êtes de nouveau douché un peu plus tard ?

Courte pause.

— Qu'est-ce que vous en savez ?

— J'ai discuté avec votre mère. Vous êtes rentré à 23 heures. Vous êtes passé directement à la douche.

— Admettons.

De nouveau ce sourire. Aucune angoisse ou inquiétude. Son corps puissant, soigneusement sculpté, reposait dans le fauteuil.

— Pourquoi ça ?

— Je devais en ressentir le besoin.

— Votre mère a aussi expliqué que quand vous étiez rentré ce soir-là, vous portiez un t-shirt bleu et un pantalon de training gris. Vous vous êtes changé sur le chemin du retour ?

— La vieille n'a pas si bonne mémoire, il faut croire.

— N'y a-t-il que toi qui aies les idées claires dans ce patelin, Gøran ?

200

— Non. Mais sérieusement, elle ne remarque pas ce genre de choses. Quoi qu'il en soit, je m'entraîne en t-shirt bleu et pantalon de survêtement gris.

— Tu es donc parti de l'Adonis en chemise blanche propre, et avant d'arriver à la maison, tu avais remis ces vêtements de sport trempés de sueur ?

— Non, je vous dis. C'est la vieille qui s'emmêle les crayons.

— Qu'avais-tu aux pieds ?

— Des chaussures de footing. Celles-ci, précisa-t-il en tendant les jambes pour que Sejer puisse voir.

— Elles ont l'air neuves ?

— Absolument pas. J'en prends soin.

— Je peux jeter un coup d'œil en dessous ?

Il leva les pieds. Les semelles étaient blanc étincelant.

— Qui as-tu appelé ?

— Appelé ? Quand ça ?

— Tu as passé un coup de fil dans ta voiture. Ulla t'a vu.

Pour la première fois, Gøran se fit sérieux.

— J'ai appelé quelqu'un que je connais. C'est aussi simple que cela.

Sejer réfléchit un instant.

— Voici ta situation à ce jour : tu es passé à l'endroit du meurtre dans une voiture au moment où le crime a eu lieu. Tu conduis une Golf rouge. Une voiture semblable a été vue sur les lieux, garée sur la route. Un témoin a vu un homme en chemise blanche dans le champ. Il était avec une femme. Tu mens sur l'endroit où tu as passé la soirée. Plusieurs témoins ont observé que tu avais des traces au visage quand tu es apparu à la taverne d'Einar le 21, le lendemain du meurtre. Tu les as toujours. Tu comprends certainement que j'ai besoin d'une explication pour ces choses-là.

— Je me suis bastonné avec le clébard. Et je ne passe pas mon temps à agresser les nanas. Je n'en ai pas besoin. J'ai Ulla.

— Elle dit non, Gøran.

— Ulla dit tellement de choses bizarres.

Il ne souriait plus.

— Je ne crois pas. Je reviendrai.

— Non. Je ne veux pas de tous ces rabâchages à ma porte. Merde.

— Dans cette affaire, je ne tiens compte de personne d'autre que de la défunte, précisa Sejer.

— Les gens comme vous ne tiennent jamais compte de rien.

Sejer sortit dans la cour. Avec la nette sensation que Gøran Seter avait quelque chose à cacher. Mais comme tout le monde, se dit-il, et ce n'est pas nécessairement un assassinat. Voilà la raison pour laquelle ce métier était si difficile : un soupçon de culpabilité en toute personne, qui la présentait sous un mauvais jour, parfois de façon complètement imméritée. Le côté impitoyable de la chose, creuser dans les vies d'autres personnes, était la part du boulot qu'il aimait le moins. C'est pourquoi il ferma les yeux et fit réapparaître la terrifiante image de la tête en morceaux de Poona.

Sara attendait dans le canapé avec une thermos de café. Le chien Kollberg était couché à ses pieds. Il pourchassait une proie à travers son rêve, ses pattes effectuaient des mouvements cocasses, comme s'il filait en une course folle. Sejer se demanda si les chiens avaient la même sensation cauchemardesque quand ils rêvaient, celle de courir sans bouger d'un pouce.

— Il ne grandira jamais, constata rêveusement Sejer. C'est un chiot poussé trop vite, ni plus, ni moins.

— Alors c'est qu'il s'est passé quelque chose dans son enfance, répliqua Sara en riant avant de servir son interlocuteur en café. Que sais-tu des premières semaines de Kollberg ?

— Il n'était pas assez vif, se remémora Sejer. Il arrivait trop tard aux gamelles. Il était dominé par les autres chiots. C'était une portée énorme, treize en tout.

— Il n'a pas eu son dû en attention. Tu as choisi le chiot que l'on ne devrait jamais choisir.

— Mais, par la suite, il en a reçu tellement, poursuivit-il en méprisant la dernière remarque. Cette carence doit bien passer, non ?

— Ce genre de choses ne passe jamais.

Ils éteignirent les lumières et se retrouvèrent dans la pénombre. Une bougie éclairait paisiblement depuis la table. Sejer pensa à Poona.

— Pourquoi massacrer son visage ? demanda-t-il. Qu'est-ce que ça signifie ?

— Aucune idée.

— Ça doit bien exprimer quelque chose ?

— Il a peut-être trouvé qu'elle était laide.

Sejer la regarda, incrédule.

— Pourquoi dis-tu ça ?

— Ça peut être extrêmement simple. Tu es foutrement laide, se dit-il, la fureur est née, et elle éclate.

Elle but un peu de café.

— Et maintenant, à ton avis ? Est-ce qu'il est complètement paumé ?

— Pas nécessairement. Mais je serais bien tenté de le croire.

— Ce que tu peux être intègre, sourit-elle. Tu aimerais bien du repentir.

— Dans cette affaire, ce n'est pas du tout hors contexte. Mais quand on lui mettra la main dessus, il sera tout absorbé à sa survie dans cette situation. S'excuser. Se défendre. En fait, c'est un droit qu'il a.

Sara se leva et se laissa pratiquement tomber sur le sol à côté de Kollberg, qu'elle se mit à gratter sur le dos. Sejer regarda l'énorme animal gigoter avec satisfaction sous les mains de la femme.

— Il a une boule sous les poils, remarqua-t-elle soudain. Ici. Sur le dos.

Sejer lui jeta un regard plein de doute.

— Plusieurs, poursuivit-elle. Trois ou quatre. Tu avais remarqué, Konrad ?

— Non, répondit-il à voix basse.

— Il faudra que tu l'emmènes chez le véto.

Un semblant d'effroi passa dans ce visage d'ordinaire si calme.

— Tu sais, continua-t-elle, il est arrivé à l'âge où les pépins se pointent. Et un chien de sa taille – quel âge a-t-il, maintenant ?

— Dix ans.

Il n'avait pas bougé du canapé. Il ne voulait pas sentir ces boules sous ses doigts. La peur l'envahissait comme de l'eau glacée. Il se leva à contrecœur et chercha du bout des doigts dans l'épaisse fourrure.

— J'appellerai demain matin.

Il se rassit et attrapa le paquet de tabac pour se rouler une cibiche. Son quota journalier se limitait à un whisky et une cigarette maison. Sara lui lança un regard rempli de tendresse.

— Tu es un homme qui sait ce que l'autodiscipline veut dire.

Sejer l'avait momentanément exclue de ses pensées. Il s'était échappé de l'histoire du chien pour se plonger dans autre chose. Elle le voyait à ses yeux.

— Il y a peu de circulation, dans ce quartier, constata-t-il d'un ton absent.

— Où es-tu, en ce moment ? s'enquit Sara, déboussolée.

— À Elvestad. La probabilité est forte pour qu'il soit du patelin.

— Une bonne chose pour vous. Il ne doit pas y avoir tant de monde qui habite là-bas ?

— Plus de deux mille personnes.

— Je peux appeler pour prendre rendez-vous chez le vétérinaire. Ou je peux y aller. Tu n'as pas que ça à faire.

Il alluma sa cigarette, qui était très épaisse.

— Tu aurais aussi bien pu t'en rouler deux fines, le taquina-t-elle.

— Ce ne sont sûrement que des kystes. Des trucs avec de l'eau dedans ?

Elle perçut l'angoisse dans sa voix, sa façon de repousser la peur. Ces boules ne renfermaient pas de l'eau, elle en était certaine.

— Il faut qu'on les fasse examiner.

— À ce que j'en sais, on a déjà discuté avec le coupable, reprit-il de sa voix lointaine.

Sara secoua imperceptiblement la tête, tout en continuant à gratter le dos de Kollberg. Le chien avait l'air las. Son maître ne voulait pas le voir. Une ride profonde lui barrait le front. Cette histoire de grosseurs le faisait penser à autre chose. Il se trouvait dans une pièce à laquelle elle n'avait pas accès.

— En plus, il a maigri. Il y a longtemps que tu l'as pesé ?

— Il pèse soixante-dix kilos, s'obstina Sejer.

— Je vais chercher la balance dans la salle de bains.

— Tu es complètement jetée ?

Il plissa le front. Lorsqu'elle fut hors de vue, il bondit du canapé et tomba à genoux. Il saisit la lourde tête du chien et scruta les yeux noirs.

— Tu ne vas pas mal, vieux ? Tu accuses juste un peu le poids des ans. Tu n'es pas le seul.

Il posa doucement sa tête sur les pattes avant du chien. Sara revint avec la balance.

— Tu sais, commença-t-il d'une voix mal assurée. Ce n'est pas vraiment un éléphant de cirque.

— On va essayer, répondit-elle. Je vais chercher une patate froide.

Le chien subodora qu'il se tramait quelque chose et se leva avec un certain enthousiasme. Ils remirent la balance à zéro et le poussèrent dessus. Puis ils rassemblèrent les pattes, et Sara maintint les côtés. Elle savait qu'il sentait l'odeur de la nourriture et qu'il voulait coopérer. Après plusieurs injonctions, Kollberg donna la patte et se tint en équilibre précaire sur les trois autres. Sejer baissa les yeux sur l'affichage digital. Cinquante-quatre virgule neuf.

— Il a perdu quinze kilos, commenta gravement Sara.

— C'est l'âge, répliqua-t-il très vite.

Kollberg avala la pomme de terre et s'allongea. Elle s'étendit et posa la tête contre la poitrine de l'homme.

— Raconte-moi une belle histoire, le pria-t-elle.

— Je ne connais que des histoires vraies.

— Alors j'en veux bien une.

Il posa sa cigarette sur le bord du cendrier.

— Il y a pas mal d'années, on a eu fort à faire avec un criminel de petite envergure, qui s'appelait Martin. En fait, ce n'était pas son vrai nom, mais tout comme toi, je suis tenu par le secret professionnel.

— Martin, ça me va.

— C'était un revenant. Il faisait tout et n'importe quoi. Vol de voitures, petites escroqueries, fauche dans les garages privés. C'était quelqu'un de relativement falot, et il avait écopé d'une série de condamnations longue comme le bras, en règle générale des peines de trois ou quatre mois. Il était en outre pas mal porté sur la dive bouteille. Cela mis à part, c'était un type tout à fait charmant. Avec des dents dans un état épouvantable. Plus que quelques chicots pourris. Il avait pris l'habitude de mettre sa main devant sa bouche quand il riait. Mais on l'aimait bien, et on s'en faisait pour lui. On avait peur qu'il bascule un jour dans la criminalité vraiment sérieuse. On discutait pour essayer de voir ce qu'on pouvait faire pour le détourner vers autre chose. Alors on a pensé à ses dents calamiteuses, si c'était possible de faire quelque chose de ce côté-là.

Sejer fit une pause. L'idée des chicots faisait rire Sara.

— On a pris contact avec le bureau d'aide sociale pour leur demander une subvention pour la réfection de ses mandibules, parce qu'il n'avait pas un sou. Ils nous ont demandé de soumettre une demande écrite, ce que nous avons fait. En mentionnant que c'était important en vue de sa réhabilitation. Tu sais, les dents, c'est un truc important. La demande a été acceptée, et Martin a dû y passer. Pendant qu'il purgeait sa peine, il allait chez le dentiste trois fois par semaine, et quand ça a enfin été terminé, il avait une rangée de dents blanches, impeccables. Comme les tiennes, Sara.

Il se pencha pour renifler ses cheveux.

— Martin était comme métamorphosé, se souvint-il. Son dos s'est redressé. Il s'est occupé de lui et s'est fait couper les cheveux. Et il y avait une femme qui travaillait à la bibliothèque de la prison. Elle vivait seule avec sa fille, et avait ce job pour gagner un peu d'argent. Et tu ne me croiras pas si je te dis qu'elle est tombée raide dingue de Martin. Il a fini de purger sa peine et a emménagé chez elle. Il y vit à ce jour et est le père de son enfant. Depuis ce jour-là, il n'a pas commis le moindre délit envers la loi norvégienne.

— C'était pratiquement plus beau qu'un conte de fées, sourit Sara.

— En plus, c'est vrai à cent pour cent. Mais celui à qui nous avons affaire en ce moment a des problèmes autrement plus gros que ceux de Martin.

— Oui, concéda tristement Sara. Il a certainement besoin de plus que des soins dentaires.

*
* *

10 septembre. Shiraz Bai arriva en Norvège. Il s'installa au Park Hotel, aux frais de Gunder. Sejer composa le numéro de téléphone de ce dernier.

— Si vous voulez, nous pouvons organiser une entrevue au poste de police, ce qui vous évitera d'être seul avec lui. Il aura sûrement des questions auxquelles il vous sera difficile de répondre. Il parle anglais, mais pas très bien.

Gunder méditait au téléphone. Il regarda la photo de Poona. Qui sait s'il ressemblait à sa sœur ? C'est mon beau-frère, songea-t-il. Je dois y aller, c'est évident. Mais il n'en avait pas envie. Il se figurait une suite infinie d'accusations virulentes. Comment oserait-il ?

Il trouva soudain important de bien présenter. Il se doucha et changea de chemise. Rangea dans toutes les pièces. Bai voudrait peut-être voir la maison qui aurait dû devenir le foyer de Poona. La belle cuisine, la salle de bains et ses cygnes blancs. Il prit la voiture et se rendit lentement en ville. Skarre l'attendait à l'accueil. C'était vraiment plein de sollicitude de sa part, se dit Gunder. Ils étaient tellement compréhensifs. Il ne s'y était pas attendu. Il pénétra dans le bureau et l'aperçut immédiatement. Un homme maigre, pas spécialement grand, et si semblable à sa sœur qu'il en eut un coup au cœur. Il avait la même denture proéminente. Son visage était marqué, et il était plus sombre de peau que Poona. Il portait une belle chemise bleue et un pantalon clair. Ses cheveux étaient assez longs et très gras. Son regard fuyant. Gunder approcha prudemment lorsque Sejer les présenta l'un à l'autre. Il regarda le visage triste de son beau-frère. Il n'y vit aucun reproche, l'expression était totalement fermée. Simplement un bref signe de tête. La poignée de main fut un contact obligé. On leur proposa une chaise à chacun, mais Bai déclina. Il resta debout près du bureau, comme si ce qui allait arriver devait être expédié rapidement. Gunder s'était déjà assis. Une grande mélancolie l'emplit. Il était près de tout abandonner. Marie était toujours dans le coma. Le monde entier s'était figé.

Skarre, qui se débrouillait mieux en anglais que Sejer, prit la parole.

— Mr. Bai, commença-t-il, y a-t-il quelque chose que vous souhaitiez dire à Mr. Jomann ?

Bai lança un coup d'œil de biais à Gunder.

— Je veux remmener ma sœur à la maison. Car elle n'est jamais arrivée à destination. *Home is India*, souffla-t-il.

Gunder baissa les yeux. Sur ses pieds. Il avait omis de brosser ses chaussures, qui étaient grises de poussière. Des cris fusaient en lui, des prières qu'il n'arrivait pas à formuler. Des pots-de-vin. De l'argent, peut-être. Il était pauvre comme un rat d'église, lui avait dit Poona. Il en éprouva une honte aussi intense que sincère.

— On doit pouvoir en discuter, tenta-t-il.

— *No discussion*, coupa Bai en serrant les lèvres.

Il avait l'air en colère. Pas triste pour sa sœur, pas écrasé par le chagrin. Pas horrifié par ce qui s'était passé, et que la police lui avait exposé dans

209

les moindres détails. Il était en colère. La pièce fut plongée dans le silence tandis que les quatre hommes attendaient que l'un des trois autres reprît la parole. Gunder n'avait pas la force d'exposer ses droits en tant qu'époux, ni de mettre le droit, la loi norvégienne ou indienne sur le tapis, ni même son propre cœur en sang. Il était impuissant.

— J'ai une requête, murmura-t-il enfin d'une voix qui tenait à peine. Un simple souhait. Que vous veniez à la maison, voir le foyer de Poona. Celui que je voulais lui donner !

Bai ne répondit pas. Son visage était dur. Gunder courba l'échine. Skarre ne lâchait pas Shiraz Bai des yeux. Sa question sonna comme une injonction, presque un ordre.

— Voulez-vous voir la maison de Mr. Jomann ? Il est important pour lui de vous la montrer.

Bai haussa les épaules. Gunder souhaita que le sol s'ouvre, pour tomber dans des ténèbres infinies, jusqu'à Poona, peut-être. Où il trouverait enfin la paix. Loin de cet homme pas commode et de son visage plein de colère. De tout ce qui était difficile. De Marie, qui se réveillerait peut-être bavant comme une demeurée. La tête lui tournait. Je m'évanouis, pensa-t-il. Moi qui au grand jamais ne me suis évanoui. Mais il ne le fit pas. Il sentit que son visage à lui aussi se fermait et se durcissait.

— *Would you like to see Mr. Jomann's house ?* répéta Skarre.

Il parlait avec une clarté exagérée, comme à un enfant. Bai finit par acquiescer, un hochement de tête indifférent.

— Allons-y, proposa nerveusement Gunder en bondissant de sa chaise.

Il se trouvait face à une mission importante et se devait d'agir pendant qu'il s'en sentait capable. Bai hésitait.

— *We go in my car*, s'emballa Gunder. *I take you back to the hotel.*

— Est-ce que ça vous va ? s'enquit Skarre auprès de Bai, qui hocha de nouveau la tête.

Les deux hommes partirent alors côte à côte dans le couloir. Le lourd et large Gunder et son crâne chauve, le maigre Bai et sa crinière dense bleu-noir.

Skarre pria intérieurement pour que Bai s'adoucisse. Il lui arrivait d'être entendu.

Il rentra dans le bureau de Sejer et sortit un sachet de bonbons en gélatine de sa poche. Le plastique crépita lorsqu'il déchira le sachet.

— Tu n'as pas perdu ta foi ? lui demanda Sejer en le scrutant d'un regard perçant mais pas inamical.

Skarre pêcha une sucrerie dans son sac.

— Ce sont les verts les meilleurs, esquiva-t-il.

— Elle commence à être quelque peu effilochée, peut-être ?

— Quand j'étais petit, poursuivit Skarre sans se laisser démonter, je gardais souvent un de ces trucs-là dans ma bouche jusqu'à ce que le sucre ait complètement fondu. Alors je le ressortais, et il était devenu complètement translucide, comme de la gelée. Ils sont plus chouettes sans sucre, lâcha-t-il pensivement.

Il suçota un long moment son bonbon avant de le recracher.

— Regarde ! s'exclama-t-il en faisant balancer au bout d'un doigt l'objet translucide.

— Poltron, sourit Sejer.

— Et toi, rétorqua Skarre en regardant son supérieur. Ça va comment, avec la force ?

— Qu'est-ce que tu racontes ? demanda-t-il en haussant les sourcils.

— Tu m'as dit un jour que tu croyais en une force. Athée comme tu es, tu t'es trouvé autre chose. Curieux, ça. Il faut qu'on ait quelque chose.

— Oui. Je crois en une force. Mais nous fonctionnons comme deux grandeurs indépendantes, expliqua Sejer. On ne discute pas ensemble.

— Des trucs bien tristounets, autrement dit. Tu ne peux pas demander des choses, tu ne peux pas gueuler et faire du potin.

— Alors c'est ça que tu fais, pendant ta prière du soir ?

— Entre autres.

Il attrapa un bonbon rouge.

— Fais une prière pour Gunder, conseilla Sejer.

Il passa les bras dans son blouson et alla à la porte, d'où il éteignit le plafonnier.

— *May the force be with you*, conclut Skarre.

Gunder ouvrit la portière pour Bai, soudain plein de recueillement. Poona aurait souhaité qu'il le reçût bien. Si elle pouvait les voir à cet instant, voir cette bravade puérile entre eux, elle plisserait le front. Lui, les dents serrées. Le frère, les yeux plissés. C'est bientôt terminé, songea Gunder, il ne pensait pas que le sort lui sourirait à nouveau. Mais il se promettait une tentative en bonne et due forme. Ils sortirent de la ville. C'était une belle journée d'automne, et le paysage apparaissait fort exotique à Bai. Gunder commença à parler. Des phrases courtes, en anglais, que Bai comprenait. J'ai grandi ici. J'y ai vécu toute ma vie. C'est un endroit tranquille. Tout le monde connaît tout le monde. La maison date de 1920. Pas très grande, mais bien entretenue. Jardin. Vue. Et très belle cuisine, précisa-t-il. Bai jetait coup d'œil sur coup d'œil par la vitre.

— Nous avons des magasins, une banque, un bureau de poste et un café. Une école et un jardin d'enfants. Une belle église. Je vous montrerai l'église.

Bai ne disait rien. En son for intérieur, il dut malgré tout percevoir ce que voulait Gunder. Ils se rendirent à l'église d'Elvestad. Une belle église en bois que jouxtait un cimetière en pente douce, encore vert, luxuriant. On y voyait encore quelques fleurs. L'église était modeste mais luisait sur son bout de terrain, d'un blanc étincelant dans tout ce vert sombre. Gunder arrêta la voiture et sortit. Bai ne bougea pas. Mais Gunder ne capitula pas. Il était lancé. C'était la dernière ligne droite, toutes ses forces étaient mobilisées sur ce projet. Pouvoir garder sa femme défunte. Il ouvrit la portière du côté opposé et attendit. Bai descendit à contrecœur du véhicule. Il plissa les yeux vers l'édifice et les sépultures.

— Si Poona peut rester, elle reposera ici. Je viendrai chaque jour sur sa tombe. Planter des fleurs et m'occuper d'elles. J'ai du temps. Poona bénéficiera de tout le temps libre que j'ai.

Bai restait coi, mais il écoutait. S'il trouvait l'endroit joli, il ne le montrait pas. Il avait davantage l'air étonné. Gunder commença à marcher entre les tombes. Bai le suivit à bonne distance. Il vit Gunder s'arrêter près d'une sépulture et approcha précautionneusement.

— *My mother*, expliqua calmement Gunder. *Poona would not be alone*.

Bai regarda la stèle sans piper mot.

— *Do you like it ?* s'enquit Gunder en levant les yeux vers lui.

Bai haussa les épaules. Ce geste mit Gunder hors de lui. Poona ne le faisait jamais, elle répondait clairement et distinctement.

— Nous allons maintenant aller à la maison, annonça Gunder en retournant vers la voiture.

Il était toujours décidé, mais il lui en coûtait. Ils virèrent dans la cour. Bai regarda le jardin et la vue qu'on en avait.

— *Apples*, indiqua Gunder en montrant les arbres. *Very good apples*.

Bai hocha la tête. Ils entrèrent dans le couloir. Il lui montra le salon, fit le tour en présentant les lieux, l'emmena à la cuisine et à la salle de bains, le fit monter au premier. On y trouvait deux chambres à coucher. Une grande qui aurait dû être la sienne et celle de Poona, et une plus petite qui était la chambre d'amis. Marie y dormait lorsqu'elle venait le voir. Y avait dormi.

— *Your room. If you came to visit*, expliqua Gunder. *We wanted to invite you*.

Bai regarda attentivement la chambre toute simple. Un lit était prêt, sous un couvre-lit au crochet. Les rideaux étaient bleus, il y avait une lampe sur la table de chevet. Si Bai était impressionné, il n'en fit pas montre. Ils poursuivirent dans le reste de la maison. Gunder voulait que Bai parle, mais il ne disait rien. Ils terminèrent, ils étaient allés partout. Gunder fit du café et alla chercher des crêpes dans le congélateur. Marie les avait faites, avec du beurre, du sucre et de la cannelle. On utilisait beaucoup de cannelle en Inde, Gunder le savait, Bai les apprécierait peut-être. Mais il ne toucha pas aux crêpes. Il avait plein de sucre dans son café et ne l'appréciait pas non plus. Le découragement retomba sur les épaules de Gunder.

— *I must take my sister home*, asséna Bai.

Sa voix n'était plus dure, mais la détermination y était toujours présente. Gunder n'en put davantage. Il se ramassa dans son fauteuil et se mit à sangloter. Peu lui importait ce que cet homme penserait. Ses yeux débordaient. Il ne lui restait pas un seul mot, tous avaient servi. Bai se tint coi tandis que Gunder pleurait. L'horloge murale tictaquait impitoyablement.

Gunder ne sut pas combien de temps il était resté ainsi. Il remarqua vaguement un mouvement dans le canapé. Bai se levait. Il quittait peut-être purement et simplement la maison en signe de protestation, pour parcourir le long trajet jusqu'à la ville à pied. Mais il n'en fit rien. Il se mit à aller et venir dans la maison. Gunder s'en moquait. Il pouvait épier tant qu'il le souhaitait. Il s'aperçut que Bai avait trouvé la photo de Poona et lui-même au-dessus du bureau. Puis il disparut dans la cuisine. Gunder n'avait pas bougé de son fauteuil, les larmes coulaient toujours. Bai passa alors dans le couloir et monta au premier. Gunder entendait ses pas, légers, prudents. Il redescendit et sortit dans la cour. Gunder le voyait dans le jardin. Il était sous les pommiers et regardait au loin. Il finit par rentrer. Le café était froid dans les deux tasses. Bai se rassit tout au bord du canapé.

— *My sister can stay*, déclara-t-il simplement.

Gunder crut ne pas bien entendre et le regarda, abasourdi.

— *She can stay*, répéta Bai. *And you must pay. For everything.*

— Bien sûr, bégaya Gunder. *I will pay for everything. Only the best for Poona !*

Il resplendissait de soulagement et jaillit du canapé. Bai se mit à chercher maladroitement dans sa poche de chemise, et en tira finalement une enveloppe qu'il tendit à Gunder.

— *Letter from my sister. All about you*, expliqua-t-il.

Gunder sortit la lettre de son enveloppe et la déplia. L'écriture de Poona, soignée comme des broderies au stylo noir. Mais il n'y comprenait goutte.

— C'est en indien, constata-t-il, perdu. *Do not understand.*

— *Is written on Marathi*, répondit Bai. *Get someone to translate.*

Il se leva alors et fit un signe de tête à Gunder.

— *Back to Park Hotel*, déclara-t-il.

Gunder bondit et voulut lui saisir la main. Bai hésita. Mais elle vint malgré tout, maigre, noueuse. Il serra un peu plus fort que la première fois.

— *Very nice house*, complimenta-t-il en inclinant légèrement le buste.

Gunder était subitement plein d'initiative. Il devait s'occuper des obsèques de Poona et avait mille choses à faire. Il n'avait pas reçu de date, mais de nombreux points devaient être planifiés. Quelle agence allait-il choisir ? Que devrait-elle porter dans sa bière ? La broche.

Il n'avait toujours pas lâché la main de son beau-frère, plein de gratitude.

— *I have a sister too*, expliqua-t-il doucement. *In hospital*.

Bai l'interrogea du regard.

— *Car accident*, poursuivit gravement Gunder. *She is not awake.*

— *Very sorry*, répondit Bai à mi-voix.

— *If you ever need anything*, continua Gunder, transporté par ce petit morceau de sympathie, *you call me.*

— *I have a better picture*, répondit Bai. *Beautiful picture of Poona. I send it to you.*

Gunder acquiesça. Ils quittèrent la maison. Il laissa Bai près de son hôtel. Il alla alors directement rejoindre Marie à l'hôpital. Il s'assit à côté du lit et prit la main de sa sœur. Pour la première fois depuis très, très longtemps, il se sentait en paix.

*
* *

Gunwald empilait de la nourriture pour enfant. Les rumeurs allaient à présent bon train, disant que la police était passée plusieurs fois chez Gøran

216

Seter. Il ne le concevait pas. Et la valise ? Non que ce fût Einar, de la taverne, qui ait assassiné cette pauvre Indienne, mais quand même. J'ai fait mon devoir, se disait-il en ordonnant les verres en rangs parfaits.

Chaque jour, il épluchait soigneusement le journal. Depuis le meurtre, il achetait parfois plusieurs quotidiens. Il fit une découverte curieuse. C'était nouveau pour lui, étant donné qu'il s'en était toujours tenu à un seul journal. Mais ça partait vraiment dans tous les sens, ce qu'ils écrivaient. On pouvait lire quelque part que la police n'avait pas la moindre piste sérieuse. Dans un autre, ils avaient une observation importante et suivaient un plan. C'était sacrément difficile à dire. Mais cette histoire de valise, ça le turlupinait. Elle était pleine de vêtements indiens. Devait-il rappeler et faire savoir que c'était Einar ? Il froissa l'emballage et le porta dans la cour de derrière. Le jeta dans la benne. Il ne voulait pas devenir un élément de cette affaire, en aucune manière que ce soit. En rentrant, il vit Mode, de la station-service, qui feuilletait le journal.

— Tu as des brioches aux raisins ? voulut-il savoir.

Gunwald alla les chercher.

— Ils ne résoudront jamais cette affaire, affirma Mode d'un ton péremptoire.

— Qu'est-ce qui te fait croire ça ?

— S'ils ne le prennent pas maintenant, ils ne le prendront jamais. Ils vont très bientôt devoir restreindre les budgets, et le tout sera bientôt classé. Dans l'intervalle, un autre malheureux sera assassiné, et ça deviendra la priorité numéro un. *That's life*[1].

---

1. En anglais dans le texte.

Gunwald secoua la tête.

— Il arrive que des affaires de ce genre soient élucidées plusieurs années après.

— Rarement, répondit Mode en ouvrant le sachet.

Il se fourra une brioche dans la bouche. L'idée qu'on puisse ne jamais prendre l'homme qui était derrière ce meurtre effrayant tourmentait Gunwald.

— Pourvu que ce ne soit pas quelqu'un que l'on connaît, espéra-t-il tristement.

— Oh, qu'on connaît ? douta Mode. Ce n'est sûrement pas quelqu'un d'ici. Qui ce serait ?

— Je n'en sais rien, moi, répliqua Gunwald en se détournant tandis que Mode mâchonnait sa brioche.

— Il va y avoir une séparation à la villa suisse, annonça-t-il tout à trac.

— Qui dit ça ? s'enquit Gunwald en écarquillant les yeux.

— Tout le monde. Lillian a commencé à faire ses valises. Einar va sûrement devoir vendre la maison et emménager dans la taverne, j'imagine. Rester ouvert vingt-quatre heures sur vingt-quatre, s'il veut survivre. Je l'imagine bien dans un sac de couchage, dans l'arrière-boutique. Cette bonne femme n'est pas bonne, trancha-t-il impitoyablement.

— Einar n'a jamais été un rayon de soleil, rétorqua Gunwald tout en s'étonnant de ce que tout ça pouvait bien signifier. Il vendra peut-être le bar avant de déménager, conjectura-t-il brusquement, et ça deviendra un restaurant chinois.

— Pas de problème, en ce qui me concerne, décréta Mode.

Il saisit une autre brioche dans le sachet. Elle était comme une éponge, et on pouvait lui donner des formes différentes en la pressant.

— D'autres nouvelles de Jomann ? demanda-t-il.

— En arrêt maladie. Pense à tout ce qu'il a vécu. Il passe le plus clair de son temps à l'hôpital, tiens.

C'est épouvantable, ce qui est arrivé à sa sœur. On risque de la voir se réveiller au stade d'un enfant de deux ans. Son mari ne veut plus entendre parler de rien. Il va bosser comme avant, et il attend un coup de fil.

— Il n'y a pas grand-chose d'autre à faire, estima Mode. Mais elle ne se réveillera probablement pas, après un laps de temps aussi long. Ou bien ils se réveillent assez rapidement, ou bien ils ne se réveillent jamais.

— J'ai entendu parler de gens qui sont restés comme ça pendant des années.

— Des choses de ce style, ça n'arrive qu'aux États-Unis, lança Mode avec un clin d'œil.

Il rentra alors tout tranquillement à sa station-service. Gunwald continua à gamberger. Il avait l'impression que leur petite ville était occupée. Une présence étrangère qui s'infiltrait partout et les écartait du quotidien. Qui les transportait de joie mais les angoissait en même temps, qui au mieux les unissait et leur donnait le sentiment de posséder quelque chose en commun, qui au pire faisait que la peur les saisissait durant la nuit, dans l'obscurité, sous leurs édredons. Pendant ce temps-là, la vie continuait, mais sous un jour différent. Ils observaient plus qu'avant, comme s'ils voyaient tout pour la première fois. Tout comme Gunwald avait l'impression de voir Einar pour la première fois. En se demandant de qui il s'agissait. Gøran. Et Jomann. Qui était parti seul pour un pays étranger, où il avait trouvé une femme. Linda à vélo, que tous regardaient différemment, de telle sorte qu'elle avait commencé à chanceler. Elle avait toujours été un peu maniaque, mais ses yeux sautaient à présent constamment d'un endroit à un autre. Ce que les gens pensaient ne faisait aucun doute. Elle aurait dû la boucler. Gunwald se tortilla impatiemment.

C'était le travail de la police, de résoudre cette affaire, avec ou sans son aide. Il sortit dans la cour de derrière et vérifia le bol d'eau du chien. Presque vide. Il le remplit et le posa par terre.

— De temps en temps, je pense à toi, confia-t-il. Tu étais dans la cour, non ? Tu as bien dû voir ce qui se passait dans le champ. Si seulement tu pouvais parler. Si seulement tu pouvais me chuchoter dans l'oreille que tu le connais. Je connais son odeur. La prochaine fois que je le rencontrerai, j'aboierai comme un fou, comme ça, tu sauras qui c'est. C'est comme ça qu'ils font dans les films, conclut gravement Gunwald en passant sa main sur le pelage soyeux. Mais ça, ce n'est pas un film. Et tu n'es pas spécialement futé.

*
* *

Quand est-ce que tu es devenu vieux ? interrogea Sejer en contemplant Kollberg. Avant, tu étais toujours dix mètres devant. Tu dévalais les escaliers comme un chiot.

Le chien gémissait sur une table. Le fin papier se déchirait sous ses griffes. Le vétérinaire chercha les boules et en trouva quatre. Sejer essaya d'interpréter l'expression neutre du médecin.

— Elles ont l'air fermes, pas pleines d'eau. Des tumeurs bien délimitées.

Ses mains s'enfoncèrent çà et là dans la fourrure rousse.

— Bien, souffla Sejer.

Inspecteur principal et enquêteur à la police criminelle, dans la force de l'âge. Presque deux mètres de haut et d'une largeur d'épaules raisonnable. Il était nerveux comme un gamin.

— Si je dois en avoir le cœur net, il faut que j'ouvre.

— Alors c'est entendu, acquiesça Sejer.

— Le problème, c'est que ce chien est grand, lourd et vieux. Dix ans, pour un leonberg, c'est beaucoup. Mettre un chien comme celui-ci sous anesthésie, c'est risqué ; rien que ça.

— L'anesthésie est bien toujours risquée ? murmura Sejer.

— Oui, en quelque sorte. Mais dans le cas présent, on pourrait vraisemblablement discuter de la pertinence de lui épargner une intervention.

— Pourquoi ça ? demanda-t-il sèchement.

— Je ne sais pas s'il s'en remettra. Mais toujours est-il que les tumeurs doivent être enlevées, même si elles sont bénignes. Elles appuient sur les nerfs du bas du corps en causant une perte de mobilité. C'est une intervention qui n'est pas anodine chez un animal comme celui-ci. Et il y a un risque certain que j'approche des nerfs qui puissent entraîner des paralysies pour le laisser dans un état pire que celui dans lequel il est maintenant. Il ne se remettra peut-être jamais, mais restera allongé. Dans certains cas, il peut être plus miséricordieux de laisser la nature faire les choses.

Les phrases pleuvaient comme des giboulées de grêle. Sejer essayait de gagner du temps, de sorte que la boule qu'il avait dans la gorge puisse descendre et lui libérer les cordes vocales. Ce que le vétérinaire venait de dire lui apparaissait lentement. Il ne pouvait se représenter une vie sans le chien. Leurs conversations sans mots. Le regard noir. L'odeur de la fourrure mouillée. La chaleur de la truffe de l'animal lorsque le maître était dans son fauteuil et que le chien posait sa lourde tête sur ses pieds. Le vétérinaire était silencieux. Kollberg s'était allongé, et remplissait toute la table.

— Vous n'avez pas besoin de prendre cette décision maintenant, reprit le spécialiste. Rentrez chez vous et discutez-en avec vous-même, et avec le

chien. Puis vous me direz. Et pour que ce soit dit :
il n'y a pas de bonne et de mauvaise option dans le
cas présent. Seulement un choix entre deux options
difficiles. Ce sont des choses qui arrivent.

Sejer passa une main sur le ventre de Kollberg.

— Mais d'après l'expérience que vous en avez,
est-ce que les grosseurs de ce genre sont souvent
malignes ?

— La question, c'est de savoir si le chien sup-
portera l'épreuve.

— Il a toujours été costaud, répliqua Sejer avec
le ton de défi propre à un enfant.

— Je vous l'ai dit... prenez le temps. Cela fait un
moment qu'il les a.

Plus tard dans la voiture, Sejer réfléchissait.
« Cela fait un moment qu'il les a. » Y avait-il une
forme de reproche là-dedans ? Était-il à ce point
absorbé par son travail qu'il ne voyait plus ceux dont
il avait la responsabilité ? Pourquoi ne l'avait-il pas
remarqué ? La culpabilité lui pesait, et il dut
s'accorder un petit moment pour se reprendre. Puis
il rentra lentement chez lui. De qui me soucié-je
si j'ordonne l'opération ? se demanda-t-il. De moi-
même ou de Kollberg ? N'a-t-on pas le droit de
retenir quelqu'un que l'on aime ? Attend-on de moi
que je tranche et que je le traite comme l'animal
qu'il est, en fin de compte ? Faire ce qui le servira
lui et pas moi ? Mais il se sentait aimé de cet animal
mal soigné. Encore que, les animaux ne peuvent pas
aimer. Il avait lui-même attribué cela au chien. Mais
du dévouement ? Jusque-là, il aurait raison. Tout ce
corps au pelage rêche vibrait lorsque Sejer ouvrit la
porte de l'appartement. Cette vigilance, l'enthousiasme, ce cœur animal qui ne battait que pour lui.
Qui battait de toute façon. Il jeta un coup d'œil dans
le miroir. Kollberg ne bougeait pas.

— Que dit ton cœur ? voulut savoir Sara.

— Ce doit être évident, répondit-il sombrement. Je suis prêt à l'exposer à n'importe quoi, si cela signifie que je pourrai le garder encore quelques années.

— Alors tu prends le risque de le faire opérer, conclut-elle simplement. Tu t'en tiens à cette décision quelle que puisse en être l'issue.

— Est-ce que je dois suivre seulement mes propres souhaits et mes propres besoins ? demanda-t-il niaisement.

— Oui, en fait, oui. C'est ton chien. C'est à toi de décider.

Il téléphona au vétérinaire. Tandis qu'il écoutait la voix à l'autre bout du fil, il tenta de distinguer des nuances dans son intonation pouvant indiquer s'il approuvait ou non la décision. Il conclut que le vétérinaire était satisfait. Le moment de l'opération fut décidé. Il s'agenouilla ensuite près du chien et se mit à brosser sa longue fourrure. Il brossa, encore et encore, en grands mouvements, sentant les grosseurs sans aucune difficulté. Il était rongé de ne pas les avoir senties plus tôt. Sara lui fit un sourire réconfortant.

— Kollberg n'a aucune notion de ton sentiment de culpabilité, le rassura-t-elle. Il adore être brossé. Il t'aime. En ce moment, il est bien, il a un patron aimant qui le brosse sans se lasser. Il n'est pas à plaindre.

— Non. Juste moi, souffla-t-il.

*
* *

Cela faisait des jours que Linda appelait Karen. Karen n'est pas là, disait sa mère. Non, elle vient de sortir. Je ne sais pas quand elle rentrera. Il se passait quelque chose. Elle ressentait une sourde angoisse. Elles avaient toujours été ensemble. À présent, elle l'évitait, et restait avec les autres. Avec Ulla, Nouille et les autres de la taverne. Linda était paumée, elle avait peur, mais conservait un dernier reste de colère. Partout, elle remarquait que les gens la dévisageaient. Où avait-elle commis une faute ? Tout était bien allé tant qu'elle n'avait fait que voir cette voiture rouge. Mais donner le nom de Gøran, ça avait été aller trop loin. Comme si la police n'avait pas pu voir toutes les voitures rouges de la ville toute seule. Ils auraient ensuite découvert que lui aussi était passé près du champ au moment critique. C'était comme ça qu'il s'était mis dans la panade, et il se débattait maintenant pour en sortir. Mais Gøran était sûrement innocent, auquel cas il n'avait rien à craindre. C'était assez crétin de mentir à la police, trouvait Linda. Il ne pouvait s'en prendre qu'à lui. Elle tua le temps en élaborant un plan visant à capturer Jacob. Elle était allée deux fois en ville se planter devant l'immeuble de Nedre Storgate. Il habitait au deuxième étage. Elle avait regardé vers les fenêtres. Il y avait une petite statue à la fenêtre, mais elle n'avait pas pu voir quel genre, et n'avait pas osé prendre les jumelles de sa mère. Qu'elle regarde une fenêtre depuis la rue n'éveillait pas spécialement l'attention, mais de là à utiliser des jumelles, c'était impensable. Cela pouvait ressembler à une silhouette de femme nue, ce qui ne lui plaisait pas. Elle était blanche, lisse, et luisait lorsque le soleil brillait à travers la fenêtre. Linda avait naturellement été mortellement blessée de ne pas avoir été prise au sérieux concernant le type dans le jardin, ce soir-là. Elle n'en avait rien dit à sa mère. Les choses étaient suffisamment pénibles comme ça. Son expression indiquait clairement qu'elle était allée trop loin. Elles s'aboyèrent alors l'une sur l'autre, et Linda hurla : si tu avais vu le meurtre de tes propres yeux, tu trouverais nettement préférable de la fermer. Pour ne pas être impliquée. Ce que les gens pouvaient être lâches ! Elle cria et tapa du pied. Sa mère serra les lèvres. En fait, elle avait peur.

La soirée était bien avancée. Linda ruminait. Karen aurait dû être rentrée. Dehors, il faisait froid et humide, un vent impitoyable balayait les coins des maisons en longues rafales menaçantes. Elle aimait bien ce type de temps, car elle était à l'intérieur, où il faisait clair et chaud. Les rideaux étaient tirés. Pas une seule fois elle ne regarderait dans le jardin. Mais il y avait la question de Jacob. Il s'agissait de comprendre le schéma de ses gardes, quand il rentrait du boulot. Se tenir prête à un coin, attendre, le voir arriver de loin sur le trottoir en marchant péniblement, la tête baissée. Lui courir dessus. Peut-être aurait-elle quelque chose dans les mains à perdre au moment du choc, afin qu'il doive s'accroupir pour le ramasser. Un sac de pommes. Elles rouleraient dans tous les sens. Elle s'imagina avec Jacob en train de se traîner à quatre pattes sur le trottoir pour récupérer des pommes rouges et brillantes. Sa bouche, et ses yeux. Ses mains qui la caresseraient, elles devaient être chaudes et fortes. Il était policier, après tout.

Non, mais, Linda, s'exclamerait-il. Qu'est-ce que tu fais ici ? Oh, je vais chez le dentiste. Un truc du genre. Il lui demanderait alors pardon pour ne pas l'avoir crue, ce soir-là, au téléphone. Elle regarderait dans ces yeux bleus et lui ferait comprendre que là, il l'avait sous-estimée. Elle était tout sauf une adolescente hystérique, comme il semblait le penser. Elle était plongée dans ses pensées lorsqu'elle entendit un choc sourd au-dehors. La seconde suivante, elle était à l'autre bout de la pièce. Elle s'immobilisa, tout ouïe. Mais elle n'entendait plus que le vent. Les feuilles bruissaient puissamment. Puis un nouveau choc. Elle courut dans la cuisine.

D'où est-ce que ça venait ? Était-ce le même bruit que la fois précédente, ou bien était-ce autre chose ? Elle regarda le téléphone mais se ravisa. Il était impossible d'appeler Jacob. Encore un coup, violent, cette fois, suivi d'un grondement puissant. Comme si quelqu'un frappait à coups de masse. Elle lança un regard effrayé vers les fenêtres. Les coups se succédaient à un rythme irrégulier. Ils étaient plus forts quand elle était dans le couloir, et venaient par conséquent du devant de la maison. La porte était heureusement fermée avec deux serrures. Elle affûta ses sens. Cela ressemblait exactement à la porte des communs qui battait quand on avait oublié d'attacher les crochets de l'intérieur. Était-ce si simple ? D'autres coups. Elle courut dans le salon et souleva le rideau. Dans la lumière du lampadaire, elle distingua les contours des communs rouges aux portes blanches. Et voilà. Elles battaient tant qu'elles pouvaient dans le vent violent. Elle s'effondra de soulagement. Encore heureux qu'elle n'ait pas appelé Jacob pour une fausse alerte. Mais elle avait bien crocheté les battants quand elle avait rangé son vélo ? Elle en était pratiquement sûre. Elle choisit néanmoins de ne plus y penser et alla chercher des journaux dans l'escalier de la cave, avant de revenir s'installer dans le salon pour découper ce qu'on disait de l'affaire. Il y en avait de moins en moins, mais tout devait figurer. Elle devait le garder avec elle. Lorsqu'elle serait mariée avec Jacob, elle ressortirait ces coupures en repensant à ce que c'était lorsqu'ils s'étaient rencontrés. Les portes battaient. Cela l'agaçait, mais elle refusait de sortir dans la tempête pour les fermer. Elle découpait sans relâche. Bien qu'elle sût à quoi ce vacarme était dû, cela l'ennuyait. Allait-elle rester éveillée toute la nuit à cause de ces satanées portes ? Elle lâcha ses ciseaux avec un gros soupir. Combien de temps lui faudrait-il pour enfiler des bottes, traverser la cour au pas de course, crocheter les portes de l'intérieur, fermer de l'extérieur et rentrer en courant ? Une minute, peut-être. Cela faisait soixante secondes dehors dans le noir. Elle se leva et sortit dans le couloir. Hésita un moment. Enfila les bottes de sa mère car c'étaient celles qui étaient à portée de main. Elles étaient trop grandes. Elle tourna l'un des verrous. La pluie tombait en produisant un grondement régulier. Puis elle défit l'entrebâilleur. Elle inspira trois fois à fond, ouvrit la porte en grand et descendit l'escalier en courant. Pas de quoi en faire une histoire, se dit-elle en filant à travers la vaste cour dans ses grandes bottes. Les portes étaient grandes ouvertes. Dedans, elle vit une obscurité compacte. Elle saisit les portes et les rabattit. Le crochet était haut, au sommet des portes. Elle n'avait pas de lumière, l'électricité n'avait jamais été installée dans les communs. Elle s'étira pour attraper le crochet et fut au même instant saisie de panique, car elle avait entendu un bruit. Qui provenait de l'intérieur. Elle se jeta de côté avec un halètement. N'y avait-il pas une silhouette, là, qui la regardait ? Il lui sembla voir luire un œil, tout au fond, dans le coin. La peur et la colère alternaient en elle tandis qu'elle faisait un effort pour atteindre le crochet. Elle sentit alors une violente secousse par l'arrière et des mains qui l'enserraient au cou. Toutes ses forces l'abandonnèrent. En périphérie de son champ de vision, elle vit ses bras faire des moulinets désordonnés. Une voix grinça dans son oreille, et un voile noir s'abattit devant ses yeux. Elle ne sentait plus son corps, seulement une douleur violente dans la nuque. Une substance chaude et humide s'infiltra dans ses vêtements. Ses jambes battaient sous elle comme celles d'une poupée.

— À partir de maintenant, tu fermes ta gueule !

Elle s'effondra en se protégeant la tête de ses mains, tandis qu'elle sentait les bras la retourner et l'étendre sur le ventre. Maman ! cria une voix en elle, maman, je vais mourir !

Il lui flanqua une botte dans le dos et appuya tout en relâchant son étreinte autour de son cou. Elle ressentit une vive douleur au larynx, et se mit à gratter désespérément dans la poussière. Est-ce Gøran ? fut la pensée qui la traversa à toute vitesse. Est-ce qu'il va me tuer, maintenant ? Elle ne pleurait pas. Elle n'osait pas respirer. Il l'avait lâchée et était occupé à autre chose. Il va m'arroser d'essence, se dit-elle, car il y a dans cette grange un bidon d'essence avec lequel on remplit la tondeuse à gazon. Il va m'asperger d'essence et mettre le feu. Plus tard, ils la trouveront, noire, raide, il ne restera plus que les dents. Soudain, les portes claquèrent. Le silence revint. Il avait fermé de l'extérieur. Elle gisait immobile, pensa : il brûle tout le bâtiment avec moi dedans. Son corps tremblait sans qu'elle y pût quoi que ce fût. Elle n'arrivait pas à croire que ce fût terminé. Elle sentait, et elle comprit qu'elle avait fait sous elle. Une gravité qu'elle ne s'était jamais imaginée la submergea. Elle resta tout à fait immobile. Elle n'entendait aucun bruit de pas ni de moteur, rien, seulement le vent dans les arbres et la pluie comme un ronronnement dur. Elle demeura une éternité ainsi, le visage dans le sable et la poussière. Sans avoir la force de rester étendue comme cela, sans avoir la force de se lever, comme un chat paralysé devant les phares d'une voiture. Puis la situation se débloqua enfin. Elle se leva prudemment et se tint sur des jambes flageolantes. L'obscurité était totale, où qu'elle regarde. Elle leva des mains tremblantes. Elle donna une bourrade dans la porte, qui céda un chouïa. C'était une vieille porte munie d'un verrou simple à l'extérieur. Et c'était bien pour cela que le vent l'avait fait s'ouvrir. Ou bien l'homme l'avait-il ouverte pour faire en sorte que les portes battent, et qu'elle sorte ? Comment se doutait-il qu'elle était seule ? Elle était souvent seule, comprit-elle alors, et nombreux étaient ceux qui le savaient. Elle donna des coups répétés dans la porte. La serrure se détacherait peut-être purement et simplement, pour finir par tomber ? C'était une courte tige métallique qui s'encastrait dans une gorge. Si elle pouvait suffisamment faire bouger les portes, le taquet glisserait tout seul. Soudain, la porte s'ouvrit à la volée, et Linda fit un bond en arrière. Elle leva les yeux vers la maison. La porte d'entrée était grande ouverte. Était-il dans la maison ? Elle se faufila sur le gravier, l'oreille tendue. Ferma les portes derrière elle. Monta l'escalier d'un pas hésitant, pliée en deux comme une vieille femme. Jeta un coup d'œil dans le couloir. Non, il ne pouvait pas être là. Elle attrapa un parapluie sur l'étagère et en donna quelques coups sur le sol. S'il était à l'intérieur, il sortirait en trombe en entendant quelqu'un. Mais personne ne vint. Elle verrouilla la porte et alla au salon. C'était vide, partout. Et le premier ? Elle grimpa lentement l'escalier. Ouvrit les portes des chambres. Personne en vue. Elle redescendit, comme dans un rêve, et alla à la salle de bains. Se défit de ses vêtements. Troublée, elle les fourra directement dans la machine et lança un programme à 90 °C. Elle aimait le son de la machine à laver et le parfum de la lessive et de l'adoucissant. À la suite de quoi elle prit une longue douche. Elle ferma les yeux sous l'eau chaude. Trouva un peignoir. Se regarda dans le miroir. Elle était blanche comme un linge. Elle avait des plaques rouges sur le cou.

À partir de maintenant, tu fermes ta gueule ! À qui appartenait cette voix ? Elle était comme déformée, rauque, méconnaissable. Il était plus grand qu'elle.

Bien plus grand. Gøran n'est pas si grand, songea-t-elle subitement. Elle voulut téléphoner à Jacob. Elle voulait être protégée. Dorénavant, elle n'était plus en sécurité. Que dirait Jacob si elle appelait ? Il ne la croirait peut-être pas cette fois-ci non plus. Ne sachant trop que faire, elle alla se coucher en laissant les lumières allumées, et resta immobile, les yeux fermés. Elle avait été agressée, et savait qu'elle devait en référer à quelqu'un, mais il avait dit qu'elle devait la fermer. Si elle la ramenait à nouveau, il la tuerait peut-être. Ça, ça avait juste été une mise en garde. Elle se mit à fixer le plafond, se souvenant de la fois où sa mère et elle avaient refait la chambre et en étaient arrivées au plafond, justement, qui devait être peint en coquille d'œuf. Elles peignaient, chacune sur sa chaise, le rouleau au-dessus de la tête. Elle avait vu une araignée et s'était arrêtée un instant pour l'admirer. Sa première idée avait été de la chasser, mais elle avait ensuite pensé la laisser. La bête n'était pas particulièrement grosse, mais elle avait un corps rond et dodu, et de grandes pattes noires. Elle était tout aussi immobile qu'elle l'était en ce moment dans son lit. Elle passa rapidement dessus avec son rouleau. Elle ne vit tout d'abord rien, pendant que la peinture était fraîche. Elle rit comme une hystérique avec sa mère en pensant à l'araignée. Mais la peinture sécha, et l'insecte apparut distinctement sous le blanc, parfaitement figé, les pattes écartées. Elle se demanda ce que cela devait faire de mourir de la sorte. C'était l'araignée qu'elle regardait sans ciller, et c'était à ces choses-là qu'elle pensait en attendant le sommeil.

Mais celui-ci ne venait pas. Chaque fois qu'elle fermait les yeux, sa respiration se faisait plus saccadée. Par moments, elle pleurait doucement dans son oreiller. Sa nuque la faisait souffrir. Sa mère serait bientôt rentrée de Copenhague. Où était-ce

Göteborg ? Elle ne se rappelait plus. Elle finit par se lever, passer le peignoir et descendre dans le salon. Elle lança un regard de défi au téléphone. Pourquoi épargnerait-elle Jacob ? Elle composa le numéro, rapidement, sans réfléchir. Au moment où il répondait, elle regarda l'horloge murale, qui indiquait 2 heures. Il semblait avoir été tiré de son sommeil.

— Linda ? entendit-elle.

Sa voix était empreinte d'une nette irritation, mais elle y était préparée. On était il est vrai au milieu de la nuit.

— Ce n'est pas quelque chose que je me suis imaginé, jeta-t-elle, le souffle court, dans le combiné, soulagée de pouvoir enfin parler à quelqu'un. Il m'a attaquée. Là, cette nuit !

Il régnait un silence absolu à l'autre bout du fil.

— Chez toi ? Dans la maison ?

— Oui ! Non, dans les communs.

Nouveau silence.

— Dans les communs ? insista-t-il, sa voix exprimant le doute, à présent. Linda, entendit-elle, on est au milieu de la nuit, et je ne bosse pas, pour le moment.

— Je sais ! répliqua-t-elle.

— Quand est-ce que ça s'est passé ?

Linda jeta un autre coup d'œil à l'horloge.

— Je ne sais pas exactement. À minuit, peut-être.

— Et tu appelles maintenant ?

Elle se maudit subitement pour ne pas avoir appelé immédiatement. Mais il fallait qu'elle se débarrasse de ses vêtements. Au cas où quelqu'un viendrait.

— S'il se trouve que tu as réellement une plainte à déposer, il faut que tu appelles Police Secours, expliqua Skarre. Mais puisque c'est moi que tu as appelé, raconte-moi ce qui s'est passé.

Il était éveillé, maintenant. Sa voix était plus claire. Elle commença son récit, les portes qui battaient, elle était sortie pour les fermer. Et l'homme qui avait surgi des ténèbres pour l'attraper à la gorge, comment il l'avait fait tomber et maintenue au sol. Et l'avertissement. Qu'elle ne devait plus rien dire. Les larmes vinrent tandis qu'elle parlait. Elle passa une main sur sa nuque douloureuse.

— Tu es blessée ? voulut savoir Skarre.

Elle trouva qu'il avait une voix vraiment bizarre.

— Non, pas sérieusement. Mais s'il l'avait voulu, il aurait pu me tuer sur place. Il était très fort.

— Mais ta mère… où est-elle ?

— Elle bosse, couina Linda.

— Elle n'est pas rentrée ?

— Elle rentre demain matin.

— Mais est-ce que tu l'as appelée pour lui raconter ?

— Non.

Skarre se tut derechef. Linda l'entendait respirer dans le combiné.

— Qu'est-ce que tu as vu de ce type ?

— Rien. Il fait noir comme dans un four dans cette grange. Mais il était grand, je crois. Très grand. Je crois qu'il me faut une protection. Il veut ma peau. Il va tout faire pour empêcher que je témoigne.

— Mais il y a peu de chances que tu aies besoin de témoigner. Tes observations n'ont pas tant d'importance.

— Non, mais ça, il ne le sait pas ! s'écria-t-elle.

Elle se tut de nouveau et se mordit la lèvre, craignant qu'il se décourage encore davantage.

— Pourquoi n'as-tu pas téléphoné à ta mère ? demanda gravement Skarre.

Linda renifla.

— Elle dit toujours que j'exagère.

— Et c'est le cas ?

— Non !

— Alors tu dois l'appeler immédiatement pour lui expliquer ce qui est arrivé. Est-ce qu'elle a le téléphone dans son camion ?

— Oui. Tu ne peux pas venir ?

— Linda. Tu m'as encore appelé chez moi, et je ne peux rien faire. Je peux envoyer d'autres...

— Je ne veux pas !

Skarre poussa un gros soupir.

— Essaie de joindre ta mère. Je pense que tu peux le faire. Tu lui parles, et vous déciderez ensemble de porter plainte ou non.

Linda sentit quelque chose de gros et lourd tomber en elle.

— Tu ne me crois pas, se plaignit-elle d'une petite voix.

— Je comprends que tu aies peur, répondit Skarre, bon diplomate. Ce sont des choses effrayantes qui se sont produites à Elvestad. Tout le monde a peur, c'est parfaitement normal.

Linda avait une boule dans la gorge qui était si grosse qu'elle n'arrivait plus à parler. Il ne la croyait pas. Elle l'entendait à sa voix. Il était agacé, lui parlait comme à une enfant menteuse, mais ne voulait pourtant pas l'offusquer. Les forces l'abandonnèrent et elle dut s'appuyer à la table. Ses genoux se mirent à trembler. Tout allait mal, quoi qu'elle fît. Elle avait dit les choses comme elles étaient, qu'elle avait vu les deux personnes dans le champ, qu'elles avaient l'air de jouer. Elle n'avait jamais dit qu'elle avait vu un meurtre. Elle avait dit que la voiture ressemblait à celle qu'avait Gøran. Pas que c'était celle-là. Elle avait senti que c'était important, comme ils le rabâchaient encore et encore à la télé et à la radio. Et à présent, tout le monde se retournait contre elle. Et maintenant qu'il commençait à se passer des choses, ils ne la croyaient pas. Skarre fit une dernière tentative.

— Je propose que tu appelles ta mère pour tout lui exposer. Ensuite, tu vas te coucher et tu l'attends. Plus tard, ta mère pourra appeler la police si elle juge que c'est nécessaire.

Linda raccrocha et remonta. Elle se sentait hébétée. Elle s'allongea et regarda fixement l'araignée. Où qu'elle se tourne, elle ne voyait que des ennemis. On la traitait comme une pisseuse. L'angoisse s'empara d'elle, ainsi qu'un froid intense. Elle s'enroula dans son édredon et ferma très fort les yeux. Elle ne voulait pas téléphoner à sa mère. Elle voulait être seule. Être complètement invisible. Ne plus embêter personne. N'accuser personne. Ne pas témoigner, ne pas saluer, ne pas être dans le chemin. On voulait l'écarter. Elle le comprenait. Un sifflement naquit dans son oreille. Elle ne comprenait pas. Elle attendait la lumière, parfaitement immobile. À 4 heures, elle entendit la clé dans la serrure, et peu après des pas dans l'escalier. La porte qui fut entrebâillée. Elle ne dit rien, fit semblant de dormir. Sa mère alla se coucher. Linda alluma dans sa chambre et se mit devant son miroir. Les traces sur son cou s'étaient déjà atténuées. Était-ce réellement Gøran ? Cela ne ressemblait pas à sa voix. Elle maintenait que le type dans les communs était plus grand. Comment oserait-elle jamais ressortir ? Prendre le car pour aller en ville, ou refaire du vélo sur la route ? Il la surveillait peut-être, il la tenait à l'œil. Elle retourna à son lit et se recoucha. Les heures s'écoulèrent. La lumière se fraya un passage entre les rideaux et elle entendit les oiseaux audehors. Maintenant que sa mère était dans la maison, elle se détendit enfin. Elle s'endormit, et se réveilla parce que quelqu'un se tenait près de son lit. La journée était bien entamée.

— Ça ne va pas ? s'étonna sa mère.

Linda lui tourna le dos.

— Tu ne vas pas à l'école ?

— Non.

— Mais qu'est-ce qu'il y a ?

— Mal au crâne.

— Pourquoi as-tu fait une machine sans suspendre le linge après ? s'enquit sa mère.

Linda ne répliqua pas. De toute façon, personne ne la croyait.

— Tu pourrais répondre, au moins, insista la mère.

Mais Linda resta coite. Cela faisait du bien de ne pas bouger un doigt et ne pas répondre. Elle ne répondrait plus jamais.

*
* *

D'après les services de médecine légale, l'arme du crime avait eu une surface plane. En conséquence de quoi un marteau était exclu. Ou bien l'arme était très lourde, ou bien celui qui s'en était servi était très fort, ce qui n'empêchait pas une combinaison des deux. Sejer méditait en passant ses papiers en revue. L'audace dont était empreinte cette affaire l'étonnait. En plein champ, alors qu'il faisait encore jour. À seulement quelques mètres de la maison de Gunwald. Encore que, si l'assassin n'était pas du coin, il n'avait peut-être pas conscience que cette maison se trouvait là, et dans le feu de l'action, il ne l'avait pas vue. Mais des choses de ce genre se produisaient en règle générale quand il faisait nuit. Il ne s'était pas éloigné de la route pour emmener Poona dans un bosquet. Il avait agi sur le coup d'une impulsion, c'était arrivé subitement. D'une façon ou d'une autre, il avait été submergé par une pulsion destructrice telle qu'on en voyait rarement. Si c'était la première fois que cela lui arrivait, il devait avoir peur, de lui-même et de sa colère. D'une façon ou d'une autre, cela se verrait de l'extérieur. Mais cela pouvait prendre du temps. Il se mettrait peut-être à boire. Ou bien il développerait un comportement hargneux, irascible, ou bien il se refermerait sur lui-même en gardant pour lui son terrible secret.

Jacob Skarre apparut à la porte. Il avait l'air fatigué, c'était inhabituel.

— Mal dormi ? s'enquit Sejer en le regardant.

— Linda Carling a appelé cette nuit. Il était presque 2 heures.

Sejer le regarda, étonné. Skarre referma derrière lui.

— Je suis inquiet.

— Ce n'est pas ta fille, fit remarquer Sejer.

— Non. C'est pour moi, que je m'en fais.

Sejer lui indiqua un fauteuil.

— C'est la deuxième fois qu'elle m'appelle. La première, c'était au sujet d'un homme dans son jardin, qui la regardait. Elle était seule à la maison, ce n'est pas rare. Et elle a appelé à un peu plus de 2 heures la nuit dernière pour me dire qu'elle avait été attaquée. Chez elle, dans les communs. Par un homme dont elle pense que c'était l'assassin. Et qui était venu pour la sommer de ne plus rien dire sur l'affaire de Hvitemoen.

Sejer haussa un sourcil de quelques millimètres. Ce qui traduisait chez lui une surprise intense.

— Et c'est maintenant que tu le dis ?

Skarre hocha lourdement la tête.

— Le pépin, c'est qu'elle fabule, avoua-t-il, abattu. C'est après moi qu'elle en veut.

— C'est rafraîchissant, la confiance que ces jeunes gens peuvent avoir en eux, constata Sejer, les yeux plissés. Tu es sûr ?

— Cette nuit, j'en étais sûr, répondit Skarre tout aussi lourdement. Elle a prétendu que l'agression avait eu lieu vers minuit. Elle n'a téléphoné à personne. Elle a pris une douche et est allée se coucher. Elle n'a même pas appelé sa mère, qui était partie avec le camion. Ce n'est qu'à 2 heures qu'elle s'est levée pour me passer un coup de fil. Je ne pige pas. Elle aurait appelé tout de suite. Elle aurait foncé dans la maison et aurait appelé. Police Secours. Pas à mon numéro personnel. Et il y a d'autres choses. Je l'ai vue devant chez moi, à deux reprises. Elle était sur le trottoir et regardait mes fenêtres. J'ai fait comme si je ne la voyais pas.

— Mais tu dis que tu es inquiet ?

— Imagine qu'elle dise la vérité. Imagine que l'assassin ait réellement été près de chez elle.

— À t'entendre, on dirait un doux rêve.

— J'ai peur de me planter.

— Mais à part ça ? Qu'est-ce qu'elle a pu dire de son agresseur ?

— Rien. Si ce n'est qu'il était grand.

Sejer resta un moment silencieux, le menton posé dans la main.

— C'est impensable. Qu'il montre le bout de son nez comme ça.

— Oui. C'est impensable. Mais le mieux, c'est que je n'aie plus rien à voir avec elle. Les choses se tasseront bien toutes seules.

Il passa une main à travers ses boucles, qui restèrent toutes droites sur sa tête.

— Tu retournes chez Gøran Seter ?

— Je vais en mettre un vieux coup. Si à l'avenir je me fais taper sur les doigts par la hiérarchie, je veux que ça serve à avancer. Au moins pour pouvoir l'exclure de l'affaire.

— Ce n'est pas lui, estima Skarre. On n'aura pas cette veine.

— Je vois ce que tu veux dire. En plus, on a Kolding. Mais il a été sincèrement surpris quand je l'ai confronté au témoignage de Torill, de la station Shell. Il prétendait être allé directement en ville. Comprenait rien. Il a dit qu'elle avait dû mal voir. Mais si tu regardes un peu ce qu'on a véritablement sur Gøran, repenses-y. Il ment sur l'endroit où il était ce soir-là. Il conduit une voiture comme celle que Linda décrit.

— Il faut qu'on se méfie de Linda.

— Quoi qu'il en soit. On nous a parlé d'une voiture. Il en conduit une qui correspond. Il est passé sur les lieux au moment qui nous intéresse. On l'a vu avec des griffures au visage.

— Son chien.

— C'est ce qu'il dit. Il porte des chaussures de jogging flambant neuves. Il avait une chemise blanche et un pantalon foncé, tel que Linda décrit l'homme dans le champ. Mais arrivé chez lui, il portait d'autres vêtements. Pourquoi s'est-il changé ? Il s'entraîne beaucoup. Il est fort. Et à ce qu'on en sait, il marche aux stéroïdes. Ce qui peut faire perdre les pédales. Pour finir : selon Ulla, la dernière chose qu'il a faite à l'Adonis, c'est prendre une douche. Et il a lui-même reconnu que la première chose qu'il a faite en rentrant chez lui, ça a été de prendre une douche. De quoi avait-il besoin de se laver ?

Skarre alla à la fenêtre, et regarda un moment la rivière et les bateaux.

— Si je me trompe en ce qui concerne Linda, je serai puni, lâcha-t-il sans conviction.

— Et si tu prenais contact avec sa mère ? suggéra Sejer. Si elle a réellement été victime d'une agression, sa mère a bien dû le remarquer d'une façon ou d'une autre.

— En plus, elle a une copine, acquiesça Skarre. Karen. À elle, elle l'aurait raconté.

— Alors tu te charges de ces dames. Ça te réussit tellement bien...

Skarre renâcla.

— Et Kollberg ? Quand est-ce qu'il passe sur le billard ?

— Demain soir. Ne m'en parle pas. Je te tiendrai au courant à mon rythme.

— Passe le bonjour.

Gøran Seter avait été un enfant. Un bouchon blond qui courait tous azimuts dans la cour bien ordonnée. Sa mère l'a suivi depuis la fenêtre, songea Sejer, elle a admiré l'enfant à travers la vitre. Elle a bordé l'édredon autour de lui, le soir. Beaucoup d'instants mis bout à bout forment une vie. La plupart avaient peut-être été bons. On pouvait néanmoins se retrouver dans celui-là, un mauvais. La vie ne se résume pas à des pensées et des rêves. La vie est corps, muscles et pouls. Cela faisait des années que Gøran entraînait ce corps. En actionnant ces muscles pour les faire saillir comme d'énormes glènes sous la peau. À quoi devaient-ils lui servir, si ce n'est à soulever des charges sans cesse plus lourdes ? S'agissait-il de vanité, ou peut-être d'une obsession ? De quoi avait-il peur ? Qu'essayait-il de dissimuler en se vêtant d'une cuirasse de muscles de pierre ? Un chien aboya dans la maison, et il distingua un visage à la fenêtre. Un homme apparut sur les marches. Il se planta comme un videur, les bras croisés, et contempla Sejer d'un regard dénué de tout respect. Il n'était pas puissant et bien bâti comme son fils, sa force se trouvait dans son regard dur et son attitude froide.

— Eh bien. C'est encore vous. Gøran est dans sa chambre.

Torstein Seter ouvrit la marche dans l'entrée puis dans l'escalier jusqu'au premier étage. Il ouvrit sans frapper. Gøran était assis sur une chaise, en débardeur bleu. Pieds nus. Il avait un haltère dans chaque main. Ils étaient ronds et lisses, fins en leur milieu, avec une boule à chaque extrémité. Il les soulevait alternativement à un rythme régulier. Un tendon de son cou vibrait imperceptiblement à chaque traction. Il regarda Sejer bien en face, mais ne cessa pas ses exercices. Sejer s'arrêta, comme pétrifié. Il suivait les haltères des yeux, de haut en bas puis de bas en haut, comme des coups lents. Gøran les lâcha sur le sol.

— Combien pèsent-ils ? demanda Sejer d'un ton badin.

Gøran baissa les yeux sur les instruments.

— Dix kilos chacun. C'est juste pour l'entraînement.

— Et quand tu es chaud ?

— Quarante.

— Tu as donc plusieurs jeux ?

— Dans toutes les catégories de poids.

Il se leva de sa chaise. Son père se tenait toujours dans le chambranle de la porte.

— Vous n'arrêtez pas, dites-moi, en ce moment, lança Gøran avec un mouvement sec de la tête.

Mais il souriait. S'il avait peur, il le cachait bien. En se levant, il montra son corps, et il resplendit immédiatement de confiance en lui.

Sejer regarda le père de Gøran.

— Vous pouvez sans problème assister à la conversation. Mais, dans ce cas, il vaut mieux que vous vous asseyiez.

Seter se laissa ostensiblement tomber sur le lit. Gøran alla près de la fenêtre.

— J'ai une question, commença Sejer qui n'avait toujours pas quitté les haltères des yeux. Le 20 août, quand tu es parti de l'Adonis, tu portais un polo blanc et un jean noir. Nous étions d'accord là-dessus ?

— Oui, répondit Gøran.

— J'aimerais que tu me retrouves ces vêtements.

Un silence de mort s'abattit dans la pièce. Gøran ramassa les haltères, comme si cela le rassurait de les avoir en main. Il les tint devant lui, paumes vers le haut, et commença à faire de petits mouvements des poignets.

— Je n'ai aucune idée de l'endroit où sont ces vêtements, déclara-t-il sur un ton égal.

— Alors il faudra chercher, répliqua tranquillement Sejer.

— C'est ma mère qui gère le linge. Il peut être au sale, ou à sécher, qu'est-ce que j'en sais.

Il haussa les épaules. Son visage était figé.

Le père suivait avec attention depuis le lit. La question l'avait atteint dans toute son horreur.

— Tu peux commencer par le placard, suggéra Sejer en jetant un coup d'œil vers une armoire dans la chambre, qui était très certainement la penderie de Gøran.

— Dites-moi, vous pouvez réellement venir ici et exiger que les gens vident leurs armoires ? Comme ça, sans papiers, sans rien ?

— Non, avoua Sejer avec un sourire. Mais j'ai le droit d'essayer.

Gøran souriait aussi. Il lâcha de nouveau les haltères, qui atterrirent simultanément, permettant au bruit qu'ils firent de se faire une idée du poids qu'ils pesaient. Il ouvrit la porte du placard et commença à fouiller sans grand enthousiasme.

— Je ne les vois pas, éluda-t-il. Ils doivent être au sale.

— Alors on va aller chercher dans le panier à linge sale, proposa Sejer.

— Ça n'avancera à rien, para Gøran. J'ai plusieurs polos blancs et plusieurs jeans noirs.

— Combien ?

Un gémissement se fit entendre.

— Ce que je veux dire, soupira Gøran d'un air découragé, c'est que je ne me rappelle pas exactement quel polo ou quel jean je portais ce soir-là.

— Alors tu vas tous les trouver.

— Mais qu'est-ce que c'est que cette histoire de vêtements ? Pourquoi vous souciez-vous de ça ?

Gøran était cramoisi. Il commença à sortir du linge de sa penderie. Les effets atterrirent en tas sur le sol, recouvrant les haltères. Slips, chaussettes, t-shirts. Deux jeans, bleus. Un pull en laine et une boîte en plastique transparent. Contenant un nœud papillon rouge à vous faire dresser les cheveux sur la tête.

— Ce n'est pas ici, constata-t-il, le dos tourné.

— Ce qui signifie ? s'entêta Sejer.

— Aucune idée, grommela-t-il.

— Le panier à linge sale, décréta Sejer. Allons chercher dedans. Ou le contenu de la machine à laver. Et les cordes à linge, dehors.

— Quel intérêt à tout ça ? s'emporta-t-il.

Le père suivait, tendu.

— Ce n'est pas autorisé, articula-t-il d'une voix crispée.

Sejer lui retourna un regard calme.

— Non. Vous avez raison. Mais je demande une chose simple. Ce devrait être dans l'intérêt de tous d'arranger ça.

— Et si je refuse ? se braqua Gøran.

— Alors je ne peux absolument rien faire. Mais ce qui est clair, c'est que je me poserai aussi quelques questions sur ce que cela peut vouloir dire. Que vous regimbiez plutôt que de coopérer.

Le père était mal à l'aise ; la fureur contenue était bien sensible.

Sejer chercha dans le tas de linge sur le sol et souleva l'un des haltères. Gøran lui lança un regard mauvais.

— Qu'est-ce que vous croyez, en fait ?

— Je suis venu te blanchir, répondit-il simplement. Tu dois être rayé de cette affaire. C'est ce que tu veux, n'est-ce pas ?

Le doute fit vaciller le regard de Gøran.

— Évidemment.

— Alors il faut que tu trouves ces vêtements. C'est une demande simple et pleinement accessible.

Gøran déglutit.

— On va voir ça avec maman. C'est elle qui fait la lessive.

— Est-ce qu'elle va les trouver ?

— Je n'en sais rien, moi !

— Alors tu as peur qu'elle ne les trouve pas ?

Gøran retourna à la fenêtre, où il s'immobilisa pour regarder dans le jardin.

— Raconte où tu étais dans la soirée du 20.

Sejer avait baissé le ton.

Il fit volte-face avec une fougue subite.

— Qu'on sorte un gentil mensonge, ça ne veut pas dire qu'on a tué quelqu'un !

Le père cilla d'effroi sur le lit.

— Je sais, Gøran. J'en entends pas mal de ce tonneau. Mais si tu comprends où est ton intérêt, tu dis la vérité, même si elle est désagréable à dire.

— Ça ne regarde personne, lança-t-il d'un ton buté. Pourquoi est-ce que je devrais en arriver là, merde !

Il s'énervait à nouveau. Ça bouillonnait, sous la frange.

— De quoi est-ce que tu parles, Gøran ? voulut savoir le père qui s'était levé.

— Tu peux te tirer.

Le père dévisagea son fils avant de quitter la pièce à regret. La porte resta ouverte derrière lui. Gøran la referma d'un coup de pied et se laissa retomber sur le lit.

— J'étais avec une nana.

— Ce sont des choses qui arrivent, concéda Sejer en hochant la tête.

Il ne cessait d'observer ce qui se passait. Il ressentait confusément une certaine sympathie, qui s'immisçait en lui chaque fois qu'une personne transpirait de la sorte en se tortillant, mal à l'aise.

Mais cette chambre, cette maison, ne l'attiraient pas. C'était une maison fermée, sans chaleur.

— Comment s'appelle-t-elle ?

— Ça va faire des histoires et rien d'autre, si je le dis.

— C'est pire de se retrouver sous les feux de la rampe pour quelque chose de bien plus grave.

— Mais bon Dieu, je n'ai pas mérité ça, gémit Gøran en faisant un large geste désespéré des deux bras.

— On n'a pas toujours ce que l'on mérite. Être avec une minette, ce n'est pas un gros crime. Ça arrive tout le temps. Elle est mariée ?

— Oui.

— Tu as peur de son mari ?

— Non, je m'en balance. Peur de lui ? Ils vont divorcer, de toute façon.

— Alors où est le problème ?

Sejer le scrutait du regard. Ce visage jeune se débattait avec une décision difficile.

— Elle est sensiblement plus âgée que moi.

— Ça aussi, ça arrive, répondit Sejer sur un ton léger. Ce n'est pas si particulier que tu le crois.

— Je n'ai jamais dit que je pensais que c'était particulier ! Mais je vais en entendre parler. Et elle aussi.

— Vous le supporterez certainement. Vous êtes adultes. En comparaison de ce qui s'est passé dans le canton, c'est sans aucun doute une bagatelle.

— Elle a quarante-cinq ans, précisa Gøran, le regard braqué sur le sol.

— Depuis combien de temps entretiens-tu une relation avec elle ?

— Presque un an.

— Et Ulla ? Elle est au courant ?

— Non, vous pensez bien !

— Tu as été avec Ulla tout en ayant une relation avec cette femme mariée ?

244

— Oui.

— Où avez-vous l'habitude de vous rencontrer ?

— Chez elle. Elle est très souvent seule.

— Son nom, Gøran.

Il y eut un long silence. Il passa ses mains dans ses cheveux en gémissant.

— Elle va devenir folle.

— Mais c'est grave. Elle te comprendra sûrement.

— Il n'y a pas grand-chose à glaner du côté d'Ulla, expliqua-t-il avec amertume. C'est seulement l'impression que ça donne. Alors le reste – oui, vous voyez de quoi je parle – il a fallu que je le trouve ailleurs.

— Le reste ?

— Ne faites pas semblant de ne pas comprendre !

— Je veux simplement être sûr de bien te comprendre. C'est ton droit. Cette relation reposait sur le sexe, et sur rien d'autre ?

— Oui.

Son visage était cramoisi. Sejer voyait pourtant de légères traces consécutives aux blessures.

— Elle s'appelle Lillian. Elle habite à la villa suisse dont tout le monde parle avec autant d'ironie. Elle est mariée à Einar Sunde. Qui gère la taverne en centre-ville.

Il s'épongea le front.

— C'est elle que tu as appelée de ta voiture ?

— Oui.

— Quelle heure était-il quand tu es arrivé chez elle ?

— Aucune idée. J'y suis allé directement depuis l'Adonis. Et je conduis vite.

Il avait l'air perdu. Plongé dans le plus grand embarras.

— Donc, si tu es parti à 20 heures, comme le dit Ulla, tu étais chez Lillian avant 20 h 30 ?

— Je n'ai pas regardé l'heure.

— Tu devrais être heureux, le réconforta Sejer.

Le changement de ton désorienta Gøran, qui releva la tête.

— Tu viens de produire un alibi remarquable. Si elle confirme ton histoire.

Gøran se mordit la lèvre.

— Si ? Si elle ne le fait pas, alors elle ment. On parle d'une femme mariée, maintenant. Et si elle ne le reconnaît pas ?

— Je vais aller le lui demander.

Un frisson parcourut Gøran. Sejer lança un tout dernier coup d'œil aux haltères bleus. Ils étaient lourds, ronds, lisses. Il brûlait d'envie de les confisquer, mais il lui faudrait alors mettre Gøran en examen, et c'était trop tôt. Il sortit, Gøran le suivit au pied des marches. La mère apparut à la porte de la cuisine et les regarda, horrifiée. Au même moment, Sejer entendit le chien griffer l'intérieur d'une porte. En gémissant.

— Est-ce qu'il y a un problème ? s'inquiéta la mère.

— Probablement aucun, répondit Sejer avant de la saluer.

La mère s'était approchée de son fils et lui époussetait une épaule. Elle s'aperçut alors qu'il était pieds nus et alla rapidement lui chercher une paire de pantoufles dans le couloir. Gøran glissa docilement les pieds dedans. Sejer ne put s'empêcher de penser au curling. La mère était comme un balai, elle frottait devant les pieds de son fils pour que celui-ci puisse glisser sans rencontrer aucune résistance jusqu'à son but. Il avait déjà vu ça à de nombreuses reprises.

Il sortit et rejoignit son véhicule. Le père coupait du bois, mais releva la tête lorsque la portière claqua. Son corps fit un mouvement sec, plein de mépris.

— Salut, Marie.

Gunder regarda ce visage sans vie.

— Aujourd'hui, je suis de mauvais poil, annonça-t-il en fronçant les sourcils. Je vais te dire une bonne chose : les journalistes sont comme des rats. Il suffit qu'ils trouvent une faille pour qu'ils s'y engouffrent. Hier, ils ont appelé huit fois. Tu imagines ! La plupart étaient des femmes, et tu penses bien si elles étaient attentives. Délicates comme des mendiantes. Tout le monde connaît Poona, maintenant, tout le monde sait qu'elle venait me rejoindre. C'est dans votre intérêt de nous parler, comme ils disent. Pour que l'histoire ne soit pas déformée. De toute façon, nous écrirons quelque chose. Pas parce que nous sommes gourmands, mais parce qu'on nous l'ordonne. Les gens se sentent tellement concernés par vous et votre femme indienne. Ils veulent savoir qui elle était et où elle allait. Ils s'inquiètent pour vous et veulent savoir ce qui se passe. Voilà le genre de choses qu'ils racontent, Marie. Nous sommes juste à côté de la maison, nous pouvons entrer ? J'ai raccroché. Alors un autre journal a appelé. Et ça a continué de la même manière. On a fini par sonner à la porte, aussi. Quand j'ai ouvert, je suis tombé sur une bonne femme qui tenait un bouquet de fleurs et une énorme caméra. Je n'en croyais pas mes yeux. Je vous trouve idiote, lui ai-je dit. Je vous trouve purement et simplement idiote. Et je lui ai claqué la porte au nez. J'ai éteint les lumières et j'ai tiré les rideaux. Ce n'est pas mon genre de claquer les portes, mais je ne suis plus tout à fait moi-même.

« Aujourd'hui, il fait un temps épouvantable. Je suis sacrément content que la maison soit située suffisamment haut. Le sol de la cave est humide, mais en dehors de ça, rien. Je n'ai pas parlé à Karsten, ce qui fait que je ne sais pas comment c'est chez vous. Mais j'ai des choses plus importantes à raconter pour l'instant. J'ai enfin rencontré le frère de Poona. Mon beau-frère Shiraz Bai. C'est un drôle de type, tu peux me croire. Une perche maigrichonne avec des cheveux noir d'encre. Il ressemblait beaucoup à Poona. Mais pas aussi beau, bien sûr. Il a dit que je pouvais la garder ici, à Elvestad. J'ai été soulagé, Marie, tu n'as pas idée. C'est moi qui l'ai attirée ici, en Norvège, tout droit dans toute cette horreur. Alors je vais m'occuper de sa tombe pendant les années qu'il me reste à vivre. Je soupçonne son frère d'être content. Ce qui lui importait surtout, c'était que je paie. Mais la discussion est aisée. Nous vivons dans l'un des pays les plus riches au monde. Shiraz travaille dans une filature de coton, ils ne gagnent sûrement pas des mille et des cents. Les rumeurs disent d'ailleurs que la police prépare une arrestation. Un jeune homme d'Elvestad, je ne sais pas si tu le connais. Gøran, le fils de Torstein et Helga. Il a dix-neuf ans. Je ne comprends pas ce qu'ils ont dans le crâne. Il est avec une jolie jeune fille, correcte, et ses parents sont des gens bien. Mais la vérité, c'est que je m'en soucie comme d'une guigne. Je ne demande pas mieux qu'il soit puni, je n'ai jamais dit le contraire. Mais ça ne m'intéresse pas de savoir de qui il s'agit. Je ne veux pas savoir à quoi il ressemble. Ça ne pourra m'apporter que des rêves lamentables. Son visage devant moi dans le noir. Ce genre de choses. Tout ce que je veux, c'est Poona en terre. Planter quelques fleurs. L'automne sera si vite là. J'ai peur qu'ils passent trop de temps à faire leurs examens, et que le gel arrive. Qu'en dira le prêtre, à ton avis ? Poona est hindoue. Il doit bien y avoir des règles et des lois pour ce genre de choses. Je la ferai mettre à côté de maman. Quand tu abandonneras cette machine soufflante, je t'emmènerai pour te faire voir, même si je dois te trimballer en fauteuil roulant. Ça ne me fait rien de te pousser s'il le faut. En ce qui concerne Karsten, ce n'est pas sûr. Tu excuseras ma franchise, mais tu aurais mérité mieux. Je te le dis franchement, même si tu n'entends pas. Et s'il y avait la moindre chance pour que quelque chose passe quand même ? Et si ça t'indignait au point que tu te réveilles ?

Skarre conduisait. Sejer réfléchissait à voix haute.

— Si Gøran était véritablement chez cette femme, les observations de Linda concernant une Golf rouge ne valent pas tripette.

— Est-ce qu'il a pu avoir le temps de faire les deux ?

— Peut-être, hésita Sejer. Mais est-ce qu'il aurait recherché la compagnie de quelqu'un, après un forfait de ce genre ? Il serait parti tout seul. Dans la sombre forêt.

— Et est-ce qu'une femme de quarante-cinq ans va avouer une relation avec un type de dix-neuf ans ?

— Peut-être pas du premier coup.

— Tu n'as pas décidé d'épargner qui que ce soit, hein ? Tu n'es pas spécialement insolent, Konrad.

— Je peux apprendre, trancha-t-il.

Lillian Sunde se révéla dans toute sa splendeur. Quelque chose dans l'entrée qu'elle fit laissa supposer à Sejer qu'elle les avait vus de sa fenêtre, et qu'elle s'était bien préparée. Sa réaction fut théâtrale lorsqu'elle tenta une expression de surprise. Elle porta vivement une main devant sa bouche.

— Oh, mon Dieu ! Vous venez à cause de ce meurtre ?

Ils hochèrent la tête. Elle avait incontestablement fière allure, un peu affectée, peut-être ; il y avait un peu trop de tout, de maquillage et de bijoux, et un assortiment incohérent de parfums déferlait par la porte ouverte. Même Ulla a davantage de style, songea Skarre en baissant un instant les yeux sur les marches. Elle leur fit visiter la grande maison. Le hall était plus vaste que le propre salon de Sejer, au sol recouvert de dalles de pierre noires et blanches disposées en damier. Un large escalier montait en vrille vers le premier. Les chaussures de Lillian Sunde claquaient sur chaque marche.

— Vous devez être assez démunis de pistes, dans cette affaire, si vous venez ici, s'étonna-t-elle.

Sejer s'éclaircit la voix.

— Je ne vais pas vous faire perdre votre temps, déclara-t-il. Ni le mien. J'ai besoin de savoir où vous avez passé la soirée du 20 août.

Ils étaient dans le salon, au premier. Celui-ci était impressionnant de par ses dimensions, et on y trouvait un élément tout à fait exotique : un salon surbaissé. Sejer n'avait jamais rien vu de tel, et se sentit immédiatement attiré par cette pièce. C'était comme descendre dans un bac à sable. Un petit creux dans le sol.

Lillian Sunde ouvrit de grands yeux.

— Oui ? Le 20 ? C'est ce jour-là que ça s'est passé ?

— Oui.

Il s'arracha au salon et la regarda.

Elle plissa le front.

— Il faut que je réfléchisse un peu. Quel jour était-ce dans la semaine ?

— Un vendredi.

— Ah. Le vendredi, j'ai des séances d'acuponcture en ville. J'ai… non, peu importe ce que j'ai, mais ça aide. Ensuite, j'ai fait des courses, de nourriture et autres. C'est peut-être ce jour-là que je suis allée chez le coiffeur. Je me fais teindre toutes les six semaines, sourit-elle. Et puis… continua-t-elle, et ce fut tout à coup comme si elle se souvenait

250

brusquement, car elle se tut complètement et son sourire disparut. C'est le soir où j'ai vu ce film à la télé.

Elle médita quelques secondes et évita leurs regards en posant son front dans sa main.

— Un film américain, je ne me souviens plus lequel. Ça a dû commencer vers 21 heures, peut-être. Ça a duré longtemps. Ça m'a pris toute la soirée.

— Qui était avec vous ? s'enquit Sejer tout bas.

— Avec moi ?

Elle lui lança un regard sévère.

— Personne. Les enfants sont grands, ils ne sont jamais à la maison le soir. Et en ce qui concerne mon mari...

— Il travaille à la taverne ?

— Oui. Il est rarement à la maison avant minuit. Ou 2 heures, le samedi.

— Je dois vous confronter à ceci, poursuivit Sejer en sentant à cet instant précis un malaise bien connu.

Il l'appréciait. C'était une femme jolie et passablement agréable, qui n'avait peut-être pas une seule raison au monde d'avoir mauvaise conscience. Pas encore.

— Connaissez-vous Gøran Seter ?

Elle écarquilla de nouveau les yeux.

— Gøran Seter ? Je sais qui c'est. Mais je ne le connais pas personnellement.

— Il prétend avoir passé cette soirée avec vous. Ici, dans cette maison.

Ses yeux s'agrandirent, comme ceux d'une enfant qui voit une scène sinistre. Puis elle cilla plusieurs fois, déboussolée.

— Gøran Seter ? Ici, chez moi ?

— Il dit que vous entretenez une relation à caractère sexuel, qui dure depuis environ un an.

Elle secoua la tête, incrédule, puis se mit à aller et venir d'un pas las en faisant des mouvements théâtraux avec les bras.

— Mais au nom du ciel, monsieur, de quoi parlez-vous ?

— Est-ce que c'est vrai, oui ou non ? poursuivit impitoyablement Sejer.

Puisqu'il était lui-même tout entier occupé à parler, il espérait que Skarre utilisait ses yeux. Qu'il enregistrait tous les petits détails.

— Il n'est jamais venu dans cette maison ! Sauf s'il y est venu avec les enfants, mais j'en doute. Qu'est-ce qu'il viendrait faire ici ?

— Je viens de vous le dire. Entretenez-vous une relation avec lui ?

Elle secoua les mains. Les porta à ses cheveux, qui étaient cuivre sombre, rassemblés sur le dessus du crâne. Quelques longues mèches pendaient librement. Cette coiffure lui donnait une apparence décente, mais ces boucles libres promettaient pourtant des choses plus débridées, songea Sejer.

— Sincèrement, pourquoi raconte-t-il ce genre de choses ? Je suis mariée.

— Mais vous allez divorcer sous peu. Ce n'est pas vrai ?

Elle leva les yeux au ciel devant tout ce qu'il savait.

— Si ! Mais je ne passe pas mon temps à ravager des mômes.

— Il a dix-neuf ans.

— Et vous savez quel âge j'ai ? rétorqua-t-elle d'une voix irritée.

— Quarante-cinq ans, répondit tranquillement Sejer.

Elle fit quelques autres pas dans la pièce.

— Je ne comprends rien, reprit-elle d'une voix tendue. Pourquoi est-ce que Gøran dit ça ?

— Peut-être parce que c'est vrai ?

Il vit encore une fois une série de pensées traverser à toute vitesse la tête de son interlocutrice.

— Voici où en sont les choses, exposa-t-il calmement. Certains éléments dans les explications que nous a données Gøran à propos de cette soirée nous ont conduits ici. Si vous pouvez confirmer qu'il est venu chez vous, et si vous pouvez nous dire quelques mots sur la façon dont il s'est comporté, vous nous aiderez à progresser. Réfléchissez bien avant de répondre. Vos réponses pourront avoir une incidence sur l'avenir d'autres personnes.

Elle les regarda intensément l'un après l'autre avant de reprendre son errance.

— Est-ce vrai que je vais sauver la peau de Gøran ? demanda-t-elle avec incrédulité. Il n'a quand même rien à voir avec ce meurtre ?

— Mais vous ne le connaissez pas ?

— Non. Mais quand même.

Sejer la scruta du regard.

— Est-ce vrai que vous pouvez choisir entre la peau de Gøran ou votre propre honneur ?

Elle partit au trot vers la cuisine. Se remplit un verre d'eau au robinet, qu'elle but debout.

— Une fois, je l'avoue, je suis allée à ce restaurant dansant dans le centre-ville. Avec une amie. Gøran y était avec quelques autres jeunes. On a dansé et flirté un peu. Des choses du genre. Il a dû se faire des idées, sur lesquelles il a fabulé depuis. Ses besoins sont peut-être insistants. Parce qu'il s'entraîne pas mal.

— Alors vous le savez ? demanda rapidement Sejer.

Elle rougit et se détourna.

— Il n'y a donc aucune forme de vérité là-dedans ? poursuivit-il.

Elle lui fit de nouveau face et planta son regard dans le sien.

— Absolument aucune.

— Mon numéro, expliqua-t-il en lui tendant une carte. S'il faut que vous me contactiez. De quoi parlait-il, ce film ? Le film américain ?

— D'amour malheureux. Quoi d'autre ? demanda-t-elle sur un ton boudeur.

*
* *

La nouvelle de l'arrestation de Gøran Seter atteignit Gunwald entre les deux yeux. Son nom n'était pas mentionné, mais il le comprit malgré tout, à la description d'un jeune homme de dix-neuf ans qui habitait chez ses parents à quelques kilomètres du lieu du crime. Un homme qui soulevait des poids, qui avait un emploi dans une menuiserie et qui conduisait une voiture similaire à celle que le témoin à vélo avait vue. Il but une gorgée de café et serra le journal entre ses mains. Ça ne pouvait pas concorder. Pas comme il connaissait Gøran, comme un jeune aimable et plein d'énergie, qui avait une copine régulière et des parents fiers, un travail correct et de bons amis. Et ce n'était quand même pas Gøran qui avait balancé la valise dans le lac.

L'article le perturbait. Il baissa les yeux sur le chien grassouillet sous la table.

— C'était Gøran ? demanda-t-il à voix haute.

Le chien leva la tête et écouta.

— En fait, c'est Einar Sunde qui a lancé la valise dans le lac.

Gunwald sursauta ces mots à peine prononcés. Il les avait dits à voix haute, et ne put s'empêcher de jeter un coup d'œil par-dessus son épaule. Entre les branches sombres des sapins, il distinguait le champ. Il était toujours là, comme si rien ne s'était passé, un joli petit coin de paradis. La pluie avait effacé les traces. Le sang qui s'était échappé du corps détruit de la femme s'était infiltré dans la terre et avait disparu. Je dois téléphoner, pensa-t-il confusément. Au moins pour dire que cette valise a une autre histoire. Je n'ai pas besoin de dire que c'était Einar, juste que ce n'était pas Gøran. Je ne comprends rien de tout ça, s'angoissa-t-il, les yeux rivés sur son journal. Il le parcourut de bout en bout deux fois. Plusieurs explications divergentes sur l'endroit où il avait passé la soirée, et des difficultés à étayer les choses l'avaient mis sur la sellette. On avait en outre fait des découvertes techniques qui allaient être examinées de plus près. Ce dernier point, les découvertes techniques, c'était effrayant. Pauvres Torstein et Helga, pensa-t-il. Au train où va la rumeur. Lui-même n'allait jamais cancaner à la taverne. Il était trop vieux, et préférait rester devant la télé avec une eau-de-vie. Mais Gøran était sûrement innocent, et la police le découvrirait bien sans son aide. Ou bien ? Il n'avait pas besoin de téléphoner sur-le-champ. Il devait réfléchir, d'abord. À la façon dont il s'exprimerait. Il importait que tout aille bien. Il ne voulait pas dire son nom, sous aucun prétexte. Il porta tasse et assiette sur la paillasse et attacha le chien. C'était une journée à quatre cartons de lait et un pain, et s'il avait de la chance, une caisse de bières. Il alla au magasin en voiture et ouvrit. Balança la pile de journaux à l'intérieur. Regarda de nouveau les manchettes. C'était étrange de savoir que ce n'était pas Gøran, alors que tous les autres pensaient que si. Un mélange de solennité et d'inquiétude le taraudait. Si j'avais été jeune, il y a longtemps que j'aurais téléphoné. Mais je ne peux pas m'exposer à n'importe quoi. Je suis bientôt à la retraite.

Linda entendit la nouvelle à la radio, alors qu'elle était assise en peignoir à la table de la cuisine. L'information la fit secouer la tête. Cela ne pouvait pas être Gøran. Ou bien savaient-ils quelque chose

255

dont elle n'était pas au courant ? Elle se frotta la nuque. Celle-ci la faisait toujours souffrir. Elle passait son temps à sucer des antalgiques, en vain. Elle se sentait enveloppée dans un brouillard étrange qui empêchait quiconque de l'atteindre. Au sein de ce brouillard, il n'y avait de place que pour Jacob aux yeux bleus. Le monde devenait flou, Jacob était clair et net comme du cristal. Par moments, elle avait de longues conversations avec lui. Sa voix était on ne peut plus distincte.

Gunder vit la manchette au moment où il tirait le journal de sa boîte aux lettres. Il se figea un instant, le regard dans le vague. Il ne ressentait rien, que de la lassitude. Il y a tellement de vacarme, songea-t-il. Nous devrions peut-être tous fermer et aller nous coucher, une fois pour toutes. Il remonta péniblement chez lui et commença sa lecture. Mode, à la station-service, prenait tout son temps avec les clients, ce jour-là, car chacun avait son opinion sur cette affaire. Le canton ne tarda pas à se diviser en deux. Ceux qui pensaient Gøran innocent, et ceux qui le condamnaient impitoyablement. Avec en plus un groupe modeste de « ne se prononce pas », qui haussaient les épaules et esquivaient les regards. Suffisamment malins pour ne pas l'ouvrir, suffisamment prévoyants pour garder à l'esprit que le jugement finirait bien par tomber un jour.

Au palais de justice, tout fut préparé en vue de la première audition. Gøran y alla la tête haute. Il se rappelait le visage de sa mère à la fenêtre. Son père, muet comme une tombe, ses yeux noirs pleins de doute. Son père n'avait jamais pu parler pour lui-même. Sa mère pleurnichait comme une gamine. L'inspecteur principal marchait devant lui, silencieux et gris comme un mur. Cela faisait beaucoup de choses étranges à traverser, songea Gøran.

Tout était si irréel. Mais les policiers étaient aimables. Aucun ne voulait frapper, il en était sûr. Une horde de gens de presse les suivit dans le couloir. Il ne se cacha pas, se contentant de marcher tranquillement, d'un pas décidé. Un avocat est en route, il est dans un taxi avec le dossier sur les genoux, disaient-ils. Il va plaider ta cause. Il est important que tu lui fasses confiance.

Pourquoi prétendaient-ils cela ? Gøran tenta de percevoir ce qu'il y avait de malin ou de juste dans cette situation irréelle. Qu'avaient-ils découvert qui l'avait amené ici ? Ils constituaient maintenant une escorte rapide et empressée. De temps à autre, ils s'arrêtaient parce que quelqu'un jaillissait par une porte avec des papiers supplémentaires. Alors il s'arrêtait et attendait. Repartait quand ils repartaient. Il avait la bouche sèche. Vers quel genre de salle allaient-ils ? Une pièce nue avec une lumière aveuglante ? Allait-il se retrouver seul avec une personne, ou bien y aurait-il des témoins présents ? Il avait vu une foule de films. Des fragments d'images défilaient à toute vitesse, des hommes qui criaient et tapaient sur la table, des choses harassantes, rien à manger, pas de sommeil, les mêmes questions pendant des heures et des heures. Encore une fois. On reprend depuis le début. Comment était-ce, Gøran ?

Ses jambes voulurent se dérober sous lui. Il se retourna et regarda derrière lui. D'autres policiers. Ils travaillent, se dit-il. Des téléphones sonnaient. Le pays tout entier saurait bientôt ce qui se passait. Ils en parleraient à la radio et au journal télévisé. À la fin des émissions, on pourrait encore le lire comme une bande de texte blanc sous la mire. Gøran ignorait que trois officiers se trouvaient à cet instant précis dans sa chambre, où ils retournaient tiroirs et placards. Chaque vêtement, chaque paire de bottes et de chaussures étaient sortis dans des sacs plastique blancs. Sa vie entière disparaissait par la porte de la maison dans laquelle il avait passé son enfance. Sa mère avait couru derrière la maison et s'était arrêtée au pied d'un chêne, comme en prière. Son père s'était planté comme un soldat sur les marches et regardait d'un œil torve tous ceux qui entraient. Ils descendirent à la cave chercher dans le panier à linge sale. Ils examinèrent le courrier dans la cuisine, bien qu'il n'en reçût jamais. Hormis sa fiche de paie, le premier de chaque mois. Il guettait l'arrivée de son défenseur, mais sans savoir à quoi s'attendre. Lorsque celui-ci apparut, il perdit courage. Un homme frêle sous une frange grise et des lunettes à monture démodée. Un costume gris et triste. Un gros dossier sous le bras. Il avait l'air d'avoir trop à faire, et peut-être de manger et de dormir trop peu. Il n'avait en tout cas pas de temps à consacrer au sport, les avant-bras qu'il révéla lorsqu'il se défit nerveusement de sa veste étaient plus fins que ceux d'Ulla, constata Gøran. On leur accorda une pièce. Gøran essaya de se détendre.

— Ça ne va pas trop mal, compte tenu des circonstances ? demanda l'avocat en ouvrant son dossier.

— Non.

— Tu as besoin de quelque chose ? À manger ? À boire ?

— Un Coca, ce serait bien.

L'homme passa la tête dans le couloir et cria qu'on leur apporte un Coca.

— Bien froid, ajouta-t-il. Je m'appelle Robert Friis, se présenta-t-il. Appelle-moi Robert.

La poignée de main fut sèche, énergique.

— Pour commencer. Avant toute autre chose. Tu as nié toute culpabilité en relation avec le meurtre de Poona Bai. C'est bien exact ?

— Hé ? fit Gøran, qui n'avait pas saisi le nom à consonance étrangère.

— La femme de Hvitemoen était indienne. Elle s'appelait Poona Bai.

— Je suis innocent, glissa rapidement Gøran.

— As-tu la moindre connaissance sur ce meurtre, concernant la personne qui aurait pu le perpétrer ?

— Non.

— As-tu par ailleurs été à proximité du lieu du crime à une autre occasion, et de telle sorte que tu aies pu y laisser des effets personnels ou d'autres choses ?

Gøran se passa une main sur le front.

— Non.

Friis le regardait sans discontinuer droit dans les yeux.

— Alors ma mission, c'est d'éviter que tu sois condamné, conclut-il sèchement. Voilà pourquoi il est de la plus haute importance que tu me racontes tout, sans tenir secret quoi que ce soit que le procureur pourrait par la suite sortir de sa manche.

Gøran le regarda, peu sûr de lui.

— Je n'ai rien à cacher, affirma-t-il.

— Bien. Mais il peut y avoir des détails dont tu ne te rappelles pas maintenant, qui ressurgiront plus tard. Ne tarde pas à me dire les choses au fur et à mesure qu'elles te reviennent. Tu as le droit de me parler à tout moment. Sers-t'en. Même si j'ai plusieurs affaires en cours, je peux au besoin gérer l'ensemble.

— J'ai tout dit comme c'était.

— Bien.

Gøran eut son Coca, qui était froid et piquait la langue.

— Je dois en outre te demander si tu comprends la gravité de la situation. Tu es mis en examen pour homicide volontaire. Avec des circonstances particulièrement aggravantes.

— Oui.

Il hésitait un peu. Étant donné que cela ne lui était encore jamais arrivé, il chancelait quelque peu dans un paysage inconnu.

— Des circonstances aggravantes, cela signifie qu'il peut être question d'une peine complémentaire allant jusqu'à deux ans, simplement pour avoir maltraité la défunte. C'est le genre de choses qui rendent la police assez hargneuse. Ils veulent maintenant te voir placé en détention provisoire, et pendant ce temps, ils rassembleront tout ce qu'ils peuvent d'éléments pour intenter un procès contre toi. D'ici là, tu resteras ici, avec visites et correspondance surveillées.

— Est-ce que je dois rester ici ? bégaya Gøran.

Il avait pensé qu'ils voulaient lui parler, peut-être de longues heures, mais il avait néanmoins cet espoir qu'il serait ressorti avant le soir. La taverne d'Einar grouillerait de monde. Il devait y aller et être avec eux. Entendre ce qu'ils disaient. Une espèce de panique s'empara de lui. Il but nerveusement un peu de son Coca.

— Ils vont essayer de te fatiguer, expliqua Friis. Mets-toi bien ça dans le crâne. Ne réponds jamais à quoi que ce soit sans avoir compté au préalable jusqu'à trois.

Gøran le regarda sans comprendre.

— Ils voudront te faire perdre ton sang-froid. Il est important que tu ne le perdes pas. Même si tu es crevé, vidé, épuisé. Est-ce que tu perds facilement le contrôle ?

— J'encaisse pas mal de choses, répondit Gøran en se penchant ostensiblement en avant par-dessus la table.

Ses puissants avant-bras apparurent à Friis. Il les remarqua.

— Je ne parle pas de muscles, précisa-t-il. Mais de ça, là-haut.

Il désigna sa propre tête.

— Le type avec qui tu vas avoir un entretien n'a pas le droit de cogner. Et il ne le fera pas, je le connais. Mais il usera de tous les autres moyens contre lesquels il n'existe pas de lois, pour te contraindre à des aveux. Ce point-là est important pour lui. Des aveux. Pas que tu sois innocent ou non.

Gøran jeta un regard épouvanté à Friis.

— Je n'ai rien à craindre, déclara-t-il, mais sa voix se brisa sur la fin de la phrase, et il serra son verre de Coca des deux mains, si fort que celui-ci faillit éclater. J'ai un alibi, quand même, ajouta-t-il. Elle est crédible, elle aussi. Si seulement elle ne se rétracte pas. Voilà pourquoi je ne comprends absolument pas ce que je fais ici.

— Tu parles de Lillian Sunde ? demanda Friis d'un air sombre.

— Oui, répondit Gøran, étonné de ce que tout le monde avait réussi à apprendre en si peu de temps.

— Elle nie que tu étais chez elle.

Gøran ouvrit de grands yeux. Toute couleur disparut de son visage. Il se leva d'un coup de sa chaise et ses poings atterrirent violemment sur la table.

— Bordel de merde ! gueula-t-il. Harpie ! Allez la chercher, vous entendrez ce qu'il en est réellement ! Ça fait plus d'un an que je connais cette gonzesse, et elle vient...

Friis se leva et contraignit Gøran à se rasseoir. Un silence sépulcral régnait dans la pièce.

— Tu as oublié de compter, constata-t-il à mi-voix. Une seule manifestation de ce type devant la cour, et tu es l'assassin désigné. Tu comprends à quel point c'est sérieux ?

Gøran soufflait comme un bœuf. Il se cramponnait au bord de la table.

— J'étais chez Lillian, chuchota-t-il. Si elle dit autre chose, c'est qu'elle ment. Si seulement vous saviez ce que je sais d'elle ! Sur ce qu'elle aime et ce qu'elle n'aime pas. Comment elle veut que ça se passe. À quoi elle ressemble. De partout. Je le sais !

— Elle a beaucoup à perdre, expliqua calmement Friis. Son honneur, par exemple.

— Elle n'en a jamais eu, répliqua Gøran avec colère.

Une larme coula soudain traîtreusement le long de sa joue.

— Les gens peuvent avoir du mal à comprendre ce que tu faisais avec Ulla Mørk. Dans le même temps, tu es allé voir Lillian chez elle, pendant une année entière.

— Ce n'est quand même pas un crime.

— Bien sûr que non. Mais les gens auront besoin de comprendre qui tu es et comment tu penses, comment tu agis. En tout cas, tu devrais pouvoir le leur expliquer s'ils te le demandent, ce qu'ils feront très certainement. Alors autant commencer par me l'expliquer à moi.

Gøran regarda Friis, ahuri. C'était tellement évident. Deux nanas valaient mieux qu'une, et de plus, elles étaient différentes. Ulla faisait bien à côté de lui, mais il fallait toujours qu'elle décide. Il y avait toujours un problème. Lillian avait toujours envie. Il n'avait pas besoin de tenir Lillian par la main ni de l'emmener au restaurant. Ulla réclamait d'être chouchoutée et pomponnée, elle devait être servie pour lui donner ce dont il avait besoin. Ce besoin brûlant que les hommes avaient, et qui était leur véritable raison pour se trouver une gonzesse, en fait.

— Une bonne amie, ça doit bien signifier un peu plus que des rapports sexuels, non ?

Gøran leva vers lui un regard quelque peu découragé.

— Être amoureux, ça finit par passer, répondit-il d'une voix lasse. Assez vite, d'ailleurs.

— Et l'amour ?

Gøran lui fit un sourire incrédule.

— Gøran, attaqua Friis sur un ton sévère, dans le jury, il y aura des adultes qui partiront du principe qu'Ulla et toi étiez ensemble. Avec tout ce que cela suppose. Le fait que tu n'aies jamais rencontré l'amour ne veut pas dire que ça n'existe pas.

Gøran planta un regard découragé sur la table.

— Le jury doit pouvoir entendre que tu aimais Ulla. Et que Lillian était un écart que tu ne voudrais avoir commis à aucun prix. Mais tu étais hors de toi le soir du 20. Tu l'as expliqué à la police, et tu dois t'y tenir.

— Bien sûr. C'est vrai, enfin.

— Ulla a cassé après le sport. Devant l'Adonis. Et tu es allé directement chez Lillian. C'est cela qu'il faut comprendre ?

— Oui. J'ai appelé, d'abord.

— Tu en voulais à Ulla ?

— J'étais seulement agacé. Elle n'arrêtait pas de casser. Je ne savais pas trop quoi en penser. Putain, les filles, elles disent un truc, et…

— Doucement, Gøran, doucement !

Il s'effondra à nouveau sur son siège.

— Je n'ai pas tué cette bonne femme, à Hvite-moen. C'est un fouillis sans nom dans ma tête, je me paume quand on me demande des horaires et des dates, mais s'il y a une chose dont je suis sûr, c'est celle-ci : je n'ai pas tué cette bonne femme ! Je n'ai vu personne, personne.

La tête lui tourna soudain. La sensation lui était inhabituelle, exceptionnelle.

— Konrad Sejer dirigera l'audition, expliqua Friis. Il ne va pas tarder à venir te chercher. Tu vas passer un bon moment avec lui. Les premiers jours, il va vraisemblablement les utiliser pour établir la confiance entre vous.

— Les premiers jours ?

— N'oublie pas de respirer. Tu n'as pas de train à prendre, Gøran, tu dois jouer tes cartes avec calme et dignité. Si tu perds contenance, il attaquera instantanément. Il a l'air amical et équilibré, mais il veut ta peau. Il pense que tu as tué cette femme. Que tu lui as mis la tête en morceaux par pure fureur, parce que autre chose dans ta vie, avec quoi elle n'avait strictement rien à voir, partait en quenouille. Tu n'aimes pas être jeté, hein ?

— Bon Dieu, vous ne devez pas aimer ça, vous non plus ! explosa Gøran.

Puis il ferma les yeux.

— J'ai dépensé des milliers de couronnes pour Ulla. Je suis allé où elle voulait aller, je lui ai fait des cadeaux. Payé partout, au ciné, au café, bien qu'elle gagne de l'argent. Et voilà qu'elle en a assez !

— On n'envoie pas de facture à nos anciennes conquêtes, si ?

— Si j'avais pu, je l'aurais fait ! s'emporta-t-il.

— Tu l'aimais ?

Gøran oublia de compter jusqu'à trois.

— On s'habitue aux gens. Après tout ce temps.

Friis leva la tête vers la fenêtre comme s'il pouvait trouver une aide au-dehors.

— Oui. On s'habitue. Tu t'étais fait à ce qu'elle soit là pour toi. Quand elle est partie, tu t'es senti trahi. Ce n'est pas ça ?

— J'avais Lillian.

— Est-ce que tu as eu envie de taper ?

— Je n'ai jamais cogné Ulla ! s'écria-t-il. Pas une seule fois. Est-ce qu'elle a dit ça ?

— Non. La police prétendra que tu en as frappé une autre pour évacuer ton agressivité. Que tu es tombé sur Poona et que tu l'as bousillée. Elle constituait une proie facile. Seule dans un pays qui n'était pas le sien. Petite, menue.

Friis sortit un bloc et un stylo.

— Revoyons cette journée du 20, depuis le matin, quand tu t'es levé, jusqu'au soir, quand tu t'es couché. Chaque heure de cette journée. J'ai besoin d'un aperçu complet. Ne laisse rien de côté. Prends ton temps.

— Je croyais que ce devait être à la police de faire ça ?

— Ils le feront aussi. Et si je peux ajouter : il vaut mieux que les deux histoires soient identiques. Tu me suis ?

— J'étais chez Lillian, murmura Gøran.

*
* *

Est-ce que c'est ma faute ? s'interrogea Linda. Cela ne la tourmentait pas outre mesure. Ils pouvaient bien coffrer Gøran, Nouille, Mode ou n'importe qui d'autre, elle s'en moquait. Elle se mit au lit, disant qu'elle avait une migraine affreuse, sa mère ne la ferait pas aller à l'école. Allongée, elle regardait sans ciller l'araignée au plafond et ne mangeait pratiquement pas. Elle se sentait admirablement bien et faible, partiellement dans un rêve. Sa mère grimpa dans son camion et s'en alla. Elle ne sut pas que Linda se levait et prenait son vélo pour aller chercher les journaux chez Gunwald. On parlait toujours de l'affaire, surtout après l'arrestation de Gøran. L'homme dans les communs était beaucoup plus grand. Sa voix ne ressemblait par ailleurs pas. Ils devraient par conséquent le relâcher. Il se vengerait peut-être parce qu'elle avait parlé de la voiture. Mais elle n'avait même pas la force d'avoir peur. Les longues heures dans son lit, elle les passait à rêvasser. Elle imaginait avoir été kidnappée par un criminel cynique et sans pitié. Elle était séquestrée dans une maison sordide, tandis que Jacob se glissait par la porte de derrière avec une arme chargée et la libérait, au péril de sa propre vie. Ce rêve connaissait plusieurs variantes. Parfois, Jacob était blessé par balle, et elle devait lui poser la tête sur ses genoux et essuyer le sang de sa tempe. D'autres fois, c'était elle qui était blessée. Il criait alors son nom, encore et encore. La berçait. Posait la main sur son cœur, essayait de la rappeler à force de cris. Elle variait à l'infini, inlassablement. Elle se demanda si Jacob avait une arme, qui était à lui, ou bien si elles étaient seulement au commissariat et ne sortaient qu'en échange d'un paraphe. S'il était possible d'obtenir une arme pour pouvoir se protéger. On ne savait jamais. Et quand Gøran sortirait... Elle ferma les yeux. Sa nuque lui faisait mal. Son dos aussi, elle avait passé beaucoup de temps allongée. Il s'en fallait de peu qu'elle aime ces douleurs, qu'elle aime être tourmentée. Elle souffrait de son grand amour, parfaitement immobile dans son lit.

*
* *

Il y a un chemin en chacun de nous. C'est celui-là que je dois trouver, pensa Sejer. L'âme vulnérable qui se cache dans ce corps préparé à tout. Il ne pouvait pas entrer comme un bulldozer. Il s'agissait de découvrir un point où Gøran lui-même l'inviterait. Cela prendrait du temps.

En approchant de la pièce où attendait Gøran, il pensait à Kollberg. Qui avait été opéré peu de temps auparavant et avait été tiré de son sommeil artificiel. Il ne tenait pas sur ses pattes.

Gøran était avachi sur sa chaise.

— C'est à nous, sourit Sejer.

Il souriait rarement, mais cela, Gøran ne le savait pas. Des bouteilles de Farris et de Coca avaient été posées sur la table. En réalité, c'était une pièce accueillante, à l'éclairage agréable, aux sièges confortables.

— Avant que nous commencions à discuter, tu dois avoir connaissance de ceci, fit savoir Sejer en le regardant : Tu as droit à ce qu'une personne soit présente durant toute l'audition. Friis, par exemple. Tu as le droit de te reposer quand tu es fatigué. D'avoir à manger et à boire quand tu auras faim ou soif. Si tu veux interrompre l'entretien, tu peux à tout moment quitter la pièce et retourner dans ta cellule. Tu comprends ce que je dis ?

— Oui, répondit Gøran, étonné de tout ce à quoi il avait droit.

— Tu t'entends bien avec Friis ? s'enquit Sejer.

Aimablement, songea Gøran, presque paternellement. Il recherchait la confiance. Voilà l'ennemi. Respire, se dit-il. Un, deux, trois.

— Je n'ai pas beaucoup d'éléments de comparaison. Je n'ai encore jamais eu besoin d'un avocat.

— Friis est bon, autant que tu le saches. Tu es une personne jeune, pleine de ressources, voilà pourquoi tu as ce qui se fait de mieux. Ça ne te coûte même pas un sou. Ce sont d'autres qui paient pour toi.

— Vous voulez dire ceux qui paient des impôts ? demanda Gøran avec une ironie subite, il oublia de compter.

— Exact. Ce qui signifie que nous vivons dans une société de droit.

— Si c'est une société de droit, je serai sorti avant ce soir. Le fait que j'aie eu quelque chose à vous cacher ne veut pas dire que j'ai tué cette bonne femme.

— Explique-moi ce que ça veut dire.

Gøran pensa à Lillian.

— J'ai eu la bêtise de vouloir protéger une femme mariée, commença-t-il avec amertume. J'aurais dû dire tout de suite que j'étais chez Lillian.

— Lillian dit que non, rétorqua Sejer.

— Lillian est une moule sur deux pattes !

Il se leva à demi de sa chaise, mais se laissa retomber.

— Je ne comprends pas pourquoi les filles n'assument pas ce qu'elles font au lit, avoua-t-il, découragé. Elles peuvent être excitées, elles aussi. C'est juste qu'elles ne veulent pas l'admettre.

Sa bouche avait pris une expression blessée.

— Il se trouve que c'est plus difficile pour une femme, expliqua Sejer. Pour plein de raisons. Entre autres parce que ça se retourne contre elles. Mais tu es un homme, et ce n'est donc absolument pas déplacé.

Il versa à boire dans les deux verres et en poussa un vers le jeune homme.

— Laissons cela de côté, Gøran. Parlons d'autre chose. Nous avons le temps. La maison dans laquelle tu vis est un endroit charmant. Tu y as toujours vécu ?

— Oui.

— Comment était-ce de grandir à Elvestad ? demanda Sejer avec curiosité.

— Bof. Ce n'est pas exactement Vegas.

Gøran sourit contre son gré. Friis lui avait conseillé de répondre aux questions, pas de développer. Mais c'était plus facile de parler.

— Tu rêves peut-être d'autre chose ?

— C'est arrivé. Un appartement à Oslo, peut-être. Mais tout le salaire passe dans le loyer.

— Mais tu es doué pour remplir tes journées. Tu es actif, non ? Tu travailles, et tu fais beaucoup de sport. Tu passes du temps avec tes amis. Est-ce que tu as toujours été aussi doué ?

Gøran n'avait pas l'habitude de s'entendre dire qu'il était doué pour quoi que ce soit. En y réfléchissant, c'était parfaitement mérité.

— Je m'entraîne depuis que j'ai quinze ans.

— Je cours un peu, confia Sejer. Voilà pourquoi je suis endurant. Mais je ne dois pas être particulièrement fort.

— C'est assez intéressant, ça. La plupart des gens vivent en ignorant complètement leurs propres forces. Parce qu'ils ne les utilisent jamais. Si je vous demande par exemple : quel poids est-ce que vous pouvez soulever ? Je parie que vous ne le savez pas.

— C'est exact, concéda Sejer avec un sourire confus. Je n'en ai aucune idée. Est-ce que je devrais le savoir ?

— Oui, bien entendu ! C'est important de savoir de quoi on est capable.

— Alors tu veux dire, c'est se connaître ?

— Exactement. Je sais bien de quoi je suis capable. Cent cinquante en développé-couché, annonça-t-il avec une fierté mal dissimulée.

— Le pire, c'est que cela ne me dit pas grand-chose. Tu aurais aussi bien pu dire cent ou deux cents. J'aurais admis n'importe quoi.

— Justement. C'est ça que je trouve bizarre.

Sejer marqua un arrêt et prit quelques notes.

— Qu'est-ce que vous écrivez ? demanda abruptement Gøran.

— Je note ce dont on parle. Tu as un beau chien. Il représente beaucoup, pour toi ?

— Il a fini par représenter beaucoup. Je l'ai eu quand j'avais quatre ans.

— Alors tu l'as encore pour un moment. Moi, j'ai un leonberg. On vient de l'opérer pour des grosseurs dans le dos. Je ne suis pas sûr qu'on puisse le remettre un jour sur ses pattes. Il ressemble à Bambi sur la glace, le pauvre.

— Vieux ? demanda Gøran, modérément intéressé.

— Dix ans. Il s'appelle Kollberg.

— Bon Dieu ! Qu'est-ce que c'est que ce nom ?

— Merci, ricana Sejer. J'ai déjà entendu ça. Comment s'appelle ton chien ?

— Kairo. Vous savez, sombre et chaud.

— Mmm. C'est chouette. Je n'ai malheureusement pas la même élégance que toi dans l'imagination.

Gøran venait de recevoir deux compliments en peu de temps. C'était davantage qu'il en recevait habituellement en un an.

— Parle-moi un peu de quelques-unes de tes petites amies.

Sejer souriait toujours, un grand sourire qui n'incitait qu'à la confiance, ouvert comme un océan.

Gøran se tortilla.

— Je n'ai pas de petite amie, répondit-il sur un ton boudeur. J'ai une nana, ou je n'en ai pas.

— Bien. Tu as des nanas, mais elles ne restent pas longtemps chères à tes yeux ?

— J'ai bien dû en apprécier certaines plus que d'autres, concéda-t-il à contrecœur.

— Est-ce qu'Ulla était l'une d'elles ?

Silence. Gøran but un peu de Coca et se surprit à regarder l'horloge. Elle avait cinq minutes de retard.

— De combien de filles parlons-nous ? s'enquit Sejer en regardant Gøran.

Sa peau était claire et lisse, son cou rendu musculeux par des années d'entraînement, ses mains puissantes, ses doigts courts.

Gøran fit mentalement le compte.

— Disons douze ou quinze.

— Dans combien de cas est-ce la demoiselle qui a mis un terme à la relation ? voulut savoir Sejer.

— Bon sang, non ! Ça a toujours été moi. J'en ai vite marre, reconnut-il. Les filles ne supportent pas grand-chose. Il y a tellement de trucs qui ne vont pas chez elles...

270

— Oui. Absolument. Admettons qu'elles soient différentes. Mais si elles ne l'étaient pas, cela n'aurait aucun intérêt de leur courir après ?

— Non, hé hé. Ce n'est pas faux.

Gøran partit d'un rire bon enfant de ce qu'il avait dit.

— Et Ulla ? tenta Sejer.

— Ulla est chouette, répliqua Gøran en penchant la tête de côté. En bonne condition physique. Aucun pli déplaisant. Si ce n'est sur la tronche, de temps en temps...

— Ça a dû être rude, quand elle a cassé. Puisque tu as l'habitude d'être celui qui claque la porte.

— Ce qu'il y a, s'énerva Gøran, c'est qu'elle oscille sans arrêt. Elle n'arrête pas de casser.

— Tu crois qu'elle reviendra ?

— Probablement, répondit-il avec une belle assurance.

Pendant un instant, il regarda Sejer bien en face.

— Et cette conne qui a identifié ma voiture, elle ne fait pas la différence entre un bus et un semi-remorque. Linda, là, elle n'est pas très nette. C'est assez navrant que vous accordiez de l'importance à des choses pareilles.

— Allons, du calme. Nous ne sommes pas pressés.

Gøran se mordit la lèvre.

— Vous feriez mieux de chercher dehors le salaud qui a réellement fait ça. Vous perdez votre temps, avec moi. J'espère que vous veillez à ce que quelqu'un d'autre cherche ailleurs, parce que sinon, je peux vous dire que vous gaspillez l'argent du contribuable dans les grandes largeurs.

Sejer se renversa dans sa chaise.

— Tu aimais bien l'école ? Tu es allé en primaire et au collège à Elvestad.

— Oui. J'aimais bien ça.

— Les profs aussi ?

— Quelques-uns. Celui qu'on avait en menuiserie et ferronnerie. Et le prof de gym.

— Oui, repensa soudain Sejer. Tu travailles chez un menuisier. Qu'est-ce que tu y fais ?

— Mon apprentissage. Je fabrique tout, depuis des étagères à des jardinières. Sur mesure.

— Tu t'y plais ?

— Le chef est OK. Oui, c'est sympa.

— Et puis ça sent bon, dans une menuiserie. Je ne me trompe pas ?

— Oui, acquiesça Gøran. Ça sent bon le bois, et l'odeur n'est pas la même suivant les essences. On apprend, petit à petit.

Et le temps passait. Les hommes parlaient. Les épaules de Gøran retombaient. Il souriait plus souvent. Se servait en Coca. Il demanda à Sejer s'il reprendrait un chien au cas où les choses tourneraient mal avec... comment était-ce, déjà ? Kollberg. C'est complètement insensé d'appeler un animal Kollberg.

— Je ne sais pas, répondit alors Sejer avec une tristesse mi-affectée, mi-sincère.

Il ne cessait de prendre des notes. Si Gøran avait des conseils en matière de dressage canin ? Je n'ai pas eu beaucoup de chance avec le mien, avoua-t-il. Un peu honteux de cet aveu, avec le regard d'un écolier devant un expert. Oui, Gøran savait tout et s'échauffait en parlant de son chien Kairo, qui obéissait à son moindre geste. Mais si vous n'avez pas un chien obéissant, c'est peut-être parce que vous ne l'avez jamais voulu.

Sejer hocha pensivement la tête.

— Dans le fond, ce n'est pas idiot.

Et Gøran reçut son troisième compliment. Deux heures passèrent toutes seules. Sejer recopia ses notes.

— Lis voir ça. Tu vas signer en dessous, reconnaissant par là que c'est effectivement la conversation que nous venons d'avoir. Tu le feras chaque fois que nous aurons discuté. En d'autres termes, c'est toi qui décides de ce qui doit figurer ici.

Gøran acquiesça, lut et signa. Sejer se leva et vint à côté de lui.

— Merde, sourit Gøran en levant les yeux depuis sa chaise, parce qu'il se sentait petit à côté de Sejer, en dépit de toute sa force. Vous frisez les deux mètres !

Il fut reconduit dans sa cellule. Pas un mot n'avait été prononcé à propos du meurtre. Il ne comprenait pas. Mais il était l'heure de déjeuner. Œuf miroir et bacon. Tout en mangeant, il pensait à Sejer. C'était triste pour son clebs, dans le fond.

*
* *

— Salut, Marie.

Gunder tira la chaise contre le lit. Sa sœur avait été déconnectée de la machine et respirait à présent par ses propres moyens. Mais elle ne s'était pas réveillée. Le silence inhabituel dans la chambre l'effrayait. Elle respirait, mais pas aussi régulièrement que la machine. Il se sentit gagné par la nervosité et voulut aider.

— Aujourd'hui, j'étais à la maison et je regardais une photo de Karsten et toi. Tu as pas mal changé. Ton visage perd ses formes. Le médecin dit que c'est parce que tu ne fais pas fonctionner tes muscles. Et ça n'aide pas si je suis drôle, de toute façon, tu ne ris pas. Je n'arrive pas à me projeter dans l'avenir, et ça m'ennuie vraiment. À l'heure qu'il est, Poona aurait eu le temps de se familiariser avec Elvestad, la maison et le jardin. Elle aurait appris à se servir de la machine à laver, du four à micro-ondes et du magnétoscope. On aurait pu regarder des films indiens, assis dans le canapé. Ils font des tas de films en Inde. Des films romantiques pleins de héros virils et de belles femmes. Pas des longs-métrages banals comme on en fait, sur des gens tout à fait ordinaires. Ils rêvent beaucoup, les Indiens. C'est nécessaire. Ils sont tellement pauvres...

« Tu sais quoi ? J'ai reçu plusieurs lettres. De femmes que je ne connais pas. Elles sont russes et philippines, et se mettent à disposition. Elles disent qu'elles me plaignent. Qu'est-ce que vous m'offrez ? Poona n'est même pas enterrée. Je ne sais pas quoi penser de ce genre de choses.

« Et maintenant, ce Gøran est entendu. Il nie tout. Que pouvait-on attendre d'autre ? Qu'il l'ait fait ou non, il ne l'avouera jamais. Difficile de comprendre qu'un jeune homme ayant la plus belle partie de sa vie devant lui aille faire des choses pareilles. Il a été mis en détention provisoire pour quatre semaines, c'est ce que disent les journaux. Je pense beaucoup à ses parents. Ce sont des gens ordinaires, qui travaillent. Ils lui ont donné le mieux qui soit, je crois. Ils se sont inquiétés, ils ont espéré. On va maintenant rassembler des preuves. Prouver de façon absolument certaine que c'est Gøran le coupable. De temps en temps, je me demande comment ça a dû être pour Poona. Quand elle attendait à l'aéroport. Quand elle est partie avec un inconnu, droit vers la mort. Et le chauffeur de taxi, d'ailleurs ? Imagine si c'était lui ? Et tout ça parce que tu as eu un accident. Je ne t'accuse pas, Marie, mais tu n'as jamais été une bonne conductrice. Tu ne devrais peut-être pas conduire du tout.

« Je repense tout à coup à l'hiver 59, quand nous avions eu tant de neige. Toi et Kristine jouiez derrière la maison. Je vous regardais par la fenêtre. J'avais la rougeole, et je devais rester à l'intérieur. Vous faisiez les folles, vous criiez, vous riiez, je vous entendais jusque dans le salon. Il faisait doux, et vous faisiez les choses les plus épouvantables dans la neige humide. Tu te rappelles ? Je n'ose même pas le dire à voix haute, même si tu n'entends pas. Je n'en ai rien dit à maman. Elle en aurait perdu la boule. Ce qu'on peut faire comme bizarreries, Marie… Je pense régulièrement au frère de Poona. Il m'a envoyé une belle photo d'elle. Elle est plus grande que la petite que j'avais prise, et je lui ai acheté un cadre décent. J'ai promis de contacter Shiraz lorsque la date de l'enterrement serait fixée. Mais il ne viendra certainement pas. Il pense peut-être commettre un péché en la laissant enterrer en terre chrétienne. La terre chrétienne, qu'est-ce que c'est donc ? La terre, c'est la terre. J'ai parlé avec le prêtre Berg. Je dois dire qu'il a eu de quoi ruminer. Est-ce que son frère a véritablement accepté ça ? ne cessait-il de demander. Vous êtes parfaitement sûr ? Nous ne pouvons pas risquer des problèmes après coup. Et hindoue, en plus. Je ne peux pas en faire mention dans l'église, Jomann, j'espère que vous le comprenez. Le prêtre Berg est sympathique, mais il a peur de mal faire. En revanche, j'ai obtenu l'autorisation de passer de la musique indienne au début de la cérémonie. Il va falloir que je trouve quelque chose. Mode a quelques CD, à la station Shell, mais je ne trouverai certainement pas ce genre de choses là-bas. J'espère sincèrement que Karsten viendra, mais je n'en suis pas sûr. Tu sais quoi ? D'une certaine façon, je trouve ça curieux, que tu sois encore vivante. Alors que le corps ne parvient plus à se nourrir. Je ne crois pas que tu doives reconduire après ça. Tu pourras m'appeler si tu as besoin d'aller quelque part, je t'emmènerai. Karsten est toujours débordé, lui. Mais on reparlera de ces choses-là plus tard. Quand tu te réveilleras.

*
* *

Mode prit une pièce d'une couronne dans le bol et l'inséra dans le Wurlitzer. Nom d'un chien, la musique est aussi vieille qu'Einar, ici, songea-t-il tout à coup. La taverne était bien remplie. Einar essuyait des verres. Il était bien peu bavard, ces temps-ci, les rumeurs disaient que Lillian avait commencé à faire ses cartons. De mauvaises langues trouvaient étrange que la rupture intervînt justement maintenant, après le meurtre de Hvitemoen et l'arrestation de Gøran Seter. Les gens faisaient preuve d'une imagination galopante. Nouille, Karen et Frank discutaient à une table dans un coin. Ils commandèrent d'autres pintes et jetèrent un coup d'œil vers la station-service de Mode, derrière le comptoir de laquelle Torill était de garde. Mode revint s'asseoir. C'était un type tranquille, au visage calme. Ses cheveux étaient blonds et épars, peignés vigoureusement vers l'arrière. Il faisait davantage que ses vingt-huit ans.

— Évidemment, que nous pouvons rester là à dire que Gøran est innocent, asséna Frank, mais ce qu'il y a, c'est que s'ils avaient enchristé quelqu'un d'autre, d'autres personnes que nous diraient exactement la même chose depuis une autre table. C'est à des trucs comme ça, que je pense.

Tous plongèrent dans leur bière.

— Autre chose, enchaîna un Nouille inquiet. Pense un peu à tout ce que les flics savent, et qu'ils n'ont pas dit. Quand il s'agit de le mettre à l'ombre, ils en savent un sacré paquet.

— Oui, mais bon Dieu ! s'indigna Frank en secouant la tête. Est-ce que Gøran a frappé quelqu'un une seule fois dans sa vie ?

— Il faut bien qu'il y ait une première fois, fit remarquer Mode avant de s'allumer une cigarette. Je me demande si on a le droit d'aller le voir.

Einar toussota depuis son comptoir.

— Ses visites et son courrier sont sous surveillance. Aucun de nous ne passerait. Peut-être ses parents. Personne d'autre, en tout cas.

— Imagine, être tout seul dans une cellule sans radio ni télé ni journaux. Ne pas pouvoir contrôler ce qu'on écrit sur toi.

— Est-ce que quelqu'un sait quel genre de gonze c'est, cet avocat ?

La question venait de Nouille.

— Un maigrichon gris, répondit Mode. Il n'a pas l'air spécialement balèze.

— Ce ne sont pas exactement leurs muscles dont ils se servent dans une salle d'audience, nota Frank en dodelinant de sa lourde tête. Ils parlent d'une découverte technique. J'aimerais bien savoir ce que ça veut dire.

— Des cheveux, des trucs comme ça, avança Nouille. Mauvais plan pour Gøran s'il a laissé des cheveux.

— Tu parles de lui comme s'il l'avait fait ! s'indigna Frank.

— Mais bon sang de bonsoir, il est bien emprisonné, non ? ! répliqua Nouille. Ils vont intenter un procès. Il faut bien qu'ils aient des éléments à charge contre ce mec.

— Mais je ne comprends pas, répéta Frank, troublé par l'idée qu'il puisse s'être si grossièrement trompé sur quelqu'un.

— On lui collera sûrement un psy, pour voir s'il est sain d'esprit.

— Ça, en tout cas, on sait qu'il l'est.

Frank but plusieurs gorgées de bière et rota.

— Il y a peu de chances que le gazier qui a défoncé la tête de cette bonne femme soit sain d'esprit, asséna-t-il sèchement.

— Il peut être sain d'esprit par ailleurs, intervint Einar. Mais pas au moment où ça s'est passé.

Un silence momentané se fit. Une nouvelle réplique qu'il fallait digérer. Tous avaient l'image de Gøran en eux. Ils le voyaient assis à une table, devant un gobelet en plastique. Ils imaginaient son visage éperdu, abandonné, des gouttes de sueur au front. Voûté sur sa chaise, peut-être une chaise sans rembourrage. Il était assis depuis longtemps, et commençait à se tortiller, d'un côté, de l'autre. Il avait mal dans le dos. Il regardait constamment l'heure. Un responsable d'audition mordant en face de lui. Qui décidait combien de temps ils resteraient. L'image était on ne peut plus claire pour eux, mais correspondait bien mal à la réalité. Car Gøran venait de planter les dents dans une pizza aux peperoni brûlante. Le fromage forma de jolis fils fins qu'il rassembla entre ses doigts.

— Tu étais habitué à Ulla, glissa Sejer à mi-voix, et quand elle a rompu avec toi, tu ne l'as pas prise au sérieux ?

— Non, répondit Gøran en mâchant avec gourmandise.

La pizza était bonne, il avait pu y faire ajouter des assaisonnements supplémentaires.

— Et c'est pour cela que ça ne t'a pas provoqué ?

Il avala et but une gorgée de Coca par-dessus, avant de passer ses doigts dans ses cheveux drus.

— Oui.

— Ulla dit que tu t'es mis en colère. C'est étonnant, chez nous autres humains ; nous comprenons tout différemment les uns des autres. Tu étais peut-être triste, plutôt ?

— Triste ? répéta Gøran sans comprendre.

— Donne-moi un exemple de ce qui te rend triste, l'invita Sejer.

Gøran dut réfléchir. Il mordit de nouveau dans la pizza.

— Tu n'as pas d'idée ?

— Je ne suis jamais triste.

278

— Mais qu'est-ce que tu es quand tu n'es pas heureux ? Tu es un type plaisant, mais tu n'es quand même pas tout le temps heureux ?

— Bien sûr que non.

— Alors ?

Gøran s'essuya le tour de la bouche.

— Quand je ne suis pas heureux, je suis en colère, évidemment.

— Ah, je comprends. Mais il est impossible que tu aies été heureux quand Ulla a mis un terme à votre relation.

Longue pause.

— Je vois où vous voulez en venir.

— Tu étais en colère. On peut l'établir ?

Nouvelle pause.

— Alors tu as appelé Lillian. Tu lui as demandé la permission de passer.

— Oui. Elle a dit que ça ne posait pas de problème.

— Elle dit que tu n'es jamais venu. Est-ce qu'il s'est passé autre chose ?

— Non ! J'étais chez Lillian.

Il empoigna une autre serviette et s'essuya derechef autour de la bouche.

— Tu avais besoin de réconfort ?

Gøran souffla énergiquement par le nez.

— Je n'ai jamais besoin de réconfort.

— De quoi avais-tu besoin, alors ?

— Grands dieux. Utilisez votre imagination !

— Tu avais besoin de la compagnie d'une femme ?

Gøran dévisagea Sejer, bouche bée, et se pencha par-dessus la table. Il rit de si bon cœur que Sejer plissa le front.

— Il va falloir que tu m'expliques ce qu'il y a de si drôle. Tu es trop rapide pour moi, Gøran.

Gøran avala le compliment avant de singer Sejer.

— « Tu avais besoin de la compagnie d'une femme. » Putain, à quelle époque avez-vous grandi ? La Première Guerre mondiale ?

— Je suis un homme vieux jeu, sourit Sejer. Tu l'as découvert. Mais donc : de quoi avais-tu besoin ?

— D'un orgasme, répondit simplement Gøran.

Il planta de nouveau ses dents dans la pizza.

— Tu l'as eu ?

— Je viens de vous le dire.

— Non. Tu as appelé Lillian. Elle a dit que tu pouvais venir. Avançons étape par étape. Quels sont les mots exacts qu'elle a employés ?

— Hein ?

— Est-ce que tu te souviens précisément du contenu ?

— Elle a dit que c'était d'accord.

— Tout simplement, « c'est d'accord » ?

— Oui.

— Est-ce que tu as vu une femme d'origine étrangère marcher le long de la route tandis que tu conduisais ?

— Je n'ai vu absolument personne.

— Est-ce qu'elle portait une valise ?

— Pas vu de valise.

— De quelle couleur était-elle ?

— Aucune idée. Je n'ai rencontré personne.

— Elle n'avait qu'un sac à main ? En tissu rouge. En forme de fraise, précisa Sejer. Tu t'en souviens ?

— Non, répondit Gøran, surpris.

Il eut tout à coup l'air de douter.

— Est-ce que ça a disparu au milieu de tout le reste ?

— Il n'y a rien à se remémorer, répliqua Gøran.

Il reposa la part de pizza.

— Tu l'as peut-être refoulé ?

— Je me serais souvenu d'un truc pareil.

— Quel genre de truc pareil ?

Silence.

— Tu étais peut-être loin quand ça s'est passé. Il n'y avait que ton corps, qui était là, suggéra Sejer.

— Il était chez Lillian. En pleine action. Je me rappelle même ses draps ; verts, avec des nénuphars. Il faut que je vous dise que les nénettes adultes sont bien meilleures que les jeunes, confia-t-il en toute franchise. Elles s'ouvrent plus, littéralement. Les jeunes ont la manie de serrer.

Il défit ses chaussures et les envoya promener. Sejer écrivit pendant un long moment sans rien dire. Gøran s'était tu. L'ambiance était calme, presque paisible. Dans la pièce, la lumière s'adoucit, et la lueur des lampes jaunit à mesure que la nuit tombait peu à peu. Gøran était fatigué, mais pas par ce qu'il devait endurer. Il avait l'esprit clair. Le contrôle. Il comptait jusqu'à trois. Mais il ne pourrait pas s'entraîner. Une certaine agitation s'emparait de lui, impossible à combattre.

— Kollberg est à la maison, couché dans le salon, et il peut à peine bouger, soupira Sejer en posant son stylo. Je ne sais pas s'il s'en remettra. Si ce n'est pas le cas, il faudra que je le fasse piquer.

Il regarda longuement Gøran par-dessus la table. Celui-ci gardait son calme.

— Non, poursuivit Sejer comme s'il lisait dans ses pensées. Je disais juste ça comme ça. Je suis au boulot, mais il arrive que mon esprit s'évade. Il m'arrive de souhaiter être ailleurs. Même si j'aime bien ce travail. Ici, avec toi. Où est ton esprit ?

— Ici, répondit Gøran en regardant intensément Sejer.

Puis ses propres mains.

— Tu as suivi, par les journaux ?

Sejer se fourra un Fisherman's Friend dans la bouche et poussa le sachet en direction de Gøran.

— Oui.

— Quel point de vue t'es-tu fait à propos de ce qui s'est passé ?

Gøran inspira à fond.

— Oh, pas grand-chose. Que c'était dégueulasse, évidemment. Mais je préfère les pages sport.

Sejer se cacha le visage dans les mains, comme s'il était fatigué. En réalité, il était constamment en éveil, mais ce petit geste pouvait donner l'impression qu'il ne tarderait pas à déposer les armes. 18 heures avaient passé. Juste eux deux. Pas un son, pas de sonnerie de téléphone, de pas ou de voix qui filtraient du dehors. On aurait pu croire que l'imposant bâtiment était vide. Il bouillonnait en fait de vie.

— Que penses-tu de la personne qui a fait ça ? En ce qui me concerne, je me suis fait une opinion assez complète. Et toi ?

Gøran secoua la tête.

— Je n'en ai absolument aucune.

— Tu n'as aucune idée du genre d'homme que ça peut être ?

— Non, bien sûr que non.

— Est-ce qu'on peut supposer qu'il était dans une colère noire ?

— Aucune idée, répondit Gøran sur un ton buté. C'est votre problème, de le trouver.

— Et dans ton intérêt, aussi, il me semble ?

De nouveau cette gravité sur le visage de Sejer. Son regard était fixe comme l'objectif d'une caméra. Il passa ses mains dans ses cheveux gris et se défit de sa veste. Très lentement, avant de la suspendre au dossier de sa chaise. Il déboutonna ensuite les poignets de sa chemise et commença à remonter ses manches. Gøran n'en croyait pas ses yeux. Dans sa cellule, il y avait un lit avec une couverture et un oreiller, pour lui. C'était à cela qu'il pensait pour l'heure.

— Il y a longtemps de cela, je patrouillais dans les rues, raconta Sejer. C'était une nuit de vendredi à samedi. Nous étions deux. Il y avait de la bagarre devant le Kongens Våpen[1]. Je suis descendu de voiture et je suis allé vers eux. Deux jeunes hommes, de mon âge. J'ai posé la main sur l'épaule de l'un des deux. Il s'est retourné brusquement et m'a regardé droit dans les yeux. Tout à coup, sans que rien le laisse présager, sa main a jailli de l'obscurité et un couteau m'a atteint à la cuisse. Il m'a ouvert sur une bonne longueur, et j'ai encore la cicatrice aujourd'hui.

Gøran faisait mine de ne pas écouter, mais il en avait en fait le souffle court. Tous les mots, toute histoire inattendue étaient bienvenus, bien supérieurs à tout le reste en ces instants. Une sorte de répit.

— C'est tout ce que je voulais dire, conclut Sejer. On voit si souvent des gens se faire poignarder dans les films, et ça figure dans les journaux. Et puis il y a quelqu'un avec un couteau dans la cuisse, que la douleur submerge. J'en ai perdu la voix. Tout a disparu autour de moi, même le son des gens qui criaient. Tant la douleur était vive. Avec le recul, j'en ris. Une plaie dérisoire, qui n'avait touché que les chairs. Tout ce qu'il en reste, c'est une bande un peu plus claire. Mais sur le moment, ça a fait disparaître le reste du monde.

Gøran ne voyait pas où l'autre voulait en venir. Sans qu'il sût trop pourquoi, l'inquiétude s'immisça en lui.

— Est-ce que tu as déjà connu pareille souffrance ? s'enquit Sejer en se penchant en avant, et son visage arriva tout près de celui de Gøran.

Le jeune homme recula légèrement.

— Probablement pas. Sauf quand je m'entraîne.

— Tu te pousses au-delà de la limite de la douleur quand tu t'entraînes ?

_____
1. Les Armes du Roi.

— Bien sûr. Tout le temps. Autrement, on n'avance pas.

— Où vas-tu ?

Gøran regarda la silhouette élancée de Sejer. Il ne débordait de nulle part, mais il était probablement coriace. Son regard était insondable. Il ne vacillait jamais. Tout ce qu'il veut, ce sont des aveux, pensa-t-il. Respire calmement. Compte jusqu'à trois. J'étais chez Lillian.

Il se jeta brusquement en avant.

— On fait un bras de fer ?

— Oui, pourquoi pas, répondit Sejer en haussant les épaules.

Ils se préparèrent. Gøran fut prêt en un clin d'œil. Sejer se rendit compte qu'il allait devoir toucher Gøran, lui tenir la main. Subitement, il hésitait.

— Vous renoncez ? ricana niaisement Gøran.

Sejer secoua la tête. La main de Gøran était chaude et moite. Il compta jusqu'à trois et poussa violemment. Sejer ne tenta pas de plaquer la main de Gøran sur la table. Il veillait juste à rester vertical. Et il y parvint. Les forces de Gøran explosèrent en élan brutal, puis disparurent. Sejer fit lentement descendre sa main sur la table.

— Trop d'entraînement statique. Tu ne dois pas oublier la résistance. Souviens-t'en, à l'avenir.

Gøran haussa les épaules. Il n'était pas à son aise.

— Poona pesait quarante-cinq kilos, informa Sejer. Pas spécialement forte, en d'autres termes. Pas de quoi frimer pour un homme adulte.

Gøran pinça les lèvres.

— Mais il ne raconte certainement pas cet exploit à qui veut l'entendre. Je me l'imagine très bien, avoua Sejer en regardant Gøran droit dans les yeux. Il rumine. Il essaie de l'avaler. De le faire descendre dans le système.

284

Gøran se sentit pris d'un brusque étourdissement.

— Tu aimes la cuisine indienne ? voulut savoir Sejer.

Il était tout à fait sérieux. Il n'y avait aucune ironie dans sa voix.

— Tu ne réponds pas. Tu y as déjà goûté ?

— Euh, oui... hésita-t-il. Une seule fois. C'était trop fort, à mon goût.

— Mmm. On se sent comme un dragon cracheur de feu, après, acquiesça Sejer.

Gøran ne put s'empêcher de rire à nouveau. Cet homme était difficile à suivre. Il se contraignit à ne pas regarder l'heure. Il s'était un peu ramassé sur lui-même.

— Si je dois faire euthanasier Kollberg, ça sera le jour le plus noir de ma vie, reconnut Sejer. Vraiment, le jour le plus noir. Il a encore trois ou quatre jours, et puis on verra.

Gøran fut pris d'une nausée subite. Il s'essuya le front.

— Je ne me sens pas bien, souffla-t-il.

*
* *

En son for intérieur, Linda savait que Jacob était inaccessible. Ce postulat était comme une épine dans le pied, qui l'élançait à chaque pas. En même temps, elle portait dans le cœur le sentiment qu'il lui appartenait. Il était venu à sa porte, s'était arrêté sur la marche supérieure, la lumière du réverbère luisant comme de l'or dans ses boucles. Il l'avait regardée de ses yeux bleus. Elle avait été traversée comme par un rayon. Il s'était fixé en elle et avait formé une corde entre eux. Elle avait le droit de le ramasser et de l'emmener avec elle, dans son chemisier. Il était complètement impossible de se le figurer avec une autre fille. C'était une image qu'elle était incapable de faire naître en elle. Elle finissait par comprendre merveilleusement bien ceux qui tuaient par amour. Cette conception s'était immiscée en elle, imposante, lourde. Elle se sentait avisée. Elle se voyait poignardant Jacob. De telle sorte qu'il tombait dans ses bras avant de se vider de son sang, étendu sur le sol. Elle devrait être sur place au moment de sa mort, pour entendre ses derniers mots. Ensuite, pour le restant de ses jours, elle pourrait aller sur sa tombe. Lui parler, dire tout ce qu'elle voudrait, et il ne pourrait pas fuir.

Elle se leva de son lit et s'habilla. Sa mère était partie en Suisse chercher du chocolat. Elle se flanqua deux Paralgin dans la bouche et les fit descendre avec un peu d'eau. Mit un manteau et alla chercher l'horaire de bus dans le tiroir de la commode. Puis alla attendre sur la route. Le bus était presque vide, rien qu'elle et un homme d'un certain âge. Elle avait un couteau dans sa poche. Un couteau d'office à micro-denture. Quand sa mère coupait des carottes avec, elle obtenait de belles surfaces rainurées. Elle se recroquevilla sur son siège et éprouva le manche du couteau. Son bien-être ne dépendait plus d'école ou de boulot, de mari ou d'enfant, ou de salon de coiffure personnel sentant la laque et le shampooing. Il dépendait de sa tranquillité d'esprit. Seul Jacob pouvait la lui donner, mort ou vif, peu importait, mais elle devait parvenir à cette tranquillité d'esprit !

Une heure plus tard, la voiture de Skarre tourna lentement dans Nedre Storgate. Il ne se doutait absolument pas de ce qui se passait dehors, son esprit était ailleurs. Il se gara le long du trottoir et serra le frein à main. Et resta assis, plongé dans ses pensées. Il sursauta à la sonnerie de son mobile, qui jouait les premières mesures de la Cinquième Symphonie. C'était Sejer. La conversation laissa

Skarre songeur. Sejer lui avait posé une question singulière, de sa manière particulière et embarrassée quand il s'agissait des femmes. Imagine qu'il y ait une femme, commença-t-il, que tu vas voir à intervalles réguliers. Vous entretenez une relation qui ne repose pas sur l'amour, mais sur tout autre chose.

— Le sexe.

— Exactement. Elle est mariée à quelqu'un d'autre, et vous tenez ça secret. Tu vas chez elle les jours où elle est seule. Imagine une relation et une visite de ce type.

— Très volontiers, approuva Skarre avec un sourire réjoui.

— Tu connais la maison parce que tu y es déjà venu. Vous en arrivez rapidement dans sa chambre. Tu connais l'endroit aussi, les meubles, la décoration. Et vous couchez ensemble.

— Pas de problème.

— Ensuite, tu quittes les lieux et tu rentres chez toi. Et voilà la question, Jacob. Réfléchis bien. Est-ce qu'après coup tu te souviendrais des draps qu'il y avait dans le lit ?

Assis au volant, Skarre réfléchissait. Il passa laborieusement en revue différentes parures de lit. Il se rappela cette soirée chez Hilde, après cette séance de cinéma d'*Eyes Wide Shut*, et la lampe près du lit, avec son abat-jour rouge. La parure de lit, qui était prune, le drap légèrement plus clair que la housse de couette et la taie d'oreiller ornée de fleurs blanches. Il se rappela Lene aux cheveux blonds, et son lit à chevet de rotin. La couette à marguerites. Incroyable, songea-t-il en relevant la tête. Une ombre balaya brusquement le coin de la rue. Il observa sans bouger. Un mouvement rapide, soudain, puis plus rien. Comme si quelqu'un avait épié. Il secoua la tête et descendit de voiture. Il entra tranquillement sous le porche et chercha ses clés. Il entendit de nouveau un bruit, et s'immobilisa, l'oreille tendue. Je n'ai pas peur du noir, quand même, se dit-il en entrant chez lui. Il monta les escaliers. Il alla à la fenêtre et regarda dans la rue déserte. Y avait-il quelqu'un en bas ? Il chercha dans l'annuaire avant de décrocher. Elle décrocha après deux sonneries.

— Ici Jacob Skarre. Nous avons discuté l'autre jour. Je suis venu avec Konrad Sejer. Vous vous souvenez de moi ?

Lillian Sunde répondit par l'affirmative. Comment pourrait-on oublier pareille confrontation ?

— Juste une petite question. Possédez-vous une parure de lit verte ornée de nénuphars ?

Il y eut un silence total à l'autre bout du fil.

— Est-ce que c'est une plaisanterie ?

— Vous ne répondez pas à la question, constata-t-il.

— Je n'ai pas ce genre de choses en tête. Il faut que je vérifie.

— Arrêtez, la pressa Skarre. Vous savez à l'évidence quelles parures de lit vous possédez. Verte. Avec des nénuphars.

Un déclic se fit entendre lorsqu'elle raccrocha. Cette réaction l'embêtait.

*
* *

Gøran prit son petit déjeuner assis sur sa paillasse, son plateau sur les genoux. Ça n'allait pas vite. Il n'avait pratiquement pas dormi. Ça ne lui était vraiment pas venu à l'idée qu'il ne pourrait pas dormir, lorsqu'ils l'avaient enfin reconduit à sa cellule, après toutes ces heures. Son corps lourd comme du plomb lui fit mal lorsqu'il se laissa tomber à la renverse sur sa couche, tout habillé. Ce fut comme s'il disparaissait lorsqu'il s'enfonça dans le fin matelas. Mais ses yeux se rouvrirent. Il resta ainsi la plus grande partie de la nuit, presque sans corps. Seulement deux yeux exorbités qui regardaient fixement le plafond. De temps à autre, il entendait des pas au-dehors, et à deux ou trois reprises des clés qui tintaient.

Il avala le pain avec un peu de lait froid. La nourriture avait du mal à passer. La sensation que son propre système digestif le trahissait était effrayante. Il avait en permanence le contrôle. Son corps lui avait toujours obéi. Il eut soudain l'envie de hurler à pleins poumons. Dans ce corps bien entraîné, des réserves s'étaient accumulées, menaçant de le faire exploser. Assis sur sa paillasse, il regardait autour de lui, essayant de trouver un point sur lequel les diriger. Il pouvait lancer à toute volée le plateau contre le mur, déchirer les draps en tout petits morceaux. Mais il resta assis. Parfaitement immobile, comme dans une sorte de collapsus moteur. Il regarda de nouveau la nourriture. Contempla les mains qui agrippaient le plateau. Elles lui paraissaient étrangères. Blanches et molles. La serrure claqua. Deux officiers entrèrent pour le conduire vers une nouvelle audition. Il y avait de nouvelles bouteilles de Coca et de Farris, mais Sejer n'était pas en vue. L'officier l'abandonna sans verrouiller. Une pensée folle lui traversa l'esprit, qu'il pouvait se lever, tout simplement, et s'en aller. Mais ils attendaient vraisemblablement de l'autre côté de la porte. Était-ce ce qu'ils faisaient ? Il s'assit dans le bon fauteuil. Tandis qu'il attendait, il entendit les sept étages du bâtiment s'éveiller à la vie. Un murmure s'amplifiait lentement autour de lui, fait de portes, de pas et de sonneries de téléphone. Au bout d'un moment, il ne l'entendait plus. Il se demanda pourquoi. Personne n'arrivait. Gøran attendit. Un sourire amer apparut sur ses lèvres à l'idée que ce pouvait être une forme de torture destinée à l'attendrir. Mais il était de nouveau prêt, pas pris de vertige comme la veille. Il jeta un coup d'œil à l'heure. Changea de position sur son siège. Essaya de penser à Ulla. Elle était si loin. Il ressentait un profond malaise quand il pensait à Einars Kro. À tous ceux qui y discutaient. Il ne pouvait pas y être et rectifier. Que pensaient-ils ? Et sa mère ? Elle devait pleurnicher dans un coin de la cuisine. Son père s'occupait probablement derrière la maison, dos aux fenêtres, et maniait avec fougue la hache ou le marteau. Ainsi vivaient-ils, se rendit-il compte, le dos tourné l'un à l'autre. Et puis il y avait Søren, à la menuiserie. Il devait bien se faire des idées. Les gens passaient peut-être prendre des nouvelles. Comme si Søren savait quelque chose. Mais ils devaient certainement parler partout, dans le magasin de Gunwald et à la station-service de Mode. Il sortirait bientôt. Il parcourrait les rues et verrait tous les visages de ceux qui s'étaient fait leur point de vue. Y avait-il des photos de lui dans les journaux ? Était-ce permis alors qu'il n'avait pas été jugé ? Il essaya de se souvenir de lois et de règles, mais n'y parvint pas. Il pourrait demander à Friis. Non que cela dût changer grand-chose. Elvestad était un petit patelin. Le prêtre Berg l'avait baptisé et confirmé. Une idée aussi soudaine que comique lui vint en tête, que le prêtre priait peut-être pour lui devant son petit déjeuner au presbytère. Je t'en supplie, mon Dieu, sois auprès de Gøran en ces instants difficiles. Il sursauta quand la porte s'ouvrit.

— Bien dormi ?

Sejer se dressait de toute sa taille dans l'ouverture de la porte.

— Oui, merci, mentit-il.

— Très bien. Alors au travail.

290

Il prit place à la table. Il avait un côté léger et plein d'aisance, en dépit de sa taille. Ses membres étaient longs, ses épaules larges et son visage marqué. Cela correspondait bien à ce qu'il disait lui-même : qu'il était en excellente forme. Il le voyait, à présent. Un coureur, songea Gøran, le genre qui court en bordure de route, le soir, kilomètre après kilomètre, bien régulièrement. Un bel enfoiré coriace et endurant.

— Est-ce que le clebs est sur ses pattes ? s'enquit Gøran.

Sejer haussa un sourcil.

— Le chien, corrigea-t-il. Le chien sur ses pattes. Je n'ai pas de clebs. Non. Il est allongé devant le poêle, amorphe comme une peau d'ours.

— Hmm, asséna Gøran. Alors il va falloir le faire piquer. Un animal ne doit pas rester comme ça.

— Je sais. Mais je le repousse. Est-ce que tu penses à Kairo, de temps en temps ? Qu'il faudra que tu le fasses piquer, un jour ?

— Il reste pas mal de temps.

— Malgré tout... Ça va bien arriver. Tu ne penses jamais à l'avenir ?

— Non ; l'avenir ? Pourquoi est-ce qu'il faudrait que j'y pense ?

— Je veux que tu penses à l'avenir, maintenant. Quand tu regardes un peu plus loin dans le temps, qu'est-ce que tu vois ?

Gøran haussa les épaules.

— Ça ressemble à maintenant. Je veux dire, avant tout ça, précisa-t-il avec un large geste des bras.

— Tu comptes là-dessus ?

— Oui.

— Mais certaines choses ont beaucoup changé. Cette mise en examen. Ces conversations. Ce n'est pas un changement, ça ?

— Ça va être dur de ressortir, si. De retrouver les gens.

— Comment voudrais-tu par-dessus tout que ce soit quand tu sortiras ?

— Je veux que ce soit comme avant.

— Est-ce que c'est possible ?

Gøran se tordit les mains sur les genoux.

— Est-ce que ta vie pourra jamais être comme avant ? répéta Sejer.

— Presque la même, en tous les cas.

— Qu'est-ce qui sera différent ?

— Woaf, comme vous dites. Tout ce qui s'est passé. Je ne l'oublierai jamais.

— Alors tu ne l'as pas oublié ? Raconte-moi ce dont tu te souviens.

La voix de Sejer était très profonde, et à la vérité assez agréable, pensa Gøran, mais il regimba. Il ouvrit la bouche et se figea. Le silence faisait comme une lance dans la pièce, qui tournait à présent lentement et le désignait. Ses yeux se mirent à vaciller.

— Il n'y a rien dont je puisse me souvenir ! cria-t-il.

Il oublia de respirer, oublia de compter, s'empara d'une bouteille de Coca et la lança contre le mur. Le liquide coula en raies bien droites. Pas le moindre tressaillement ne fut visible sur le visage de Sejer.

— Nous arrêtons ici, Gøran, décida-t-il à mi-voix. Tu es trop fatigué.

Il fut reconduit à sa cellule, où on vint le rechercher au bout de deux heures.

Il se sentait de nouveau lourd. Mou et lent. Indifférent de façon agréable.

— Tu es opiniâtre en ce qui concerne ton entraînement, constata Sejer. Est-ce que tu transportes tes poids avec toi dans ta voiture ? De façon à pouvoir les manipuler à la moindre occasion ? Dans les embouteillages ? Ou quand le feu est rouge ?

— Il n'y a ni feu ni embouteillages à Elvestad, rétorqua sèchement Gøran.

— Le laboratoire a découvert des restes d'une poudre blanche sur son sac à main, poursuivit-il. Que crois-tu que cela puisse être ?

Silence.

— Tu sais, son drôle de sac à main. Vert. En forme de melon.

— De melon ? bégaya Gøran.

— De l'héroïne, peut-être. Qu'en penses-tu ?

— Je ne suis pas toxico, rétorqua-t-il durement.

— Non ?

— J'ai essayé un peu tout. Il y a longtemps. Mais ça ne m'a pas emballé.

— Qu'est-ce qui t'emballe ?

Haussement d'épaules.

— Le sport, n'est-ce pas ? Les muscles qui durcissent comme de la pierre, la sueur qui dégouline, la douleur dans les bras et les jambes quand ils reçoivent trop peu d'oxygène, les grognements à demi étouffés qui montent de ta propre gorge à chaque poussée, la sensation de force brute, tout ce à quoi tu peux parvenir, la barre, qui s'échauffe entre tes mains. Est-ce que c'est bien ?

— J'aime bien m'entraîner, répondit Gøran froidement.

— Au bout d'un moment, la barre devient lisse et glissante. Tu plonges les mains dans la caisse de magnésie. Une fine poudre blanche. Il y en a un peu qui voltige autour de toi et qui se pose dans tes cheveux et sur ta peau. Bien que tu te sois douché, une partie de cette poudre a trouvé son chemin jusqu'au sac à main de Poona. Vraisemblablement parce qu'il était en tissu. Un matériau synthétique qui attire tout à lui.

Gøran jeta un nouveau regard troublé à Sejer. Il avait la sensation que ses idées partaient tous azimuts, qu'il n'arrivait pas à les rassembler. Il ne se rappelait pas ce qu'il avait lui-même dit. Il n'arrivait plus à donner du sens à ce que disait le policier.

— Je n'ai pratiquement pas dormi, expliqua-t-il d'une petite voix.

— Je sais. Mais on a le temps. Il est important que ceci soit exact. Tu dis que tu étais chez Lillian. Lillian dit que non. Tu étais peut-être à Hvitemoen, mais souhaitais être auprès de Lillian ?

— J'étais chez Lillian. Je m'en souviens. Nous avons dû faire vite.

— Mais ça a bien dû toujours être le cas ? Quelqu'un pouvait arriver.

— Je ne comprends pas pourquoi elle ment.

— Tu l'as appelée pour lui demander si tu pouvais venir. Est-ce qu'elle a dit non, Gøran ? Est-ce que tu as été rejeté pour la deuxième fois dans la même et unique soirée ?

— Non !

Sejer fit quelques pas dans la pièce. Gøran fut saisi d'une agitation brutale, d'un besoin irrésistible de bouger. Il regarda l'heure. Il s'était écoulé onze minutes.

— Quand tu as appris le meurtre dans le journal, poursuivit Sejer, tu as dû imaginer des choses. Te faire des représentations. Est-ce que tu veux me les montrer ?

— Des représentations ? répéta Gøran en clignant de ses yeux rougis.

— Celles que ton imagination a produites. Tel que nous le faisons toujours quand on nous explique quelque chose. Nous essayons de voir. Une réaction automatique. J'aimerais bien entendre tes représentations concernant le meurtre de Poona.

— Je n'en ai aucune.

— Je vais t'aider à les trouver.

— Mais qu'est-ce que vous allez en faire ? s'enquit Gøran sans trop comprendre. Ce ne sont que des produits de l'imagination, quand même.

— Voir si elles ressemblent à notre découverte.

— C'est complètement impossible. Ce n'était pas moi !

— Si nous les trouvons, tu dormiras mieux la nuit. Elles t'effraient peut-être ?

Gøran se cacha le visage dans les mains. Ils restèrent un instant silencieux.

— Est-ce que tu es déjà allé voir Linda Carling chez elle ? demanda Sejer tout à trac.

— Quoi ? Non. Pourquoi est-ce que je le ferais ?

— Tu dois être assez indigné à l'idée qu'elle t'ait dénoncé ?

— Assez indigné ? Je suis fou de rage.

— C'est pour cette raison que tu es allé lui faire peur ?

Gøran le regarda, sidéré.

— Je ne sais pas où elle habite, répondit-il.

Lorsque la porte s'ouvrit sur Skarre, ils sursautèrent tous les deux.

— Téléphone, annonça le nouvel arrivant.

— Il va falloir que ce soit important, gronda Sejer.

Il regarda Gøran et quitta la pièce.

— C'est Sara ? Kollberg est debout ?

— Ole Gunwald. Voulait simplement te parler.

Sejer tourna dans son bureau. Il prit la communication debout.

— Ici Ole Gunwald, d'Elvestad. J'habite à Hvitemoen.

— Je me souviens de vous.

— Je m'y prends un peu tard. Mais il s'agit de cette affaire de meurtre.

— Oui ? s'impatienta Sejer.

Skarre était comme sur des charbons ardents.

— Vous avez arrêté Gøran Seter, commença Gunwald, mal à l'aise. Et à ce sujet, j'ai quelque chose à vous dire. Ce n'est pas la bonne personne.

— Qu'en savez-vous ?

— C'est moi qui ai appelé à propos de la valise. Et j'ai omis une petite chose. Ce n'est pas Gøran que j'ai vu près du Norevann.

Sejer écarquilla les yeux.

— Vous l'avez vu ?

— Je crois qu'il vaut mieux que vous veniez, suggéra Gunwald.

Sejer regarda Skarre.

— On prend ta Golf, proposa-t-il.

— Impossible, répondit un Skarre abattu. J'ai découvert quatre pneus à plat, ce matin. Crevés au couteau.

— Je croyais que tu habitais un quartier tranquille ?

— C'est aussi ce que j'imaginais. Ce sont sûrement des gamineries.

— À quoi penses-tu ? demanda Sejer tandis qu'ils roulaient.

Il n'aimait pas les voitures de patrouille et avait laissé le volant à Skarre.

— Gøran est innocent, n'est-ce pas ?

— Attendons de voir.

— Mais un commerçant d'un certain âge n'inventerait pas un truc pareil ?

— Tout le monde peut se tromper.

— Et toi donc. Tu y as pensé ?

— Pas qu'une fois.

Nouvelle pause.

— Est-ce que tu as des préjugés contre les gens qui font du culturisme ? demanda tranquillement Skarre.

— Non. Mais je me pose quelques questions à ce sujet.

— Tu te poses des questions. C'est à peu près la même chose que des préjugés ?

Sejer ne répondit pas. Il regarda Skarre.

— On parle d'une escalade, tu vois ? Un entraînement acharné sur des années. Avec des poids sans cesse plus lourds. Tôt ou tard s'impose le besoin de trouver une soupape. Mais elle n'arrive jamais. Seulement des poids toujours plus lourds, encore et encore. Ça m'aurait rendu dingue.

— Mmm. Dingue. Et foutrement costaud.

Dix-neuf minutes plus tard, ils virèrent devant le magasin de Gunwald. Celui-ci empilait des boîtes de mélange pour petit déjeuner lorsqu'il aperçut la voiture à travers la vitrine. La vision le fit s'affaisser légèrement. Ces deux hommes avaient un côté fatidique ; un début de migraine lui attaqua la tempe.

— Je suis désolé, bégaya-t-il d'une voix à peine audible. J'aurais dû téléphoner plus tôt. Mais je suis tellement perturbé… Einar n'a évidemment pas fait ce qui s'est passé ici, Gøran non plus. C'est pour ça que je doutais.

— Einar Sunde ?

— Oui.

Il se mordit la lèvre.

— Je les ai reconnus aussi bien lui que la voiture. Une Ford Sierra verte.

— Mais il était tard. Et il faisait presque nuit ?

— Je l'ai vu bien distinctement. Ça ne fait aucun doute. Malheureusement, dirais-je.

— Vous avez mauvaise vue ? demanda Sejer en désignant les lunettes aux verres épais.

— Pas quand je les ai sur le nez.

Sejer se contraignit à la patience et le regarda.

— Cela aurait été bien que vous nous le disiez immédiatement.

Gunwald s'épongea le front.

— Personne ne doit savoir que je l'ai dit, soufflat-il.

— Je ne peux pas vous le promettre, répondit Sejer. Je comprends que vous soyez inquiet. Mais vous êtes un témoin important, que vous l'appréciiez ou non.

— On se fait tellement mal voir, ici, si on parle. Regardez cette pauvre Linda. Ils ne lui parlent plus, maintenant.

— Si Gøran ou Einar – ou les deux – ont quelque chose à voir là-dedans, vous ne pensez pas que les gens du canton voudront qu'ils soient punis pour ça ?

— Bien sûr. Si cela avait été eux.

Sejer inspira profondément et expira lentement.

— Nous aimerions penser du bien des gens que nous connaissons. Mais tout le monde connaît quelqu'un.

Gunwald acquiesça lourdement.

— Alors vous allez le chercher ?

— Il va devoir expliquer ce que cela signifie.

— Jomann va avoir un choc. Il achète souvent ses journaux chez Einar.

Skarre regarda longtemps Gunwald.

— Quel âge avez-vous ? demanda-t-il aimablement.

— Mon âge ? J'ai soixante-cinq ans.

— Vous ne devez pas arrêter bientôt ?

— Peut-être bien, soupira-t-il. Mais comment faire passer les journées ? Il n'y a que lui et moi, expliqua-t-il en montrant du doigt le chien grassouillet dans son coin.

— Quoi qu'il en soit, les journées passent, reprit Sejer. J'apprécie ce que vous nous avez dit. Même si ça a pris du temps. Nous vous recontacterons, conclut-il avec une révérence polie.

Gunwald les regarda longuement partir. Il entendit la voiture démarrer et la vit prendre à droite vers la taverne. Il alla ensuite tout tranquillement rejoindre son chien.

— On devrait peut-être raccrocher, murmura-t-il en caressant la tête sombre de l'animal. Comme ça, on pourrait rester un peu plus longtemps couchés, le matin. Et aller faire plusieurs promenades par jour. Te faire perdre un peu de bidoche.

Il se leva et alla à la fenêtre. Imagina le visage d'Einar. Encore quelques secondes d'ignorance heureuse. Il alla lentement à la porte et verrouilla à double tour. Un silence total s'abattit. C'était en fait assez facile.

— Viens. Viens, on rentre à la maison.

— Einar Emil Sunde ?

Einar serrait un torchon dans ses mains.

— Oui ?

Deux dames étaient installées avec chacune son café. Elles observaient ouvertement la scène. Il dut s'appuyer au comptoir. Lillian était partie. La moitié des meubles avaient disparu. L'acoustique des pièces était différente. La police débarquait dans la taverne. Qu'allaient penser les gens ? La colère et l'angoisse passèrent sur ce visage oblong.

— Vous allez devoir fermer et nous suivre. Il y a quelque chose dont nous aimerions nous entretenir avec vous.

— Et qu'est-ce que c'est ? s'enquit-il nerveusement.

Sa voix ne tint pas, se limitant à un couinement.

Ils se rendirent en silence au poste de police. L'humiliation de devoir demander aux deux dames de s'en aller l'avait fait transpirer.

— Je ne tournerai pas autour du pot, annonça Sejer.

Ils avaient pris place dans le bureau.

— Le 1er septembre, vous avez été observé au bord du Norevann. Tout au bout de la jetée, où vous teniez une valise. Au bout d'un moment, vous avez lancé la valise dans le lac avant de repartir dans votre break vert. Le témoin qui vous a vu nous a appelés. Nous sommes allés récupérer la valise. Celle-ci appartenait à Poona Bai, qui a été assassinée à Hvitemoen le 20 août.

Tout l'abattement d'Einar se lisait sur son visage.

— En même temps, nous savons qu'elle est passée dans votre bar. Alors voici la question, Sunde : pourquoi aviez-vous la valise de Poona en votre possession ?

Einar accomplissait une étrange métamorphose. En quelques minutes, il avait été totalement mis à nu, privé de toute dignité. Ce n'était pas beau à voir.

— Je peux tout expliquer, murmura-t-il.

— J'y compte bien.

— Le soir, cette bonne femme est venue à mon bar. Comme je vous l'ai déjà raconté.

Il se racla la gorge et toussa.

— Oui ?

— Juste pour que ce soit parfaitement clair ; ce que je vais dire maintenant est vrai. J'aurais dû le dire avant. C'est mon seul crime !

— J'attends, relança Sejer.

— Elle est restée un moment avec son thé. Dans le coin, près du juke-box. Je ne la voyais pas distinctement, et en plus, j'avais d'autres choses à faire. Mais je l'ai entendue tousser à deux ou trois reprises. Il n'y avait personne d'autre dans la taverne, à ce moment-là. Seulement nous deux.

Sejer hocha la tête.

— Et puis j'ai brusquement entendu la chaise qui raclait par terre, et ses pas dans la salle. Peu de temps après, la porte s'est refermée. Je venais de sortir des trucs du lave-vaisselle, alors il s'est passé un peu de temps avant que j'aille chercher sa tasse vide sur la table.

Il leva les yeux. Son regard vacilla.

— C'est à ce moment-là que j'ai vu la valise.

— Elle était restée derrière elle ?

— Oui. Mais la bonne femme avait disparu. Je suis resté planté un moment, à la regarder. En me disant que c'était un peu bizarre. Qu'on puisse oublier quelque chose d'aussi gros. Elle avait l'air vraiment exaspérée. Je me suis dit qu'elle était peut-être juste sortie prendre un peu l'air. Qu'elle ne tarderait pas à rentrer. Mais non. Alors j'ai pris la valise et je l'ai portée dans la pièce de derrière, où elle est restée. Je me suis demandé un moment ce que je devais faire. Si je devais la prendre à la maison, ou quoi. Comme je l'ai dit, je pensais qu'elle reviendrait sûrement la chercher. La valise a passé la nuit à la taverne. Je l'ai rangée dans la chambre froide, vu la place qu'elle prenait.

— Ensuite.

— Le lendemain, je me suis souvenu d'avoir entendu parler du meurtre à la radio. Mais je n'en ai pigé que la moitié. Par exemple, je n'ai pas entendu que la femme était étrangère. Il s'est passé du temps avant que quelqu'un vienne dire qu'elle était peut-être pakistanaise. Ou turque. J'ai alors compris que ça pouvait être elle. Et la valise qui était dans la chambre froide. C'est à ce moment que j'ai compris la gravité de la situation, qu'elle était venue dans mon bar et que nous avions été seuls. D'une certaine façon, j'ai eu des scrupules. En plus, je n'étais absolument pas sûr que ce soit elle. En même temps, elle ne revenait pas réclamer sa valise. Alors je me suis fait mon idée. Mais l'ennui, c'est que le temps passait, et que ça s'aggravait. Pour finir, j'ai eu toute l'histoire. Que c'était la femme de Jomann, celle qu'il avait rencontrée en Inde. Et voilà que j'avais toutes ses affaires ! Je me suis dit que de toute façon, vous retrouveriez bien le meurtrier, avec ou sans la valise. Elle n'avait pas tant d'importance que ça. Alors j'ai décidé de

m'en débarrasser. Qui est-ce qui m'a vu ? s'écria-
t-il.

Sejer essaya d'avaler l'histoire, dont il sentait
qu'elle était vraie ; ce qui l'agaçait prodigieusement.
Il contempla pendant un long moment le visage
rouge de Sunde.

— Une personne qui souhaite garder l'ano-
nymat.

— Mais il faut que ce soit quelqu'un qui me
connaît ! Je ne comprends pas. Il faisait très sombre.
Et je n'ai vu personne, là-bas.

— Sunde, reprit Sejer en se penchant en avant,
j'espère que vous percevez combien les choses sont
graves. Si votre histoire est vraie, vous avez tenu
cachées des informations extrêmement importantes dans une très sérieuse affaire de meurtre.

— Si mon histoire est vraie ? gueula Einar. Évidemment, qu'elle est vraie !

— Ce n'est pas une évidence pour nous.

— Justement. Vous voyez pourquoi je n'ai pas
téléphoné ! Je savais qu'on en arriverait là. Vous
vous jetez sur tout ce que vous pouvez trouver,
exactement comme je le savais.

Il se hissa sur sa chaise et tourna le dos à Sejer.

— Avez-vous été en contact avec Gøran Seter
dans le courant de la journée ou de la soirée du
20 ?

— Nous ne nous fréquentons pas. J'ai pratiquement deux fois son âge.

— Mais vous avez pourtant partagé quelque
chose ?

Einar comprit avec déplaisir qu'il parlait de
Lillian.

— Pas à ma connaissance, répondit-il d'un ton
buté. Je vous ai dit la vérité. C'est comme cela que
ça s'est passé. À présent, je comprends à quel point
j'ai été bête, mais sincèrement, je ne veux pas être
impliqué dans ce genre d'histoires.

— C'est trop tard. Vous l'êtes pour de bon. Si vous aviez téléphoné immédiatement, vous en seriez sorti depuis longtemps. Telles que sont les choses maintenant, nous allons devoir faire tout un tas de recherches. Entre autres dans votre voiture et votre maison.

— Non. Non, merde alors ! braillat-t-il.

— Si. Si, merde alors, Sunde. Dans l'intervalle, vous restez ici.

— Vous ne voulez pas dire… toute la nuit ?

— Aussi longtemps que nécessaire.

— Bordel ! J'ai des mômes et tout !

— Alors il va falloir leur expliquer ce que vous venez de m'expliquer. La différence, c'est qu'eux vous pardonneront. Moi, non.

Il se leva et s'en alla. Einar resta assis, muet comme une tombe. Seigneur, songea-t-il. Qu'est-ce que j'ai fait ?

Quatre officiers se rendirent au domicile d'Einar Sunde. Skarre mit sans tarder le cap sur la chambre à coucher. Une grande armoire renfermait le linge de lit et de toilette. Il était manifeste qu'une partie en avait été retirée, le meuble n'était qu'à demi plein. Il passa en revue les piles de housses de couette et trouva assez rapidement celle qu'il cherchait. Housse verte ornée de nénuphars. D'après le tableau de Monet. Gøran disait peut-être vrai, et était peut-être venu le 20 au soir. Ou bien se souvenait-il de cette housse depuis un autre soir ? Vu comme cela, ce n'était pas un alibi. Mais malgré tout quelque peu perturbant. Ils embarquèrent le véhicule d'Einar pour le soumettre à des examens techniques. La plus infime particule y fut aspirée sans qu'on fît de découverte significative. Un adulte éclairé pouvait-il se comporter de façon aussi absurdement idiote ? N'y avait-il pas une arrogance incroyable là-dedans ? Skarre songea à la belle lingerie de nuit, aux sous-vêtements et aux affaires de toilette que Poona s'était procurés en l'honneur de Gunder. Il les avait balancés à la flotte. Quel genre d'homme était Einar Sunde ?

— Le pire, c'est que je le crois, avoua plus tard Sejer, dans son bureau.

Skarre ouvrit la fenêtre et s'assit dans l'encoignure pour fumer.

— Alors tu vas le relâcher ?

— Oui.

— Gøran est quand même notre homme ?

— J'en suis pratiquement sûr. Mais il a un fort instinct de survie. Sa condition physique l'aide.

— En ce qui me concerne, je ne fais pas confiance à Lillian Sunde, expliqua Skarre avant de mentionner la housse de couette verte.

— Bon. Donc, elle en a une comme ça. Il l'a vue une fois et il l'a rangée dans un coin de sa mémoire. Je ne doute pas du fait qu'ils aient eu une relation. C'est ce que disent les rumeurs. Mais il n'était pas là-bas ce soir-là. Il a quitté Ulla dans une rage folle, après s'être fait plaquer. Il a appelé Lillian et a essuyé un deuxième refus. À l'arrière de sa voiture, il avait ses poids. Poona arrivait à pied, sur la route, seule. Il s'est arrêté et lui a parlé. Il s'est peut-être proposé pour l'emmener chez Jomann. Il l'a importunée, et elle a pris peur. La fureur a pris le dessus. La valise, il ne l'a jamais vue. À présent, on sait pourquoi. Elle était restée à la taverne. Puis il l'a battue à mort. Dans la panique, il a fichu le camp et s'est changé. Il a tout bonnement remis les vêtements qu'il portait au sport. Il était chez lui sur les coups de 23 heures. Il a dit à sa mère qu'il était de baby-sitting avec Ulla. Nous savons qu'il ne l'était pas. La forme et le poids des haltères peuvent avoir causé les blessures que Poona avait. La poudre blanche vient du local de musculation, nous n'avons pas connaissance d'autres endroits où on utilise de la poudre de magnésie. L'amour, connaît pas. Il a une nana, ou bien il n'en a pas. Il ne parvient pas à parler de sentiments. Il pense sexe, et à avoir quelque chose à afficher. Il présente comme quelqu'un de dispos et de souriant, et parmi les meilleurs du milieu dans lequel il évolue, mais je le soupçonne d'être émoussé et très simple. Sans la moindre empathie.

— Un psychopathe ?

— C'est ta formulation. C'est par ailleurs un concept avec lequel je n'ai jamais été familier.

— Alors maintenant, tu vas l'épuiser jusqu'à ce qu'il avoue ?

— J'essaie de mon mieux de le conduire là où il comprend devoir aller. Pour pouvoir progresser.

— Et si tu n'y arrives pas ? Est-ce qu'on aura assez pour intenter un procès avec ce qu'on a ?

— Peut-être pas. Et ça m'inquiète.

— Comment est-ce possible de dévaster à ce point une personne, comme ce qu'a fait l'assassin, sans rien laisser de soi ?

— Ça arrive tout le temps.

— Il ne reste rien de Poona dans la voiture. Pas une fibre, pas un cheveu. On n'aurait pas dû retrouver quelque chose ?

— Elle portait des vêtements de soie. Ça ne laisse pas de fibres, comme la laine ou d'autres textiles. Ses cheveux étaient tressés serrés.

— Qu'est-ce qu'il a fait de ses poids ?

— Je n'en sais rien. Il n'y avait rien dessus. Il en a plusieurs jeux. Il s'est peut-être débarrassé de ceux qu'il a utilisés comme arme. Je veux revoir les personnes suivantes. Appelle-les toutes et fais-les venir le plus vite possible. Ulla Mørk. Linda Carling. Ole Gunwald. Anders Kolding. Kalle Moe. Et Lillian Sunde.

Il regarda Skarre.

— Autre chose ? Est-ce que Sara a appelé ?
— Oui. Kollberg ne s'est pas levé.

Le chien le regarda tristement lorsqu'il apparut dans le salon. Il fit quelques mouvements peu enthousiastes avec les pattes, mais renonça. Sejer le regarda, perplexe. Sara sortit de la cuisine.

— On pourrait peut-être l'obliger un peu ? Tant qu'il reçoit la nourriture directement dans le bec, il ne fait aucun effort.

Ils essayèrent ensemble de placer Kollberg en position verticale. Sara devant et Sejer derrière. Les pattes glissèrent sur les côtés. Mais ils tinrent bon. L'animal commença à gémir et s'effondra. Ils le relevèrent, et le même scénario se reproduisit. Petit à petit, il cessa de gémir. Il essaya de leur faire plaisir, de façon à avoir la paix, mais ils ne lui laissèrent aucun répit. Ils le relevaient, encore et encore. Sara alla chercher un morceau de tapis pour l'empêcher de glisser. Ce qui fonctionna. Le corps du chien tremblait tandis que les cinquante kilos chargeaient les pattes.

— Il a soulevé quelques hectos, constata Sejer avec optimisme.

Sara s'épongea. Sa longue frange retombait constamment sur ses yeux, et elle se mit à rire.

— Remets-toi sur tes pattes, grosse feignasse ! cria-t-elle.

Ils rirent tous les deux. Encouragé par toute cette bonne humeur, Kollberg regroupa les pattes et se tint debout quelques secondes. Ils le lâchèrent alors, et il s'écroula alors avec un aboiement heureux.

— Putain de merde ! hurla Sara.

Sejer lui lança un regard horrifié.

— Il va y arriver. On fera plusieurs séances par jour. On ne va pas se laisser abattre comme ça.

— Je vais chercher une saucisse, s'écria un Sejer tout guilleret en filant vers le frigo.

Au même instant, Kollberg parvint à ramper sur quelques centimètres sur le sol. Sejer revint, un whisky dans une main et un petit morceau de saucisse dans l'autre. Il souriait, d'un sourire étonnamment large pour lui. Sara se mit à rire de bon cœur, sans plus pouvoir s'arrêter.

— Qu'est-ce qu'il y a ? demanda-t-il, déstabilisé.

— Tu as l'air d'un grand gamin. Maintenant, tu n'as plus une main de libre, je peux faire de toi ce que je veux.

Le téléphone le sauva. Il lança la saucisse à Kollberg et répondit.

— Tout le monde a été convoqué, déclara Skarre, enthousiaste. Ils viendront demain, à tour de rôle. Hormis Anders Kolding.

— Explique.

— Il a plaqué femme et tout le reste. Vraisemblablement pour la Suède. Il y a une sœur. Je me demande ce que ça veut dire.

— Le gosse a des coliques. Il n'en pouvait sûrement plus.

— Quel dégonflé ! Il s'en tirera, tu veux dire ?

— Certainement pas. Chope-le.

Il raccrocha et vida son whisky en une seule grosse gorgée.

— Eh bien, constata Sara... c'est ce que tu as fait de plus indécent.

Sejer se sentait brûlant.

— Est-ce que je peux espérer davantage ? le tenta Sara avec un sourire.

— Pourquoi serais-je indécent ? s'enquit-il sans trop comprendre.

— C'est tellement bon, tu sais...

Elle se pencha tout contre lui.

— Tu ne sais pas comment on fait. Tu ne sais pas ce que c'est que l'indécence. Et ce n'est absolument pas un problème.

Elle lui passa rapidement une main sur la joue.

— Ce n'est vraiment, vraiment pas un problème.

*
* *

Linda vibrait dans son lit quand Jacob sortit et découvrit ses pneus crevés. Elle l'imaginait très nettement. Elle se voyait sur place, le réconfortant. Puis elle alla un peu plus loin et fit l'acquisition d'un couteau de chasse pourvu d'une longue lame, dont le manche était en aulne. Il trouva sa place dans le tiroir de sa table de chevet et prit une telle importance pour elle qu'elle devait sans cesse ouvrir pour le regarder. Elle admirait à maintes reprises l'acier luisant. Elle essaya de se figurer la lame couverte du sang de Jacob. La vision était si forte qu'une bouffée de chaleur lui envahit la tête. Lorsqu'il s'écroulerait à ses pieds et qu'elle le retiendrait, elle fermerait les yeux, se fermerait au reste du monde, pour le restant de ses jours. Ne vivre que pour cette seconde où il inspirerait pour la dernière fois. Il lèverait les yeux vers les siens, et parviendrait peut-être à l'ultime seconde à tout comprendre. Il avait fait une terrible erreur. Il aurait dû l'accueillir. Linda prit le couteau dans ses mains, elle était déjà en confiance avec l'objet. Elle n'avait pas décidé du moment, mais elle l'attendrait sous le porche.

Lorsqu'il serait enfin mort, elle appellerait la police pour dire où le retrouver. Anonymement, bien entendu. Il ne serait pas seulement sien pour toujours, mais l'affaire ne serait jamais élucidée. Pas avant qu'elle-même ne soit vieille, sans s'être jamais mariée avec personne d'autre. À ce moment-là, elle écrirait son histoire dans une lettre qu'elle enverrait aux journaux. De la sorte, elle deviendrait immortelle. Les gens constateraient qu'ils n'auraient jamais dû la sous-estimer. Son propre pouvoir la grisa et il lui parut soudain étrange de ne pas avoir remarqué plus tôt à quel point elle était forte. Suffisamment forte pour faire face seule à tout le monde. Elle n'avait plus peur de rien. Si Gøran sortait de prison et venait la tuer, elle sourirait dans le noir. Les mis en examen dans l'affaire d'Elvestad nient toute culpabilité, lut-elle à la table du petit déjeuner avec sa tasse de café. Elle découpa l'article et le glissa dans la pochette plastique. Elle aperçut alors une autre note. « Un homme de vingt-neuf ans retrouvé poignardé dans une rue d'Oslo. Mort de ses blessures. Il n'y a eu aucun témoin de l'événement, et il n'y a aucun suspect. » L'histoire, qui figurait en page 4 dans le journal, captura son intérêt. Elle poursuivit sa lecture. Tard dans la soirée d'hier, un jeune homme a été retrouvé en sang dans la rue, juste à côté du restaurant Røde Mølle. Il est apparu que l'homme avait plusieurs plaies consécutives à des coups de couteau. Il est mort quelque temps après son arrivée à l'hôpital sans avoir repris connaissance. L'homme a depuis été identifié, mais la police n'a pas de piste dans cette affaire. Le regard de Linda scruta le ciel automnal par la fenêtre. Un entrefilet en tout point semblable paraîtrait dans le journal une fois Jacob mort. C'était comme un avertissement. Elle commença à trembler. Découpa l'article et le joignit aux autres. Imaginez que ce soit dans le journal, comme ça ! Une idée subite germa dans son cerveau. Elle ressortit l'article et alla chercher une enveloppe. Elle l'inséra dedans et lécha la colle. Elle écrivit l'adresse de Jacob à l'extérieur. Elle la lui enverrait. C'était à prendre comme une déclaration d'amour. Puis elle se rendit compte qu'on pourrait remonter jusqu'à l'expéditeur du pli. Son écriture était caractéristique, une écriture de jeune fille, aux lettres rondes. Elle déchira l'enveloppe et en sortit une autre. Elle réécrivit l'adresse en lettres rigides et étrangères, qui ne lui étaient pas du tout familières. Elle pourrait poster la lettre en ville. S'il y avait le cachet d'Elvestad sur l'enveloppe, l'origine en serait également transparente. Non, elle ne la posterait pas, elle la glisserait tout simplement dans sa boîte aux lettres. Dans les rangées de boîtes sous le porche. Les questions qu'il se poserait ! Il retournerait l'enveloppe et la coupure de journal dans tous les sens, les poserait, les reprendrait. Les mettrait peut-être de côté. Pour les montrer aux collègues, au boulot. Linda se sentit sincèrement enthousiasmée par sa propre créativité. De temps en temps, la vie allait dans le bon sens et se déroulait comme un tapis rouge. Elle alla dans la salle de bains et se regarda un long moment dans le miroir. Elle brossa ses cheveux pour les écarter de son front et les rassembla avec un élastique. Cela lui donnait l'air plus âgée. Elle monta en courant dans sa chambre et ouvrit sa penderie, en sortit un pull noir et un pantalon noir. Son visage clair paraissait pâle au milieu de tout ce noir, donnant à l'ensemble une dimension tragique. Elle retira alors tous ses bijoux. Boucles d'oreilles, chaîne et bagues. Ne restait que ce visage blafard et ces cheveux tirés en arrière. Elle verrouilla derrière elle et descendit à l'arrêt de bus. Elle glissa la lettre dans son soutien-gorge ; le papier fut d'abord frais contre sa peau, puis se réchauffa. Les mains de Jacob caresseraient bientôt l'enveloppe blanche qui avait reposé sur son cœur. Cœur qui battait pour l'heure violemment. L'enveloppe sentait peut-être faiblement son odeur. Elle sentit les cheveux de sa nuque se dresser, ceux qu'elle n'avait pas réussi à prendre dans l'élastique. Le bus arriva. Elle s'assit et se perdit dans des pensées qui la réchauffèrent. Personne ne lui adressa la parole. Si quelqu'un l'avait fait, elle se serait tournée et aurait posé sur lui deux yeux de verre qui ne l'auraient pas vu.

310

— Salut, Marie. Il y a quelque chose que je ne t'ai pas raconté. Ça vient peut-être de ce que je crois que tu entends, même si je ne me fais pas d'illusions. L'accident, Marie. La collision. La raison pour laquelle tu es ici. L'autre est mort, en fait. Il a été enterré, et j'y suis allé. J'étais en retrait, sur un banc au dernier rang. Beaucoup de gens pleuraient. La cérémonie s'est terminée dans l'église, comme certains veulent que ça se passe. Alors je suis sorti discrètement et je suis allé à ma voiture. Je trouvais juste d'être là, mais je ne voulais pas traîner plus qu'il ne fallait ; on ne m'avait pas demandé de venir, après tout. Une femme est alors sortie après moi, elle m'a appelé, et je dois dire que j'ai fait un bond. C'était la veuve, Marie. Elle avait mon âge. Je vous prie de m'excuser, m'a-t-elle dit, je connais absolument tout le monde dans l'église, mais vous, je ne vous ai jamais vu. Je lui ai alors dit ce qu'il en était, que j'étais ton frère. Je ne sais pas à quoi je m'attendais. Qu'elle explose, qu'elle soit gênée, peut-être, mais non. Ses yeux se sont remplis de larmes. Comment va votre sœur ? a-t-elle demandé avec angoisse.

« Ça m'a vraiment touché. Aucune idée, j'ai répondu. Je ne sais pas si elle se réveillera. Alors elle m'a passé la main plusieurs fois sur le bras, et puis elle a souri. Les gens valent bien mieux que ce que l'on dit d'eux, Marie.

« Mais voici le plus important. Poona a été enterrée hier. C'était très beau, tu aurais dû être là et voir ça. Pas tellement de monde, d'accord, et certains sont sûrement venus par pure curiosité, mais ça ne fait rien. Il y avait aussi deux policiers. Mais tu aurais dû voir l'église ! Le prêtre Berg en pâlissait presque quand il a fait son entrée solennelle et a vu le cercueil coloré. Je suis allé à Oslo, chez un fleuriste, un artiste des fleurs. Je me disais qu'il n'y avait que le meilleur qui soit assez bien. Je ne souhaitais pas ce que les gens commandent habituellement pour les enterrements. Des bouquets et autres, en rose ou en bleu. Mais de longues couronnes de fleurs jaunes et orange. Quelque chose de véritablement indien, si tu vois ce que je veux dire. La mission que je lui ai confiée l'a fait trembler d'enthousiasme. Tu aurais dû voir le résultat. La température dans l'église a grimpé de plusieurs degrés. C'était comme un brasier allumé sur le cercueil d'acajou sombre. Nous avons passé de la musique indienne. Je crois que son frère aurait bien aimé.

« Nous étions six à porter, et j'étais un peu nerveux, au début. Et si nous n'étions pas assez nombreux ? Mais Karsten a aidé, crois-le ou non, plus Kalle et moi, et Bjørnsson, du boulot. Et deux policiers. La dernière chose que nous avons faite pour Poona, ça a été chanter. Tu savais que Kalle a une chouette voix ?

« Je n'ai invité personne à la maison. Je pensais que Karsten s'inviterait, mais il est parti aussi vite qu'il a pu. Oui, oui. Ce n'est pas facile, pour lui. Il a tellement peur de tout. Je n'ai plus peur de rien. Ni Dieu, ni démon, ni mort. C'est exquis, d'une certaine façon. Je prends la vie comme elle vient.

« Je suis à nouveau apte au service. Voilà pourquoi je viens si tard. Le jeune Bjørnsson, au boulot, est en fait un type sympa. C'était vraiment bizarre de tous les revoir. Au début, ils me tournaient un peu maladroitement autour, ils ne savaient pas trop quoi dire. Mais ils se sont dégelés. Je crois que j'ai gagné un certain respect chez eux. Tout ce qui s'est passé les fait me regarder d'un autre œil. Le fermier Svarstad est même venu, probablement par pure curiosité. Mais c'était quand même agréable. Il est très content de la Quadrant. Il est le seul fermier d'Elvestad à en avoir une comme ça.

« Aujourd'hui, j'ai acheté un poulet au magasin. Je n'ai jamais été très costaud pour la cuisine, mais je suis allé dans une épicerie exotique et j'ai demandé des épices pour le poulet. Il n'a pas été rouge, comme celui de Poona, mais ça a quand même été comme un vague souvenir de la nourriture au Tandels Tandoori. Tu savais qu'ils colorent la nourriture ? Ici, on ne s'abaisse pas à ce genre de choses.

« Imagine, tu peux vivre sur les quelques gouttes qui coulent si lentement dans tes artères. On dirait du lait avarié, mais le médecin dit que ce sont du sucre, des graisses et des protéines. Demain, Karsten passera. Je sais qu'il a peur. Mais je ne sais pas grand-chose de ce qu'il fait quand il est ici tout seul. C'est peut-être un vrai moulin à paroles. Encore que, j'en doute. J'ai le fort pressentiment que quand tu te réveilleras, c'est moi qu'ils appelleront, même si c'est Karsten ton mari. Je dors assez bien la nuit. Il y a une tristesse en moi, j'ai l'impression d'avoir pris quelques kilos, même si c'est le contraire. Mais je me redresse en essayant de me souvenir qu'après l'hiver il y a un nouveau printemps. À ce moment-là, j'accomplirai des miracles sur la tombe de Poona. Les emplacements ne sont pas extraordinaires, mais Dieu sait que je vais exploiter le mien. J'ai pris soin du peu d'affaires qu'elle avait. Les vêtements dans la valise, la petite banane, et les bijoux. Elle porte sa broche, ainsi que les vêtements qu'elle avait le jour de notre mariage. Ils sont comme de l'eau glaciaire, turquoise profond. Je me rappelle son visage. Je sais qu'il est détruit, à présent, qu'il l'a éclaté avec une pierre. Ou autre chose, ils ne doivent pas savoir. Mais ça ne me dérange pas, parce que je ne l'ai jamais vu, et je ne peux absolument pas le croire. C'est plutôt une bonne chose, Marie. Que nous puissions croire ce que nous voulons ?

*
* *

Sejer lut le rapport de Skarre concernant les nouvelles auditions de tous les témoins. Anders Kolding avait été retrouvé à l'appartement de sa sœur à Göteborg, par téléphone, un peu soûl, mais toutefois en mesure de s'expliquer. Il déclara avoir besoin d'un temps de répit. Il n'avait absolument rien fui. Non, je ne suis pas parti à gauche, mais c'est vrai que j'ai éteint ma lampe. Je n'avais pas envie d'être sollicité et de me voir peut-être demander d'aller dans la mauvaise direction. Je suis rentré directement en ville, nom d'un chien ! Ulla Mørk reconnut avoir rompu à plusieurs reprises sa relation avec Gøran Seter. Depuis, elle était retournée vers lui, mais elle précisa que cette fois, c'était pour de bon. Il était exact qu'il avait parfois ses poids avec lui, dans la voiture. S'il y avait foule à l'Adonis, il ne voulait pas attendre aux différentes machines. Lillian Sunde niait toujours avoir quelque lien avec les autres mis en examen ; elle connaissait les rumeurs, mais arguait qu'il y en avait bon nombre à Elvestad. Quelqu'un les avait probablement vus la fois où ils avaient dansé à ce restaurant, en ville. Linda Carling répéta ses précédentes explications. Un homme blond courait après une femme portant des vêtements sombres. « Il y avait une voiture rouge garée sur le bas-côté. C'était peut-être une Golf. » Karen Krantz, l'amie de Linda, affirmait qu'ils pouvaient compter sur le témoignage de Linda. Elle a très peur de mal faire, avait-elle expliqué. Donc, ce qu'elle dit, c'est ce qu'elle a vu. Ole Gunwald était parfaitement sûr que le bruit d'une voiture qui démarrait lui était parvenu à deux reprises. À quinze minutes d'intervalle. Pourquoi deux fois ? s'interrogea Sejer.

Jour après jour, heure après heure, Gøran poursuivait ses auditions avec Sejer. Il connaissait tous les petits creux et toutes les petites encoches dans la table claire. Toutes les marques au plafond, toutes les lignes dans les murs. La fatigue lui tombait dessus sans prévenir. Une impuissance qui lui coupait le souffle. Petit à petit, il sentit ces assauts à l'avance, leur arrivée. Il s'appuyait alors sur la table et se reposait. Sejer le laissait dans cette position. Il arrivait qu'il racontât des histoires. Gøran écoutait. Le passé et le futur n'existaient plus, il y avait seulement cette seule et unique journée, le 20 août. Et le champ à Hvitemoen, encore, encore. Nouvelles attaques, nouveaux assauts, brutaux, des bonds inattendus. La journée était irrémédiablement fichue. Atomisée. J'étais chez Lillian. Il l'avait dit tellement de fois, mais il n'arrivait plus à le croire. Lillian dit que non. Pourquoi a-t-elle dit ça ? Le 20 août. Il était seul au volant, et roulait sur cette route. Des images effrayantes jaillissaient dans son esprit. Des images dont il ne connaissait pas l'origine. Étaient-elles à lui, étaient-elles réelles ou imaginaires ? Avaient-elles été plantées par cet homme gris et intraitable ? Il gémit tout bas. Sa tête était lourde, humide.

— Je peux t'aider à trouver la vérité, l'informa Sejer. Mais tu dois le vouloir toi-même.

— Laissez-moi tranquille.

Il sentit quelque chose enfler dans sa bouche, en même temps qu'une peur instinctive, comme s'il se trahissait en béant tant qu'il pouvait pour vomir les mots, une fois pour toutes.

— Mon chien est sur ses pattes, raconta Sejer. Il va de-ci, de-là en titubant et mange un peu. C'est un soulagement. Je retrouve des forces.

Et Gøran de gémir de plus belle.

— Il faut que je m'entraîne, répondit-il. Ça me rend dingue de ne pas pouvoir m'entraîner.

— Plus tard, Gøran, plus tard. On ne te refusera rien. Le sport. Le grand air. Les visites. Les journaux et la télé. Peut-être un PC. Mais on a un travail à faire, d'abord.

— Je n'irai pas plus loin, sanglota-t-il. Je ne me souviens pas.

— C'est une question de volonté. Tu dois franchir un seuil. Tant que tu auras l'espoir que tout est un mauvais rêve, tu t'en empêcheras.

Gøran enfouit sa tête dans les manches de sa chemise et renifla.

— Mais si je ne le fais pas ? gémit-il.

— Si ce n'était pas toi, on le verra, Gøran. À partir de ce que l'on a découvert. Et de ce que tu racontes.

— Ce n'est qu'un désordre complet.

— Tu étais avec quelqu'un ?

— Non.

— Est-ce que tu as demandé à Einar de t'aider à faire disparaître la valise ?

— Elle n'avait pas de valise !

Les mots résonnaient vilainement dans la pièce. S'échappaient de mauvaise grâce entre ses lèvres. Sejer sentit un frisson dans sa nuque. Il se souvenait, à présent, il y était mentalement. Il la voyait marcher.

Elle n'avait pas de valise !

— Mais son sac, poursuivit-il calmement. Tu t'en souviens ?

— Il était jaune, geignit Gøran. C'était une putain de banane !

— Oui.

Il le dit d'une voix à peine perceptible, presque éteinte.

— Elle arrive à pied. Tu vois la banane jaune. Elle faisait du stop ?

— Non. Elle marchait le long de la route. Elle a entendu la voiture et s'est arrêtée. Je me suis demandé pourquoi et j'ai freiné, automatiquement. Je me suis dit qu'elle voulait peut-être me demander son chemin. Mais elle a demandé où trouver Jomann. Si je le connaissais. J'ai dit non, mais je sais qui c'est. Je peux t'emmener. Elle est montée. Elle était assise toute droite, comme un bout de bois, à côté de moi.

— *He's not at home.*

— On peut vérifier, je lui ai dit. Et je lui ai demandé ce qu'elle allait faire là-bas.

Gøran parlait à la table, Sejer écoutait, le souffle court.

— *He is my husband*, elle a répondu avec un sourire, en serrant son sac à la con dans ses mains.

— Non, bon Dieu, et j'ai ri ; pas ce vieux porc-là ?

Elle s'est figée.

— *Not polite to say so. You are not very polite*, elle m'a dit très sérieusement.

— Non, je ne suis pas poli, putain, non. Et sûrement pas aujourd'hui. Et vous autres gonzesses ne l'êtes pas non plus.

Gøran marqua un arrêt. Sejer ressentait une tension vibrante en lui, qui disparut pour être remplacée par de l'inquiétude. Ce dont il était le témoin à présent, c'était la véritable histoire. Il appréciait, et il n'appréciait pas. Une horreur qu'il ne voulait pas voir, mais dont il était obligé de faire partie. Pour toujours, peut-être.

— Je me rappelle sa tresse, poursuivit tranquillement Gøran. J'ai eu envie de l'arracher.

— Pourquoi ?

— Elle était tellement longue, épaisse et tentante…

— *You angry* ? elle a demandé prudemment, et j'ai répondu oui, *very angry*. Vous, les nanas, vous êtes vraiment radines. Alors elle a fait une drôle de tête et elle a fermé la bouche. Ou bien tu n'es pas radine ? j'ai continué. Si tu te satisfais de ce barbon de Gunder, je dois bien être assez bon ?

Elle m'a regardé sans comprendre. Elle a commencé à manipuler la poignée de la porte. J'ai dit non, bon Dieu, laisse cette porte tranquille, mais elle a paniqué, elle tirait comme une damnée, et je me suis dit voilà encore une hystérique qui ne sait jamais ce qu'elle veut. D'abord dans la voiture, et puis dehors. Alors je suis parti. On est passés devant la maison de Gunder. Elle m'a regardé, perdue. Elle a commencé à crier et à se plaindre. Alors j'ai pilé. Elle n'avait pas sa ceinture, et elle est allée tout droit dans le pare-brise. Pas très fort, mais elle s'est mise à crier.

Gøran respirait lourdement. Son souffle était de plus en plus rapide. Sejer imaginait la voiture, de biais sur la route, et la femme fluette, livide de peur, la main sur le front.

La voix de Gøran changea brutalement. Elle se fit apathique, presque monocorde. Il se redressa et regarda Sejer.

— Est-ce que les Indiennes ont autant de place que les Norvégiennes, ici ? j'ai demandé en lui glissant une main entre les cuisses. Elle est devenue folle. Complètement terrorisée. Elle a ouvert la porte et a basculé à l'extérieur. Elle est partie en courant dans le champ, paniquée.

Et Linda, songea Sejer, elle arrive sur son vélo, elle est peut-être juste avant le virage. À tout moment, elle peut arriver et apercevoir la voiture.

— J'ai attrapé un des haltères sur le siège arrière et je me suis lancé derrière, continua Gøran d'une voix sans timbre. Je suis en bonne condition physique. C'était facile de courir, ça m'a émoustillé, mais elle était rapide elle aussi, elle courait comme un putain de lapin dans les hautes herbes. Je l'ai rattrapée tout près de la lisière du bois. C'était bizarre. J'ai vu un reflet dans les fenêtres de chez Gunwald, mais je ne m'en suis pas soucié.

— Est-ce qu'elle a crié ?

— Non. Elle avait suffisamment à faire à courir. Tout ce que j'entendais, c'étaient ses pieds dans l'herbe et ma propre respiration.

— Donc, tu l'as rattrapée. Qu'est-ce que tu as fait, à ce moment-là ?

— Je ne me souviens pas d'autre chose.

— Bien sûr que si. Qu'est-ce que tu ressentais ?

— J'étais follement fort. Tout mon corps me brûlait. En plus, elle était pitoyable.

— Pourquoi ?

— Tout était pitoyable. Elle allait chez Jomann. Son apparence. Ses vêtements et ses bijoux. Toutes ses breloques. Et elle n'était pas jeune.

— Elle avait trente-huit ans.

— Je sais. C'était dans le journal.

— Pourquoi as-tu frappé ?

— Pourquoi ? J'avais l'haltère dans la main. Elle s'est ratatinée, les mains au-dessus de la tête, en attendant les coups.

— Est-ce que tu aurais pu te retourner et t'en aller ?

— Non.

— Il me faut savoir pourquoi.

— Parce que ça débordait de partout. Je n'arrivais presque plus à respirer.

— Tu as frappé beaucoup de fois ?

— Je ne crois pas.

— Tu as retrouvé ton souffle, quand elle s'est effondrée ?

— Oui, j'ai pu respirer.

— Est-ce qu'elle s'est relevée, Gøran ?

— Quoi ?

— Est-ce que tu as joué avec elle ?

— Non. Je voulais juste que ce soit fini.

— Vous avez laissé des traces dans tout le champ. Il faut que ce soit clair, ça.

— Mais je ne me souviens de rien d'autre.

— Alors continuons. Qu'as-tu fait quand elle n'a enfin plus bougé dans l'herbe ?

— J'ai repris la voiture pour aller au Norevann.

— Qu'est-ce que tu as fait de tes vêtements ?

— Balancés dans le lac.

— Tu as remis tes vêtements de sport ?

— C'est ce que j'ai dû faire.

— Et les poids ?

— Ils étaient dans la voiture. L'un d'entre eux était plein de sang.

— Tu avais des blessures au visage. Est-ce qu'elle t'a griffé ?

— Pas que je me souvienne. Elle m'a frappé à la poitrine, avec les poings.

— Combien de temps es-tu resté près du lac, Gøran ?

— Sais pas.

— Est-ce que tu te souviens de choses que tu as pensées sur le chemin du retour, pendant que tu conduisais ?

— C'était emberlificoté. Je rentrais de chez Lillian.

— Tu recommences à mélanger la réalité et le mensonge.

— Mais je sais que ça s'est passé comme ça. Je l'ai vue dans le rétroviseur. Elle me faisait signe depuis la fenêtre, un peu cachée derrière le rideau.

— Pourquoi es-tu retourné sur le lieu du crime ?

— Je l'ai fait ?

— Tu avais perdu quelque chose ? Qu'il fallait absolument que tu retrouves ?

Gøran secoua la tête.

— Non. J'ai paniqué, d'un seul coup. Et si elle était toujours vivante, si elle pouvait parler. Alors je me suis levé et je suis retourné à la voiture. Alors je l'ai vue. Elle titubait dans le champ comme une soûlarde. C'était un cauchemar. Je ne comprenais pas qu'elle soit encore en vie.

— Ensuite ?

— Elle appelait à l'aide, mais très faiblement. Elle n'avait presque plus de voix. Alors elle m'a aperçu. C'est curieux, mais elle a levé la main et a appelé au secours. Elle ne m'a pas reconnu.

— Tu t'étais changé, expliqua tranquillement Sejer.

— Oui. Évidemment.

Il décrocha un instant.

— Et puis elle est tombée dans l'herbe. Elle était à un tout autre endroit que là où je l'avais laissée. J'ai attrapé l'haltère et je suis parti en courant dans le champ. Je me suis penché et je l'ai regardée. Là, elle m'a reconnu. Ses yeux, à ce moment-là, c'est complètement indescriptible. Elle a poussé un cri étouffé dans une langue que je ne comprenais pas. Elle priait peut-être. Et j'ai tapé, plein de fois. Qu'il puisse y avoir tant de vie dans une personne, je me souviens avoir pensé. Mais finalement, elle n'a plus bougé.

— Les haltères, Gøran ? Qu'en as-tu fait ?

— Je ne me souviens pas. J'ai pu les jeter dans le lac.

— Tu es donc redescendu près du Norevann ?

— Non. Si. Je ne sais pas trop.

— Et ensuite ?

— J'ai repris la voiture, et j'ai conduit sans but.

— Avant de rentrer enfin à la maison. Continue de là.

— J'ai échangé deux ou trois mots avec maman avant d'aller me doucher.

— Et tes vêtements ? De sport ?

— Je les ai mis à la machine. Après, je les ai jetés eux aussi. Ils n'étaient pas propres.

— Pense à cette femme. Tu te rappelles ce qu'elle portait ?

— Quelque chose de sombre.

— Tu te souviens de ses cheveux ?

— Elle était indienne. Ils devaient être noirs.

— Est-ce qu'elle avait des boucles d'oreilles ? Tu t'en souviens ?

— Non.

— Ses mains, qui t'ont frappé ?

— Brunes.

— Des bagues, dessus ?

— Je ne sais pas. Je n'en sais pas plus, murmura-t-il.

Il s'écroula sur la table.

— Reconnais-tu avoir assassiné cette femme, Poona Bai ? Le 20 août, à 21 heures ?

— Si je reconnais ? répéta Gøran, terrifié.

Ce fut comme s'il se réveillait tout à coup.

— Je ne sais pas. Vous avez demandé à voir mes représentations, et vous les avez eues.

Sejer le regarda tranquillement.

— Qu'est-ce que je dois écrire dans mon rapport, Gøran ? Que cela, ce sont tes représentations du meurtre de Poona Bai ?

— Quelque chose dans le genre. Si c'est possible.

— C'est un peu imprécis, objecta Sejer en détachant chaque syllabe. Considères-tu cela comme des aveux ?

— Aveux ?

De nouveau cette expression terrifiée dans les yeux de Gøran.

— Toi-même, à quoi trouves-tu que cela ressemble ? questionna Sejer.

— Sais pas, répondit Gøran, crispé.

— Tu m'as donné quelques images. On peut appeler ça des souvenirs ?

— On doit pouvoir.

— Tes souvenirs du 20 août. Une tentative sincère pour reconstituer ce qui s'est passé entre Poona et toi ?

— Oui. Probablement.

— Alors que m'as-tu donné, en fin de compte, Gøran ?

Il se rallongea sur la table. Dans son trouble, il planta ses dents dans la manche de sa chemise.

— Des aveux, reconnut-il. Je vous ai donné des aveux.

*
* *

Friis essayait de se dominer.

— Tu comprends ce que tu as fait ? demanda-t-il d'une voix rauque. Tu comprends comme c'est grave ?

— Oui, répondit Gøran.

Il somnolait sur sa paillasse. Un calme intense l'envahissait complètement.

— Tu as reconnu le crime le plus grave de tous, puni le plus sévèrement par la loi. Et ce en dépit de ce que la police n'ait pas la moindre pièce à conviction contre toi. Réussiront-ils à intenter une action en justice sur ces bases maigrichonnes, c'est une grande question. En plus, il faudra qu'ils trouvent un jury qui veuille te condamner sur des suppositions et des rumeurs.

Il fit quelques pas irrités dans la pièce.

— Est-ce que tu comprends ce que tu as fait ? répéta-t-il.

Gøran regarda Friis avec surprise.

— Je l'ai fait, et alors ?

— Et alors ? ! Tu as dit que tu étais innocent. Tu ne t'y tiens pas ?

— Je m'en fous, maintenant. J'ai passé tellement d'heures dans cette pièce, j'ai pensé tellement de choses… Je ne sais pas ce qui est vrai. Tout est vrai, rien n'est vrai. On ne me laisse pas m'entraîner. Je me sens complètement dopé, bafouilla-t-il.

— Ils t'ont contraint, nota gravement Friis. Je te somme de retirer ces aveux.

— Vous auriez pu assister aux auditions ! Comme je vous l'ai demandé ! J'y ai droit !

— Ce n'est pas une bonne tactique. Le mieux pour nous, c'est que je ne sache pas ce qui s'est passé entre vous deux. Par là, je peux aussi mettre en doute les méthodes de Sejer. Tu me suis ? Je veux que tu retires ces aveux !

Gøran le regarda, étonné.

— Ce n'est pas un peu tard ?

Friis se remit à faire les cent pas dans la cellule.

— Tu as donné à Sejer ce que Sejer voulait. Les aveux.

— Est-ce que vous, vous cherchez la vérité ?

— Je suis ici pour sauver ta peau ! répondit-il d'une voix tranchante. C'est mon boulot, et je suis bon pour ça. Bon sang, tu es jeune ! S'ils te jugent, tu vas passer un moment derrière les barreaux. Tes meilleures années. Réfléchis bien.

Gøran se tourna contre le mur.

— Vous pouvez y aller. Je me fous de tout.

Friis s'assit à côté de lui.

— Non. Je ne m'en vais pas. Sous la contrainte, tu as avoué un crime que tu n'as pas commis. Sejer est plus âgé que toi, c'est une autorité. Il s'est servi de ton jeune âge. C'est un abus. Tu as manifestement subi un lavage de cerveau en bonne et due forme. On retire ces aveux, qu'ils puissent transpirer encore un moment. Maintenant, tu vas te coucher et te reposer. Essaie de dormir. Il reste pas mal de temps.

— Il faut que tu parles à papa et maman.

*
* *

324

À peine les aveux imprimés, les journaux durent expliquer à leurs lecteurs que leur auteur s'était rétracté. À la taverne d'Einar, les gens ouvraient sur les quotidiens des yeux ronds comme des billes. Les sceptiques, ceux qui n'avaient jamais démordu qu'il fût innocent, se sentaient roulés dans la farine. Au plus profond d'eux-mêmes, ils n'arrivaient pas à le croire. Qu'un jeune homme reconnaisse qu'il avait écrabouillé la tête d'une femme pour la réduire en une compote rouge dans l'herbe, s'il ne l'avait pas fait ? Leur gorge se nouait rien qu'à l'idée. Ce Gøran, qu'ils connaissaient, était malgré tout un autre. Ils n'avaient aucun lien avec l'expertise ni avec l'Histoire, pleine d'exemples de gens qui avouaient meurtres et autres crimes qu'ils n'avaient jamais commis. *Dagbladet* énuméra plusieurs cas. Ils se repentaient et sentaient la résistance, sentaient que c'était impossible. Et ceux qui un jour formeraient le jury penseraient comme eux.

La taverne était calme, pas de discussion animée, seulement des gens en proie au doute, qui vacillaient. Mode grommelait non, bon Dieu de merde. Je n'aurais jamais cru. Nouille était muet, et Frank secouait sa grosse tête, incrédule. Que va-t-on penser ? Ole Gunwald était soulagé. Il avait dénoncé Einar, mais celui-ci s'était avéré blanc comme neige. C'est vrai, il avait pensé la même chose du jeune Gøran Seter, mais en y repensant, il avait assez d'imagination pour accepter l'idée d'un jeune homme furibard et surentraîné congédié par sa petite copine. Puis par sa maîtresse. Que ne lisait-on pas dans les journaux ? « Un assassin d'une force bestiale. »

Gunder avait eu deux fois Sejer au téléphone pour entendre ses explications. En premier lieu que le but était atteint, puis seulement quelques heures plus tard, ce retrait qui ne l'inquiétait pas, expliquait-il, ces aveux pèseraient lourd devant la cour, ils devraient être expliqués. Nous avons bon espoir que Gøran soit jugé, conclut-il d'une voix très convaincante. Gunder acquiesça, mais ne voulut pas en entendre davantage. Il voulait que tout soit terminé.

— Qu'en est-il de votre sœur ? s'enquit Sejer.

— Il n'y a aucun changement.

— Il ne faut pas perdre espoir.

— Je ne peux pas. Il ne me reste personne d'autre.

Gunder réfléchit quelques secondes. Il avait quelque chose sur le cœur.

— D'ailleurs, j'ai reçu une lettre. Du frère de Poona. Elle est restée dans le tiroir. Une lettre que Poona lui avait écrite après notre mariage. La lettre dans laquelle elle lui racontait tout. Il pensait que je voudrais l'avoir.

— Ça vous a fait plaisir ?

— Elle est en indien. En marathi. Alors je suis bien avancé.

— Je peux m'arranger pour vous la faire traduire, si vous le désirez.

— Volontiers.

— Envoyez-la-moi, le pria Sejer.

Robert Friis maintenait contre vents et marées que les aveux de Gøran étaient incomplets. Qu'il n'avait en aucune manière rendu compte du forfait. Il ne se rappelait pas les vêtements de la femme, simplement qu'ils étaient sombres. Les sandales dorées n'étaient pas mentionnées non plus, pas plus qu'un élément si particulier qu'une broche traditionnelle norvégienne sur la robe de la femme. Il n'avait par ailleurs aucun avis sur l'apparence de la défunte, même si tous les autres qui avaient eu affaire à la victime avaient fait mention de ses dents extrêmement proéminentes. C'est pure affabulation, tonna Friis, fournie dans un instant de trouble et d'épuisement. Lorsqu'on lui a demandé où exactement dans le Norevann il avait jeté ses vêtements, Gøran a été imprécis. Les explications provisoires étaient pleines de lacunes et de points nébuleux. La reconstitution à venir le démontrera.

Friis tomba sur Sejer à la cantine, et bien que Sejer ait décidé de ne pas lever les yeux de sa tartine aux crevettes, Friis se laissa tomber à la table. Il était gaffeur, mais fort. Sejer était taciturne, mais sûr.

— C'est le bon type, et tu le sais, lâcha-t-il simplement en empalant une crevette sur sa fourchette.

— Probablement, répondit Friis sans détour. Mais il ne doit pas être jugé sur ces bases.

Sejer essuya un peu de mayonnaise de sa bouche et regarda l'avocat.

— Il ressortira tôt ou tard. S'il ressort sans avoir été condamné, il continuera à tictaquer comme une bombe qui n'a pas explosé.

Friis sourit et s'attaqua à ses propres tartines.

— Tu ne te préoccuperas certainement jamais de meurtres qui n'ont pas encore été commis. Tu as assez à faire avec ce qu'il y a sur ton bureau en ce moment. Et c'est aussi mon cas.

Ils mâchonnèrent un moment en silence.

— Le pire, reprit Sejer, c'est que Gøran allait bien pour la première fois depuis longtemps. En retirant ses aveux, il doit tout retraverser. Il n'a pas avancé. Il aurait dû pouvoir y couper.

Friis but une gorgée de café.

— Il n'aurait purement et simplement jamais dû être mis en examen. Tu n'es pas nouveau dans le milieu. Ça m'étonne que tu aies pris ce risque.

— Tu sais que j'y étais obligé, répondit Sejer.

— Et je sais comment tu travailles. Tu es de son côté. Tu le caresses dans le sens du poil. Tu écoutes, tu comprends, tu lui tapes sur l'épaule. Tu lui fais des compliments. Tu es le seul qui puisses le faire sortir de cette pièce et passer dans autre chose, à tous les droits. Ceux que tu as commencé par lui prendre.

— J'aurais pu crier et frapper, rétorqua simplement Sejer. Tu aurais préféré ?

Friis omit de répondre. Il mâcha, longtemps, méticuleusement.

— Tu as planté une Indienne dans sa conscience, attaqua-t-il. Comme un chercheur a à son époque planté l'ours blanc. Comme une expérience pure.

— Ah, tiens donc ? répliqua Sejer sur un ton parfaitement égal.

— Joue avec moi. Si tu sais ce que c'est.

— Je crois savoir.

— Tu vas penser librement pendant quelques secondes. Te composer une image de ce que tu veux. Tout est permis, hormis ceci : il ne devra pas y avoir d'ours blanc. En dehors de ça, tout est permis. Mais surtout, ne pense pas à un ours blanc. Tu m'as compris ?

— Mieux que tu ne le penses, riposta sèchement Sejer.

— Alors vas-y, pense.

Sejer pensa, mais sans cesser de manger. Une image lui vint assez rapidement à l'esprit. Il la contempla.

— Alors ? voulut savoir Friis.

— Je vois une plage, dans les mers du Sud. Une eau azur et un palmier solitaire. Et des vagues écumantes blanches.

Il se tut.

— Et qui arrive en traînant les pieds, sur cette plage ? le taquina Friis.

— L'ours blanc, concéda Sejer.

— Et voilà. Tu es allé aussi loin du Svalbard que tu as pu, pour t'échapper. Mais cette saloperie d'ours t'a poursuivi jusque dans les mers du Sud. Parce que je l'ai planté. Tout comme tu as planté Poona Bai dans le cerveau de Gøran.

— Si tu es sceptique quant aux méthodes, donne-toi la peine de suivre tes clients pendant les auditions.

— Il y en a trop.

— La vidéo ne va pas tarder. Il te faudra jouer d'autres cartes.

Il se rendit au bureau et tomba sur Skarre. Sans un mot, ce dernier lui tendit une petite note. Sejer lut.

— « Un homme de vingt-neuf ans retrouvé poignardé dans une rue d'Oslo. Mort de ses blessures. » Dans ta boîte aux lettres ? Sans cachet ?

— Oui.

Sejer le scruta du regard.

— Ça t'inquiète ?

Sejer entortilla ses boucles d'une main nerveuse.

— Les pneus de ma voiture avaient été crevés au couteau. Là aussi, il a été question d'un couteau. La personne en question est venue tout en bas, près de ma porte. Elle me suit. Et me veut je ne sais trop quoi. Je ne comprends pas.

— Et Linda Carling ? Tu y as pensé ?

— Oui. Mais ça, ce n'est pas spécialement féminin. De découper des pneus en morceaux non plus, d'ailleurs.

— Elle n'est peut-être pas spécialement féminine ?

— Je ne comprends pas complètement ce qu'elle est. Un jour, j'ai téléphoné à sa mère. Elle est très inquiète. Elle dit que sa fille a changé du tout au tout. Elle ne va plus à l'école. Elle s'habille différemment et ne dit pratiquement plus rien. En plus, elle passe son temps à avaler des antalgiques. Les uns derrière les autres. Et elle a dit un truc vraiment étrange. Sa voix s'est modifiée.

— Plaît-il ?

Sejer plissa le front.

— Tu te souviens de Linda ? Sa voix criarde, ce pépiement typique des adolescentes ?

— Oui ?

— Elle a disparu. Sa voix est plus grave.

Sejer regarda de nouveau l'entrefilet.

— Tu peux me rendre le service d'être un peu prudent ?

Skarre poussa un soupir.

— Elle a seize ans. Mais OK. Je regarderai par-dessus mon épaule. Mais je pense à ces médicaments.

— Elle se drogue, expliqua Sejer.

— Ou bien elle a des douleurs. Par exemple après une agression.

*
* *

Linda cousait un chemisier blanc. Elle cousait sous sa lampe, parfaitement silencieuse, avec une application et une précision que sa mère ne lui avait jamais connues. Le chemisier aussi lui était inconnu.

— Il est nouveau ? D'où te vient l'argent ?

— Je l'ai acheté à l'Armée du Salut. Quarante-cinq couronnes[1].

— Ça ne te ressemble pas de te promener en chemisier blanc.

Linda pencha la tête de côté.

— C'est pour une occasion spéciale.

La mère apprécia la réponse. Elle pensa qu'il y avait un garçon dans l'histoire, ce qui était vrai, dans une certaine mesure.

— Pourquoi est-ce que tu changes les boutons ?

— Les boutons dorés, c'est chichiteux. Les bruns sont plus chouettes.

---

1. Environ 7 euros.

— Tu as entendu les infos, aujourd'hui ?

— Non.

— Ils attaquent Gøran en justice. Bien qu'il ait retiré ses aveux.

— Bien.

— Le procès aura lieu dans trois mois. Je n'arrive pas à concevoir que ce soit lui.

— Moi, si. Au début, je n'étais pas sûre, mais maintenant, je le suis.

Elle continua à coudre. La mère vit que sa fille était belle. Plus âgée. Plus calme. Malgré tout, il y avait quelque chose qui la tracassait.

— Tu n'es plus jamais avec Karen ?

— Non.

— C'est dommage... c'est une fille sympa.

— Oui. Mais épouvantablement ignorante.

La mère tiqua.

— Ignorante de quoi ?

Linda lâcha enfin le chemisier.

— Elle n'est qu'une enfant.

Puis elle se remit à coudre. Elle fit une tige au bouton et noua le fil.

— C'est quand même curieux, pour Gøran, reprit pensivement sa mère. Est-ce qu'ils peuvent le juger seulement sur des indices ? Pas une seule preuve accablante, dit son défenseur.

Elle cita le journal.

— Un indice, ce n'est pas lourd, concéda Linda. Mais quand il finit par y en avoir beaucoup, ils changent de nature et se transforment en autre chose.

— En quoi ?

Elle regarda sa fille, interloquée.

— Faisceau d'indices.

— D'où est-ce que tu tiens des expressions comme ça ?

— Des journaux. Il conduit une voiture comme celle que j'ai vue. Il était habillé comme l'homme que j'ai vu. Il ne peut pas retrouver les vêtements qu'il portait, ses chaussures non plus. Il ne peut pas rendre compte de l'endroit où il était, il a raconté plusieurs mensonges pour se créer un alibi, tous ont été démontés. Il avait des griffures au visage le lendemain du meurtre. Il avait dans sa voiture un objet qui pourrait fort bien être l'arme du crime. On a retrouvé des restes de poudre de magnésie sur la victime, qui provient manifestement de l'Adonis, et il venait directement d'un rendez-vous avec sa copine, qui venait de casser. Et pour terminer en beauté : il avoue en interrogatoire qu'il l'a assassinée. Qu'est-ce qu'il te faut de plus ?

Sa mère secoua la tête, déstabilisée.

— Non, Seigneur, je ne sais pas.

Elle regarda de nouveau le chemisier blanc.

— Quand dois-tu le porter ?

— Je vais voir quelqu'un.

— Là, ce soir ?

— Tôt ou tard.

— Drôle de réponse ?

Elle se sentait de nouveau mal à l'aise.

— Tu es bizarre, en ce moment. Oui, excuse-moi, mais je ne te comprends pas. Est-ce que tout va bien ?

— Je suis parfaitement satisfaite, répondit-elle en petite adulte.

— Mais l'école, et tout. Où cela va-t-il finir ?

— J'ai juste besoin d'une pause.

Elle arborait une expression rêveuse. Elle leva le vêtement blanc vers la lumière. Elle imaginait bien nettement le chemisier, rouge, poisseux du sang de Jacob. Elle le cacherait à jamais, comme un objet précieux d'amour. Puis elle ne put s'empêcher de rire. Elle secoua la tête, hilare. Il y avait loin entre l'idée et l'acte, elle le comprenait. Mais elle aimait bien ce jeu. Il lui permettait de se sentir vivre. Prendre le bus pour aller en ville. Se cacher sous le porche, le couteau dans le dos. Apercevoir subitement Jacob qui arrivait depuis la rue. Ses boucles, comme de l'or dans la lumière de la lampe. Et elle. Hors de l'ombre, en un bond soudain. La voix de l'homme, pleine de surprise. Les derniers mots qu'il prononcerait jamais : Linda. C'est toi ?

*
* *

Sejer écoutait dans le couloir. Le chien passa lentement le coin en titubant.

— Comment ça va, bonhomme ?

Il s'accroupit et grattouilla l'animal derrière l'oreille. La bête avait un peu grossi. Son poil avait retrouvé de son éclat d'antan.

— Viens. J'ai acheté des carbonades. Mais il faut qu'elles dorent un peu dans la poêle, d'abord.

Le chien se planta à côté de la cuisinière tandis que Sejer maniait à grand bruit spatule et beurre.

— Des épices ? s'enquit-il poliment. Sel, poivre ?

— Boff, répondit le chien.

— Aujourd'hui, tu auras une bière pression. La bière, c'est nourrissant. Mais juste une.

Le chien montra qu'il écoutait en levant ses oreilles pendantes. La cuisine s'emplit lentement du fumet, et il se mit à baver.

— C'est curieux, reprit Sejer en regardant Kollberg. Avant, tu aurais été intenable, en ce moment ; tu aurais sauté, dansé, aboyé, jappé, fait un ramdam de tous les diables. À cause des carbonades. Mais maintenant, tu restes sagement assis. Est-ce que tu redeviendras un jour le même ? s'interrogea-t-il en retournant les galettes de viande. Oh, et puis au final... je te garde comme tu es...

Un peu plus tard, Jacob arriva avec une bouteille sous le bras. Il salua longuement et comme il se devait Kollberg. Sejer alla chercher des verres ainsi que sa bouteille personnelle de Famous Grouse. Ils s'assirent près de la fenêtre pour regarder la ville qui retrouvait lentement son calme. Le chien se reposait près des pieds de Sejer, en poussant des grognements repus de nourriture et de bière. Un très léger bourdonnement filtrait à travers les fenêtres.

— Sara ne vient pas ? demanda Skarre.

— Non. Elle devrait ?

— Oui.

— Elle est chez son père, expliqua Sejer en sirotant son whisky. Il ne va pas bien.

— Qu'est-ce qu'il a ? J'ai oublié.

— Sclérose en plaques. Nouvelle cure de cortisone. Ce n'est pas marrant, pour lui. Il devient difficile.

— Je sais tout sur les pères difficiles, plastronna Skarre. Et le mien ne marchait même pas à la cortisone. C'était purement et simplement un fana de la trinité.

La réplique poussa Sejer à regarder différemment le jeune officier.

Skarre se leva et fit quelques pas dans la pièce. Il chercha dans la tour de CD. Des centaines d'artistes, exclusivement féminines.

— Les hommes ne devraient-ils pas chanter, Konrad ? le taquina-t-il.

— Pas sous mon toit.

Skarre tira quelque chose de sa poche.

— Bon anniversaire, Konrad.

Il prit le CD.

— Qu'est-ce que tu en sais ?

— Tu as cinquante et un ans.

Sejer étudia le présent et remercia.

— C'est accepté ? voulut savoir Skarre.

— Judy Garland. Mazette, oui.

— À propos de cadeaux, continua Skarre lentement, j'ai eu un nouveau message. Non affranchi. Quelqu'un est de nouveau venu à ma porte.

Sejer posa les yeux sur une enveloppe jaune. Close par un trombone. Skarre la vida sur la table.

— Qu'est-ce que c'est que ça ? demanda Sejer, curieux.

— Des boutons. Deux boutons dorés en forme de cœur, attachés avec un fil.

Sejer les attrapa et les leva sous la lampe.

— Beaux boutons, constata-t-il pensivement. Qui viennent d'un vêtement coûteux. Un chemisier, peut-être.

— Mais je ne les aime pas. À les voir comme ça, sur la table, ils prennent une espèce de signification. Que je ne comprends pas.

— Une demande en mariage. Je parie sur Linda, sourit-il. Ne te bile pas trop. Les gens qui téléphonent ou envoient des choses ne sont en général pas ceux qui agissent.

Il avait une façon pondérée de parler qui tranquillisa Skarre.

— Jette-les, demanda-t-il avant de boire un peu de vin qui clapota dans sa bouche.

— Ces jolis boutons ? Tu le penses vraiment ?

— Fiche-les à la poubelle. Je n'en veux pas.

Sejer alla à la cuisine, ouvrit une porte de placard qu'il fit claquer en même temps qu'il fourrait les boutons dans sa poche.

— Ils sont partis avec les déchets ménagers, mentit-il.

— Pourquoi Gøran a-t-il dû retirer ses aveux ? s'interrogea Skarre. Ça m'agace.

— Gøran se bat pour sauver sa peau, expliqua Sejer. Et il est parfaitement dans son droit. Cette affaire est loin d'être terminée.

— Est-ce que Jomann l'a appris ?

— Oui. Il n'a pas dit grand-chose. Ce n'est pas un homme de vengeance.

Skarre sourit à la pensée de Gunder.

— Jomann est un drôle de type, avoua-t-il. Un vrai pigeon.

Cette remarque lui valut un regard sévère de la part de Sejer.

— Ne fais jamais systématiquement le lien entre éloquence et intelligence.

— Il me semblait qu'il y avait un certain rapport, murmura Skarre.

— Pas dans ce cas.

Ils burent un instant en silence. Comme à son habitude, Skarre sortit un sachet de bonbons en gélatine de sa poche. Il en choisit un jaune et le trempa dans le vin rouge. Sejer frissonna. Le whisky commençait à faire effet. Ses épaules descendaient et il se sentait tout chaud. Le bonbon de Skarre vira à l'orange.

— Tu ne vois que la tragédie, ici, constata Skarre.

— Il y a autre chose à voir ?

— Jomann est devenu veuf. Ce n'est pas un mauvais statut pour un gars comme lui. D'une certaine façon, il a l'air fier d'elle. Bien qu'elle soit morte. Il va vivre là-dessus pour le restant de ses jours. Tu ne penses pas ?

Sejer lui arracha le sachet de sucreries.

— Ta glycémie est trop élevée, aboya-t-il.

Le silence revint. Les deux hommes levaient leur verre à tour de rôle.

— À quoi penses-tu ? finit par demander Skarre.

— Je pense à toutes les choses qui se goupillent. De façon complètement indépendante les unes des autres. De telle sorte que des choses horribles comme celle-là puissent arriver.

Skarre remplit son verre et écouta.

— Pourquoi est-ce que Poona est morte ? Parce que Gøran l'a passée à tabac. Mais aussi parce que Marie Jomann était une conductrice déplorable. Elle a cartonné, si bien que Jomann n'a pas pu aller chercher Poona. Ou bien, elle est morte parce que Kalle Moe ne l'a pas trouvée à Gardermoen. Elle est morte parce que Ulla a rompu avec Gøran. Parce que Lillian a dit non. Il y a tellement de choses… Tellement de hasards qui préparent la route au mal.

— Je pense à Anders Kolding.

— Dans la panique, il a fichu le camp chez sa sœur. Mais pas à cause d'un meurtre. Il a fui un gosse qui braillait et un mariage pour lequel il n'était vraisemblablement pas prêt.

— Torill a dit qu'il était parti vers la gauche.

— Tout le monde peut se tromper.

— Einar avait sa valise.

— Lui, c'est tout bonnement un couard.

— Je ne fais pas confiance à Lillian Sunde, continua Jacob en regardant son supérieur droit dans les yeux. Je crois qu'elle nous mène en bateau.

— Ça ne fait pas un pli. Mais pas sur cette soirée-là.

Skarre baissa la tête et regarda ses genoux. Puis rassembla ce qu'il avait de courage.

— Pour dire les choses comme elles sont : je ne suis pas certain de ce que je crois. Il est peut-être innocent. Tu as entendu parler de la lettre que Holthemann a reçue ?

— Oh oui, j'en ai entendu parler. Une lettre anonyme rédigée avec des lettres découpées dans le journal. « Vous avez pris le mauvais type. » J'ai aussi entendu cette histoire de bonne femme qui avait appelé, en prétendant qu'elle était médium.

— Elle a dit la même chose.

— Absolument. Et si le type de garde avait eu les idées claires, il aurait noté le nom et le numéro de téléphone de la donzelle.

— Tu ne travaillerais pas avec une médium, si ?

— Pas sur ses conditions. Elle n'est peut-être pas médium du tout, mais elle a pu savoir des choses

importantes sur le meurtre. Soot est parti du principe qu'elle n'était pas sérieuse. Je lui ai donné une
leçon, conclut-il tranquillement.

— Ça, je veux bien le croire, ricana Skarre. Ils
t'ont entendu jusque dans la cantine.

— Ma vieille mère tendait facilement l'index,
soupira Sejer avec mélancolie.

— Mais elle est morte ?

— Bien sûr. Ça explique un peu à quel point j'ai
gueulé. J'ai demandé à Soot qu'il s'excuse.

— Et Elise ? s'enquit Skarre avec curiosité. Tu
as eu de ses nouvelles ?

Un silence total s'abattit sur le salon de Sejer.

— Elise ne gueule jamais, répondit-il à voix
basse.

La soirée était bien avancée lorsque Skarre se
leva et alla chercher sa veste. Le chien lui embraya
le pas pour lui dire au revoir sur ses pattes faibles,
qui se renforçaient progressivement. Tandis qu'ils
discutaient, des coups de sonnette virulents les
firent sursauter. Sejer jeta un coup d'œil surpris à
l'heure, il était près de minuit. Une femme se tenait
au-dehors. Il la dévisagea un moment avant de la
reconnaître.

— Je suis désolée de venir si tard, s'excusa-t-elle
gravement. Je vais repartir immédiatement. Il y a
juste une chose importante que je voulais dire.

Sejer étreignait la poignée de porte. Il regardait
la mère de Gøran droit dans les yeux.

— Est-ce que vous avez des enfants ? demanda-
t-elle sans le quitter du regard.

Sa voix tremblait. Il vit sa poitrine qui se soulevait et s'abaissait sous son manteau. Son visage
était blafard.

— Oui, répondit Sejer.

— Je ne sais pas à quel point vous les connaissez,
poursuivit-elle, mais je connais bien Gøran. Je le

connais comme mon propre corps. Et cela, il ne l'a pas fait.

Sejer baissa les yeux sur les pieds de la femme, en bottines brunes.

— Je l'aurais su, continua-t-elle à voix basse. C'est le chien qui l'a griffé. Personne ne veut le croire. Mais je regardais, le soir du 20. Je faisais la vaisselle près de la fenêtre quand il est passé au portail. Il avait son sac de sport, et quand il a vu le chien, il l'a lâché et a commencé à jouer. Il aime ce chien, et ils ont joué assez férocement. Ils ont roulé par terre en criant comme des gosses. Quand il est rentré, il avait du sang partout, et des griffures au visage. Plus tard, je l'entendais chanter sous la douche.

Il y eut un instant de silence. Sejer écoutait.

— C'est la plus pure vérité, conclut-elle. C'est seulement cela que je voulais dire.

Elle fit alors volte-face et redescendit l'escalier. Sejer prit un moment pour se ressaisir. Puis il referma la porte. Skarre le regarda.

— Il chantait sous la douche ?

Les mots restèrent en suspens dans l'entrée. Sejer retourna dans le salon et regarda par la fenêtre. Il vit Helga Seter traverser le parking entre les immeubles.

— Est-ce qu'on peut chanter sous sa douche après avoir fait un truc pareil ? répéta Skarre.

— Bien sûr. Mais pas de joie, sans doute.

Il y eut un long moment de silence. Skarre ruminait.

— À quoi est-ce que tu penses ? demanda lentement Sejer.

— À beaucoup de choses. À Linda Carling. Et à qui elle est. Ce qu'elle a réellement vu. À Gøran Seter. Que l'on abandonne à ces gens peu recommandables.

— Tu aimerais bien que tout colle, à la fin, nota Sejer sur le même ton. Et constitue une image cohérente. Parce qu'on est faits comme ça. Mais la réalité est tout autre. Que quelques pièces ne tombent pas en place ne veut pas dire que Gøran soit innocent.

Il se détourna de nouveau.

— Mais c'est épouvantablement agaçant, hein ?

Skarre n'abandonnait pas.

— Oui, concéda-t-il. C'est épouvantablement agaçant. Si je faisais partie du jury au moment de trancher dans cette affaire, je n'oserais jamais le condamner.

— Tu ne feras pas partie du jury, le rassura Sejer en inspirant face à la fenêtre. Et bien sûr que Gøran est le fils préféré de sa mère. Il est le seul.

— Alors qu'est-ce que tu en penses ? demanda Skarre, qui doutait toujours.

Sejer expira profondément et se retourna.

— Je crois que Gøran a tourné en voiture après le meurtre, complètement hagard. Il avait déjà bazardé un jeu de vêtements, et ceux qu'il avait remis étaient aussi tachés de sang. Il devait entrer dans la maison. Il a peut-être vu sa mère à la fenêtre. Le sang sur les vêtements réclamait une explication. Alors il s'est jeté sur le chien. Comme ça, il pouvait justifier et les blessures, et le sang.

Il se mit brusquement à rire.

— Qu'est-ce qu'il y a de drôle ? demanda Skarre.

— Je pensais à quelque chose. Tu savais qu'un crotale peut mordre, longtemps après qu'on lui a tranché la tête ?

Skarre regarda avec surprise le large dos devant la fenêtre.

— Tu veux que j'appelle une voiture ? proposa Sejer sans se retourner.

— Non, je vais marcher.

340

— Ce n'est pas tout près. Et il fait noir comme dans un four, sous ce porche.

— Le temps est idéal. J'ai besoin d'air.

— Alors tu ne t'inquiètes pas ?

La question fut suivie d'un petit rire, mais la gravité y était bien présente.

Skarre omit de répondre. Il s'en alla, et Sejer resta près de la fenêtre. Des boutons en or, songea-t-il en les ressortant de sa poche de poitrine. Des pneus taillés en lambeaux. Une coupure de journal concernant un jeune homme retrouvé poignardé dans la rue. Qu'est-ce que cela signifiait ? Jacob surgit dans la lumière du réverbère. Il passa à grands pas hardis devant les immeubles et déboucha dans la rue. Avant d'être avalé par les ténèbres.

À la taverne d'Einar, deux hommes assis se regardaient sans ciller. L'heure de fermeture était passée, tous les autres étaient partis. Le visage de Mode était parfaitement calme, la main qui tenait le verre était ferme. Einar fumait des cigarettes maison. La radio diffusait une musique faible. Einar avait maigri. Il travaillait davantage et mangeait moins, maintenant qu'il était seul. Mode n'avait pas changé. Dans le fond, Mode était presque anormalement modéré, songea Einar en le regardant à la dérobée. Si immuable. Il avait fermé la station-service pour la soirée. À travers la fenêtre, ils voyaient le coquillage jaune éclairer dans la nuit.

— Pourquoi est-ce qu'ils ne t'ont jamais parlé ? voulut savoir Einar.

Soupçonneux.

— Bien sûr, qu'ils l'ont fait.

Einar tira sur sa clope.

— Mais ils n'ont jamais vérifié ton alibi, des choses comme ça.

— Ils n'avaient aucune raison de le faire.

— Mais tous les autres ont été contrôlés avec tellement de zèle... Moi. Frank. Sans parler de Gøran.

— Tu avais la valise, toi, répondit Mode calmement. Pas étonnant qu'ils t'aient contrôlé.

— Mais tu as dû partir du bowling de Randskog à peu près à cette heure-là, toi aussi ?

— Qu'est-ce que tu en sais ? demanda Mode à mi-voix.

— J'en ai parlé autour de moi. Bien obligé, si on veut se tenir au courant. Tommy m'a dit que tu étais parti à 20 h 30.

— Ah ! s'exclama Mode avec un beau sourire, tu vérifies les alibis des gens. Mais Gøran a avoué. Alors quel intérêt ?

— Mais il s'est rétracté. Imagine qu'il ne soit pas condamné, évoqua Einar. Alors il nous restera ce meurtre à tout jamais. On se regardera tous en chiens de faïence.

— Ah oui ?

Mode but un peu de bière. Il était très pondéré, Mode.

— Franchement, reprit Einar en le regardant. Tu crois que Gøran est coupable ?

— Aucune idée.

— Est-ce que les gens parlent de moi ? voulut savoir Einar. Est-ce que tu as entendu quelque chose ?

— On ne peut pas le nier. Mais tu t'en fous. Gøran est au trou. Il faut qu'on avance.

Einar écrasa sa cigarette dans le cendrier.

— Il y a trop de choses qui ne vont pas. Le journal a écrit qu'il avait jeté ses vêtements et ses haltères dans le Norevann. Mais on ne les a pas retrouvés.

— Qu'est-ce que tu veux retrouver dans ce bourbier ?

— En plus, il y a eu des problèmes pendant la reconstitution. Les flics l'ont corrigé en cours de route. Pour avoir ce qu'ils voulaient. C'est comme ça qu'ils font.

— Ce n'est sûrement pas facile de se souvenir des détails quand on a pataugé dans un brouillard de sang.

— Alors tu sais de quoi il s'agit ? Un brouillard de sang ?

Mode était impassible.

— Imagine, avoir ses haltères dans sa bagnole. Il est abstinent, sans. Ça en dit suffisamment long.

— Les gens ont tout et n'importe quoi dans leur voiture, répondit Einar en l'observant. Tu as bien ta boule de bowling. Tout le temps entre ici et Randskog. Combien elle pèse ?

— Dix kilos, répondit Mode avec un sourire.

— Et puis, tu aimes bien ces nanas exotiques, le provoqua Einar.

— C'est vrai ?

À nouveau ce sourire.

— Tu étais avec l'aînée de Thuan.

— Nous avons eu une petite aventure. Je ne le regrette pas. Elles sont différentes.

Le silence revint. Ils regardèrent vers la fenêtre noire, mais n'y trouvèrent que le visage l'un de l'autre, et se détournèrent.

Gunder alla comme de coutume à l'hôpital. Il rassembla ses forces pour dire quelques mots.

— Salut, Marie. Le procès commence. S'ils le condamnent, il prendra du ferme, un bon paquet d'années. Ensuite, ils se battront pour le jugement, Gøran et son défenseur. Ils diront qu'il est trop sévère. Parce qu'il est jeune. Je veux affirmer qu'il sera encore jeune quand il sortira. Un homme au milieu de la trentaine a la vie devant lui. Ce que n'a pas Poona. Tu ne te ressembles pas beaucoup, poursuivit-il lourdement. Mais je te reconnais à ton nez. Il a l'air plus gros que d'habitude parce que tu

343

es vraiment très maigre. Imagine tout le temps que tu as passé comme ça, je n'arrive presque pas à le croire. Est-ce que Karsten est venu, hier ? Il l'avait promis. Il m'est tellement étranger... À toi aussi, peut-être. Il n'était d'ailleurs jamais à la maison, si ?

Silence. Il écouta la faible respiration de sa sœur. La lumière crue qui tombait du plafond la faisait paraître vieille.

— Je n'ai plus rien à dire, déclara tristement Gunder. J'ai parlé très, très longtemps.

Il baissa la tête, fixa son regard sur le mécanisme d'élévation du lit, une pédale tout près du sol. Il se mit à donner de petits coups de pied dedans.

— Demain, j'apporterai un livre. Comme ça, je pourrai te faire la lecture. Pour moi, ce sera agréable de parler d'autre chose que de moi. Quel livre est-ce que je dois prendre ? Je vais chercher sur mes étagères. Je peux lire des morceaux de *Tous les peuples du monde*, et on pourra aller partout, toi et moi. En Afrique, en Inde.

Il sentit une larme se frayer un chemin et l'essuya d'une phalange. Il releva la tête et observa sa sœur dans un voile de larmes. Il regardait soudain à travers un œil éveillé. Un bruissement traversa la pièce lorsqu'il vit ce regard sombre. Elle le scrutait depuis un endroit très lointain. Ses yeux étaient pleins de surprise.

Par la suite, lorsque l'excitation fut retombée et que les médecins eurent examiné Marie, elle perdit de nouveau connaissance. Gunder n'était pas sûr qu'elle l'ait reconnu. Elle se réveillerait et perdrait probablement connaissance plusieurs fois avant de retrouver tous ses esprits. Il appela Karsten. Décela la pointe de panique dans sa voix. Puis il alla sur la tombe de Poona. S'activa un moment sur une erica bien fournie qui supportait tout, aussi bien le gel que la sécheresse. Il creusa avec les mains dans la terre froide, caressa la petite parcelle qui était à elle. Il passa la main sur la croix de bois et les lettres qui composaient le beau nom. Il ne se releva ensuite pas du tout. Son corps se figea dans cette position, il ne pouvait bouger ni les bras ni les jambes, ni lever la tête. Au bout d'un moment, le froid l'envahit et il se rigidifia encore davantage. Son dos et ses genoux se mirent à le faire souffrir. Sa tête était vide, pas de chagrin, pas de peur, seulement un vide où tous les sons se répercutaient. Il pouvait rester ainsi jusqu'au printemps. Il n'avait aucune raison de se lever. La glace et la neige se déposeraient bientôt sur toute chose. Gunder était une sculpture gelée, accroupi, les mains enfouies dans la terre.

Une ombre se glissa dans son champ de vision. Le prêtre Berg arriva à son niveau.

— Jomann, vous allez prendre froid, ici.

Il le dit d'une voix extrêmement douce. Comme le font les prêtres, songea Gunder. Mais il ne bougea pas.

— Venez avec moi dans la chaleur, l'invita Berg.

Gunder essaya de soulever son corps, mais celui-ci refusa d'obéir.

Berg n'était pas grand, mais il agrippa Gunder par le bras et l'aida à se relever. Il lui tapota maladroitement l'épaule. Le poussa précautionneusement devant lui en remontant vers le presbytère, et le fit asseoir sur une chaise. Un feu brûlait dans la cheminée. Gunder se réchauffa lentement.

— Qu'est-ce que j'ai fait ? demanda-t-il d'une voix étranglée par les larmes.

Berg le regarda calmement. Gunder eut du mal à respirer.

— Attiré Poona jusqu'ici, tout droit dans la mort, renifla-t-il. Mise dans cette terre froide bien qu'elle soit hindoue, et qu'elle ait dû être ailleurs. Auprès de l'un de ses dieux.

— Mais elle voulait venir vous rejoindre ici, objecta Berg.

Gunder se cacha le visage dans les mains.

— Et moi qui devais lui donner le meilleur !

— Je crois que c'est ce que vous avez fait. Elle a eu un bel emplacement. Si vous l'aviez renvoyée avec son frère, vous l'auriez peut-être regretté. Vous avez dû choisir entre deux solutions désespérées. Il arrive qu'on doive en passer par là. Personne ne peut vous reprocher quoi que ce soit.

Gunder laissa les mots pénétrer en lui. Puis il releva la tête et regarda le prêtre.

— Je me demande ce que Dieu voulait me dire comme ça, souffla-t-il.

Un éclair de colère passa sur son visage.

Berg jeta un coup d'œil par la fenêtre, sur les cimes d'arbres au-dehors. Les feuilles tombaient lentement sur le sol.

— Moi aussi, répondit-il doucement.

Un moment après, Gunder se reprit.

— En Inde, les mômes jouent au football entre les tombes, se souvint-il subitement. C'était agréable. Tellement naturel, en quelque sorte…

Berg ne put s'empêcher de sourire.

— Ce serait sympathique. Mais ce n'est pas moi qui décide.

Gunder rentra alors chez lui. Il s'arrêta un instant au pied de l'escalier du premier. Il se décida enfin, monta lentement et sortit les vêtements de Poona, qui étaient rangés dans une boîte. Avec recueillement, il les suspendit dans la penderie de la chambre. La penderie, qui jusqu'ici avait été pleine de costumes gris et noirs, avait une tout autre allure. Il déposa ses chaussures par terre, en dessous. Il descendit ses affaires de toilette dans la salle de bains. Posa sa brosse sous le miroir. Un petit flacon de parfum prit place à côté de son propre flacon d'aftershave. Il alla ensuite s'asseoir à la fenêtre de la cuisine et regarda dans le jardin. Les nuages avaient recouvert le ciel et tout était gris. Il avait suspendu une boule de graisse et de graines pour les petits oiseaux devant la fenêtre. De temps en temps, un oiseau se posait dessus. Les idées de Gunder se bousculaient. Comment aurait été la vie avec Poona ? Se réjouissait-elle autant que lui ? Ou bien était-il seulement un homme ayant une bonne situation, la clé d'un avenir agréable ? Comme sa sœur l'avait dit ? Il ne découvrirait de toute façon jamais si ce qu'ils avaient fait avait été important pour elle. Si elle aurait été une femme aimante, une compagne de vie fidèle. Ou bien si elle était simplement heureuse à l'idée d'échapper à la pauvreté de Mumbai. Comment le savoir à coup sûr ? Son avenir à lui, celui qu'il tentait laborieusement de voir, serait fait de suppositions et de rêves. Comme il espérait que les choses auraient été. Et il n'avait pas dit non plus qu'il l'aimait. Il n'avait pas osé. Il le regrettait à présent amèrement. Il le crierait du sommet de la plus haute montagne, pour que tout le monde puisse l'entendre. Poona, Poona ma bien-aimée !

Qu'est-ce que l'amour ? se demanda-t-il, troublé. Rien qu'un souhait brûlant.

Il posa sa tête dans ses bras et gémit. En proie à un profond malaise. Qu'avait pensé Poona en ne le voyant pas à l'aéroport ? Qui était Marie, à présent ? De quoi aurait-elle besoin ?

Gunder releva la tête. Il aperçut alors le facteur dans sa Pajero verte. Il s'arrêta près de la boîte de Gunder. Celui-ci attendit que la voiture fût hors de vue et descendit à pas calmes vers la route. Une lettre. Pour lui, dans une grande enveloppe. Il rentra dans la cuisine et ouvrit le pli. C'était la lettre de Poona à son frère. L'original, en indien, et une traduction pour lui. Sejer avait ajouté un mot de salutations. Il alla chercher ses lunettes, les mit et se fit violence pour tenir ses mains tranquilles. Il commença à lire. Ça s'éclaircissait, au-dehors. Un nuage glissa lentement de côté et dévoila un soleil d'octobre. L'herbe scintilla. Une fine couche de glace recouvrait la baignoire à oiseaux. Un pic-épeiche atterrit près de la fenêtre. Il planta ses griffes dans la boule pour oiseaux et se jeta sur la graisse et les graines avec un bel enthousiasme. Un mâle, songea Gunder. L'arrière de sa tête luisait d'un beau rouge sous le soleil. Il lut lentement la lettre. Tout s'arrêta en lui.

Cher frère Shiraz,

Il y a longtemps que nous nous sommes vus. Je t'écris maintenant pour une occasion très importante. Et tu dois me pardonner pour ne pas tenir compte de toi.

Je suis une femme mariée. Ça s'est passé hier. C'est un homme correct, aimant, convenable. Il me porte tel que l'on porte un enfant que l'on veut aider et protéger. Il s'appelle Gunder Jomann.

Mr. Jomann est grand, fort et beau. C'est vrai qu'il n'a pas beaucoup de cheveux, et il n'est pas très preste, ni quand il agit ni quand il pense. Mais chaque pas est réfléchi, chaque pensée est pondérée. Il a une maison et un travail dans le pays dans lequel il vit. Avec un jardin, des arbres fruitiers, toutes sortes de choses. Il y fait froid, dit-il, mais je n'ai pas peur. Il a une aura de lumière et de chaleur autour de lui. Je veux y rester, toujours. Je n'ai pas non plus peur de ce que tu penses, cher frère, car je souhaite ceci plus que toute autre chose. Je vais partir pour son pays et habiter dans sa maison. Pour tout le reste de ma vie. Il n'y a pas de meilleur homme au monde que Gunder Jomann. Ses mains sont grandes et ouvertes. Ses yeux sont bleus comme le ciel. Une force paisible rayonne de ce corps fort et large. Je le sais, je l'ai vu, senti. La vie sera bonne avec lui. Sois heureux avec moi !

Sois heureux comme moi, de tout ce qui s'est passé.

Ta sœur Poona.

8974

Composition
PCA À REZÉ

Achevé d'imprimer en France (La Flèche)
par **CPI BRODARD ET TAUPIN**
le 10 mai 2009. 52929
Dépôt légal mai 2009.
EAN 9782290009079

ÉDITIONS J'AI LU
87, quai Panhard-et-Levassor, 75013 Paris

Diffusion France et étranger : Flammarion